Wezbrane wody

DANIELLE

STEEL

Wezbrane wody

tłumaczenie
Aleksandra Żak

między
słowami

Tytuł oryginału
Rushing Waters

Fotografia na okładce

Opracowanie tekstu i przygotowanie do druku
CAŁA JASKRAWOŚĆ, www.calajaskrawosc.pl

ISBN 978-83-240-3685-1

Między Słowami
ul. Kościuszki 37, 30-105 Kraków
E-mail: promocja@miedzy.slowami.pl

Książki z dobrej strony: www.znak.com.pl
Dział sprzedaży: tel. 12 61 99 569, e-mail: czytelnicy@znak.com.pl

Wydanie I, Kraków 2016
Druk: Opolgraf

Mojemu drogiemu Toto
za to, że byłeś taki dzielny,
za wszystko, co przeszedłeś,
za to, że przeżyłeś to, co inni
mogą sobie tylko wyobrazić.
Oby te wspomnienia minęły,
i niech niebiosa mają Cię w opiece.

Kocham cię, Mama

Wszystkim moim ukochanym dzieciom:
Beatie, Trevorowi, Toddowi, Nickowi, Sam,
Vanessie, Maxxowi i Zarze,

z nieskończoną wdzięcznością za to, kim jesteście,
oraz wieczną miłością dla was.

Mama/d.s.

Smutek ma swoją nagrodę.
Nie zostawia nas nigdy tam, gdzie nas zastał.

Mary Baker Eddy

Rozdział 1

Ellen Wharton w zamyśleniu przyglądała się ubraniom zawieszonym na przesuwanym stojaku oraz tym, które ułożyła na łóżku. Przygotowywała się do podróży do Nowego Jorku. Była zorganizowana, drobiazgowa, pedantyczna, zawsze wszystko planowała i niczego nie zostawiała losowi – ani firmy, ani tego, co jadła, ani ubioru, ani życia towarzyskiego. Była niezwykle ostrożna i dokładna we wszystkim, co robiła. Zapewniało jej to uregulowane, zorganizowane życie, w którym było mało niespodzianek, ale i niewiele okazji, by coś mogło pójść nie tak. Planowała podróż do Nowego Jorku od czerwca. Co roku odwiedzała tam matkę. Co dwa lata przylatywała też do niej na Święto Dziękczynienia, zazwyczaj bywała w Stanach także wiosną. Planowała zrobić zakupy dla dwójki klientów, ale jej podróż miała także inny cel.

Ellen prowadziła popularną pracownię dekoracji wnętrz. Zatrudniała trzy asystentki i specjalistę do spraw koloru, a klienci z różnych europejskich miast byli zachwyceni jej pracą. Tworzyła dla nich piękne wnętrza, których sami nie byliby w stanie skomponować. Wybierała najlepsze tkaniny, wspaniałe meble, które pasowały do ich stylu życia i potrzeb, oraz niezwykłe, atrakcyjne zestawienia kolorystyczne. Jej stawki nie były skromne, ale nie musiały takie być – była dobrze znana w branży, zdobyła liczne nagrody, a jej artykuły publikowano w najważniejszych magazynach wnętrzarskich. Często mawiała, że nauczyła się wszystkiego u boku mistrzyni. Jej matka była uznanym w Nowym Jorku architektem i absolwentką Yale. Na początku kariery pracowała dla słynnego biura I.M. Pei. Minęło już wiele lat, odkąd założyła własną firmę. Projektowała wnętrza w Nowym Jorku, Connecticut, Palm Beach, Houston, Dallas oraz wszędzie tam, gdzie klienci chcieli stworzyć wyjątkowy dom.

Mając trzydzieści osiem lat, Ellen wciąż uwielbiała spędzać czas z matką. Uważała, że to od niej nauczyła się najwięcej o projektowaniu wnętrz. Za każdym razem, gdy się z nią spotykała, dowiadywała się czegoś nowego. Czasami mama podsyłała jej klienta – zazwyczaj w Europie, ale tym razem Ellen pracowała z klientem z Palm Beach. Rok wcześniej zaprojektowała dla niego wnętrze jachtu. Jej prace zawsze idealnie mieściły się w budżecie i w limicie czasowym, co było w tej branży czymś niezwykłym i pomogło jej osiągnąć wielki sukces. Jej firma była solidna i dobrze prosperowała.

Ellen bardzo różniła się od matki, ale lubiła z nią pracować. Obie kobiety bardzo się szanowały. Uwielbiała otwartość, przestrzeń i czystość jej projektów oraz stylu architektonicznego. Z wielką przyjemnością tworzyła wnętrza zaprojektowanych przez nią domów. Czasami prosiła ją o radę podczas pracy dla innych klientów. Rozwiązały razem niejeden zawiły problem. Siedemdziesięcioczteroletnia Grace Madison wciąż była pełna innowacyjnych pomysłów. Często mawiała, że właściwą odpowiedzią zawsze jest ta najprostsza. Nie lubiła komplikacji czy zagracania projektowanych przez nią domów pretensjonalnymi sztuczkami. Ellen podzielała to przekonanie.

Młoda kobieta zawsze próbowała przewidzieć potencjalne problemy i do wszystkiego podchodziła skrupulatnie. Matka była bardziej spontaniczna i otwarta na nowe pomysły. Czasem brano ją przez to za dziwaczkę, ale tę cechę jej córka również uwielbiała. Grace była utalentowaną, silną kobietą, która dziesięć lat wcześniej pokonała raka piersi. Gdy przechodziła chemioterapię i naświetlanie, nie opuściła prawie żadnego dnia pracy. Od tamtego czasu rak nie wrócił, ale Ellen i tak się o nią martwiła. Po matce nie było widać wieku i zachowywała się młodzieńczo. Mimo to lat jej nie ubywało, chociaż wyglądała młodo i wydawało się, że jej energia nigdy się nie wyczerpie. Ellen żałowała, że nie mieszkają w tym samym mieście, ale już prawie jedenaście lat mieszkała w Londynie. Od dziesięciu była żoną George'a Whartona, adwokata, który był pod każdym względem na wskroś brytyjski. Ukończył uniwersytet w Oksfordzie i szkołę męską w Eton. Jego rodzina była wpisana do brytyjskiego almanachu szlacheckiego. Historia, zwyczaje i tradycje rodu były typowo brytyjskie. Ellen podjęła ogromny wysiłek, by dostosować się do jego stylu życia i nauczyć się jego angielskich zwyczajów, choć sama była Amerykanką z własnymi przekonaniami i pomysłami. Jednak szanowała jego sposób bycia, choć na początku nie było to łatwe.

Prowadziła dom dokładnie tak, jak George tego pragnął i oczekiwał. Z przyjemnością uczyła się od niego brytyjskich konwenansów i wiele z nich sama przejęła. Czasami jednak tęskniła za nowojorską swobodą oraz za znajomymi zwyczajami, wśród których się wychowała. Zrezygnowała ze swojego świata, by dostosować się do jego rzeczywistości. Gdy się pobrali, była bardzo młoda, pragnęła takim zachowaniem zadowolić męża. Po dziesięciu latach jego skłonności stały się również częścią jej życia.

Choć miała wrażenie, że jej rodzice się dogadują, gdy tylko wyjechała na studia, nagle się rozwiedli. Matka mówiła, że planowali to już od kilku lat. Nie czuli do siebie nienawiści. Po prostu już nie mieli ze sobą nic wspólnego. Grace stwierdziła, że zwyczajnie „skończyło im się paliwo". Ojciec Ellen pracował dla firmy inwestycyjnej na Wall Street. Był dziesięć lat starszy od matki i zmarł wkrótce po ślubie swojej córki. Żadne z rodziców nie znalazło kolejnego małżonka. Utrzymywali zażyłe kontakty i żyli w zgodzie, ale oboje wydawali się zadowoleni z rozwodu. Mówili, że niczego nie żałują, i najwyraźniej byli szczęśliwsi osobno. Ellen była im wdzięczna, że pomimo problemów nie rozstali się, kiedy dorastała. Zawsze załatwiali wszystko życzliwie, nie mówili o sobie źle i nie rozpowiadali o swoich sprzeczkach. Właśnie dlatego rozwód był takim zaskoczeniem. Jednak Ellen prawie nie odczuła jego skutków. Gdy brała ślub z George'em, jej rodzice wydawali się zadowoleni. Mimo to matka znacząco zapytała córkę przed ślubem, czy nie uważa, że narzeczony jest nieco sztywny i nadmiernie przywiązany do swoich zwyczajów. Jego angielska osobowość była bardzo wyrazista, ale Ellen uważała, że to ujmujące. Pod pewnymi względami George przypominał jej ojca. Był cichym, rzetelnym i odpowiedzialnym mężczyzną – uważała, że dzięki tym cechom będzie dobrym mężem, nawet jeśli trochę nudnym. Zawsze można było na niego liczyć. Był solidny, co dawało Ellen poczucie bezpieczeństwa. Chciała mieć poukładane życie bez niespodzianek.

Jedynym rozczarowaniem w małżeństwie, którego Ellen nie przewidziała i nie była w stanie kontrolować, okazał się fakt, że nie mogła mieć dziecka. Nie udało się to pomimo dużych wysiłków i wsparcia ze strony George'a. Przeszedł wszystkie konieczne badania, by określić, w czym tkwi problem. Szybko zorientowali się, że to nie o niego chodzi. Ellen również została wielokrotnie zbadana. W ciągu czterech lat podjęli dziesięć prób zapłodnienia *in vitro*, ale efekty doprowadzały ich do rozpaczy. Zmieniali lekarzy czterokrotnie – za każdym razem, gdy dowiadywali się o nowym, podobno lepszym specjaliście. Ellen sześć razy była w ciąży, jednak zawsze szybko następowało poronienie – nawet wtedy, gdy w ciągu pierwszych tygodni po zapłodnieniu bardzo uważała. Ich obecny lekarz doszedł do wniosku, że jej jajniki przedwcześnie się zestarzały. Rozpoczęli próby, dopiero gdy miała trzydzieści cztery lata. Wcześniej Ellen była zbyt zajęta rozwijaniem firmy. Sądzili, że mają jeszcze czas, okazało się jednak, że jest inaczej. Żadne z nich nie chciało adoptować dziecka. George był w tej kwestii bardzo stanowczy i oboje się co do tego zgadzali. Ellen nie chciała korzystać z komórek jajowych dawczyni. Tym bardziej nie chcieli decydować się na surogatkę, ponieważ nie mieliby kontroli nad tym, czy matka zastępcza podczas ciąży będzie się zachowywać odpowiedzialnie, czy nie będzie ukrywać przed nimi jakichś niezdrowych słabostek. Chcieli mieć własne dziecko albo żadnego. Ta druga możliwość z każdym miesiącem stawała się coraz bardziej prawdopodobna.

Ellen nie wyobrażała sobie, jak będzie wyglądać ich starość bez dzieci. Byli zdecydowani, by spróbować po raz kolejny. Pomiędzy próbami *in vitro* i zastrzykami z hormonów, które musiał aplikować jej George, Ellen zaplanowała intensywne „próby naturalne". George biegł do domu z biura na wezwanie, a Ellen opuszczała firmę, gdy tylko kupiony w aptece test wskazywał, że ma owulację. W ten sposób zaszła już w ciążę kilkakrotnie, ale poroniła równie szybko jak po sztucznym zapłodnieniu. Przed paroma miesiącami przestali próbować. Było to dla nich zbyt stresujące, a dla niej stało się wręcz obsesją. Ścisłe planowanie prób zajścia w ciążę odebrało ich związkowi nieco magii. Jednak Ellen była pewna, że ostatecznie ich metody okażą się skuteczne i warte czteroletniego stresu.

W Nowym Jorku miała umówioną wizytę u specjalisty od niepłodności. Chciała uzyskać dodatkową opinię o nowych zabiegach, które mieli zamiar wypróbować. Nie była jeszcze gotowa się poddać, chociaż w ciągu ostatniego roku poziom jej hormonów był niekorzystny. To potwierdzało przypuszczenia ich londyńskiego lekarza, który twierdził, że nie mają szans. Ellen nie była w stanie tego zaakceptować, a George dzielnie wspierał ją w kolejnych zawziętych próbach. Efekty były jednak coraz bardziej przygnębiające. Nie było to nic przyjemnego, ale Ellen miała pewność, że jeśli udałoby jej się urodzić dziecko, wysiłek byłby tego wart. George zgadzał się z nią. Nie chciał się poddawać, by nie doprowadzać jej do rozpaczy, chociaż już przestawał wierzyć, że mają szanse na sukces. Próbował zaakceptować sytuację z godnością i miał nadzieję, że ona także w końcu to zrobi. Tak ciężko znosiła wytrwałe starania i ciągłe porażki. Dla niego też nie były one łatwe, choć nigdy nie narzekał.

Mimo że Ellen spędziła dziesięć lat w Anglii, od razu można było poznać, że jest Amerykanką – była wysoka, szczupła, miała ładnie przycięte włosy do ramion oraz coś w sposobie bycia, przez co wyglądała jak typowa amerykańska dziewczyna. Ubierała się swobodnie, ale elegancko: nosiła kaszmirowe swetry, dopasowane spódnice i buty na obcasach. W weekendy wkładała dżinsy, gdy wybierali się do domku na wsi któregoś z przyjaciół albo na polowania, które były ważną częścią rodzinnych tradycji George'a. Sami nie kupili jeszcze wiejskiego domu. Obiecali sobie, że to zrobią, gdy będą mieli dzieci.

George miał czterdzieści cztery lata. Podobnie jak żona był wysoki, smukły i jasnowłosy, choć jego uroda była bardziej europejska. Był bardzo przystojnym mężczyzną. Ludzie zawsze mówili, że George i Ellen będą mieli piękne dzieci, nie mając pojęcia, przez co przeszli, starając się o potomstwo. Kobieta opowiedziała o swoich wysiłkach tylko matce oraz Mireille, swojej najbliższej przyjaciółce w Londynie. Była to Francuzka, która również wyszła za Brytyjczyka. Miała czwórkę dzieci i wraz z Ellen opłakiwała każdą nieudaną próbę urodzenia dziecka. Była utalentowaną malarką, ale jako matka czworga małych dzieci nie miała czasu na sztukę. Jej mąż był adwokatem, podobnie jak George. Whartonowie często przyjeżdżali na weekendy do ich wiejskiego domku. Również długoletni przyjaciele George'a zapraszali ich do siebie niemal co weekend.

Ellen zmrużyła oczy, wpatrując się w ubrania na stojaku, i dokonała ostatecznego wyboru. Włożyła rzeczy do walizki i dopakowała kilka letnich ubrań. W połowie września w Nowym Jorku wciąż mogło być upalnie. Gdy tylko zapięła walizkę i postawiła ją na podłodze, wszedł George.

– Słyszałaś o huraganie? – spytał zmartwiony, po czym z uśmiechem pocałował ją w czubek głowy.

George nie był namiętny, ale darzył ją czułością. Choć nie okazywał miłości zbyt często, wiedziała, że zawsze będzie ją wspierał. Można było na niego liczyć w każdej sytuacji.

– Co nieco – powiedziała bez przejęcia. – O tej porze roku na wschodzie Stanów zawsze są huragany.

Obok walizki ustawiła aktówkę. Zabierała ze sobą notatki, rozkład pomieszczeń oraz próbki kolorów i tkanin dla klientów.

– To trochę lekkomyślne podejście po huraganie Sandy, nie sądzisz? – skomentował, przypominając sobie potworny kataklizm, który pięć lat wcześniej dotknął Nowy Jork.

– Takie zjawiska są bardzo rzadkie – odparła, czując spokój i radość na widok męża, a potem przypomniała mu: – Rok przed Sandy był huragan Irene. Wszyscy przewidywali, że zrówna Nowy Jork z ziemią, a gdy już dotarł do miasta, przerodził się w zwykłą burzę. Nie można panikować za każdym razem, gdy o tej porze roku zapowiadają huragan. To nic takiego. Sandy to był po prostu niezwykły zbieg okoliczności. Prawdopodobnie więcej się nie zdarzy – zakończyła z przekonaniem.

Nigdy nie przejmowała się huraganami. Miała wystarczająco dużo innych, bliższych jej życiu zmartwień – między innymi kolejną próbę *in vitro*. Obawiała się też o wynik następnego badania mammograficznego matki, chociaż dwa tygodnie wcześniej niczego nie wykryto. Huragany nie znajdowały się na liście problemów Ellen.

– Oby się to nie powtórzyło, a przynajmniej nie wtedy, gdy ty tam będziesz – odparł, patrząc na nią ciepło i przytulając na chwilę. – Będę za tobą tęsknił – dodał, zerkając na jej walizkę. – Sam też powinienem się spakować. Jadę na weekend do Turnbridge'ów. Urządzają dosyć duże przyjęcie i polowanie.

Uwielbiał takie typowo brytyjskie weekendy zgodne z niezmienną od wieków angielską tradycją. Ellen żałowała, że jej przy tym nie będzie. Przyjęcia, na które chadzali, były ważną częścią ich życia towarzyskiego. Spotykali się tam ze starymi przyjaciółmi i tymi nowymi oraz z ludźmi, z którymi George dorastał i chodził do szkoły. Nawet po dziesięciu latach Ellen była uważana za nową twarz w grupie, wszyscy jednak byli dla niej mili.

– Nawet nie będziesz za mną tęsknił – rzuciła przekornie. – Czeka cię zbyt dobra zabawa.

Uśmiechnął się nieśmiało. Oboje wiedzieli, że Ellen ma trochę racji. Spędzał czas na przyjęciach, dyskutując z mężczyznami o interesach, a kobiety rozmawiały o dzieciach – wszystkie rodziny posyłały potomstwo do szkół z internatem.

– Wróć szybko – poprosił, po czym wyszedł, by spakować się na weekend.

George wiedział, że żona uwielbia odwiedzać matkę. Sam również przepadał za Grace. Była energiczną, inteligentną kobietą pełną twórczych pomysłów i odważnych opinii, które go bawiły. Uwielbiał rozmawiać z nią o polityce i architekturze. Była idealną teściową – ciągle zajęta i niezależna, miała własne życie, wciąż była aktywna i nigdy się nie wtrącała. Ponadto nawet w wieku siedemdziesięciu czterech lat była dość urodziwa. Był pewien, że z Ellen będzie podobnie, chociaż nie była równie uparta jak matka ani równie śmiała w wyrażaniu swojego zdania. Łagodniejszy sposób bycia żony odpowiadał mu, podobnie jak chęć dopasowania się do niego. Jej matka nigdy nie bała się mówić, co myśli, niezależnie od tego, czy inni się z nią zgadzali. Była niezwykle bystra, przyjemnie się z nią przebywało i rozmawiało. Ellen była spokojniejsza i bardziej powściągliwa – sądził też, że łatwiej z nią żyć.

Kiedy zeszli na dół, by coś zjeść, Ellen wyciągnęła z lodówki dużą sałatkę, którą przygotowała dla nich gosposia. Przypomniała George'owi, że codziennie będzie miał przygotowywane posiłki i że powinien zawiadomić gosposię, jeśli ma zamiar jeść poza domem. Podczas jej wyjazdów często wychodził, nie lubił przebywać w domu sam. Czasami w drodze z pracy wpadał do swojego klubu i tam jadł obiad.

– Nie martw się, myślę, że poradzę sobie przez dziesięć dni – powiedział, gdy zasiedli przy nakrytym dla nich okrągłym stole przy oknie wychodzącym na ogród.

Znajdowali się w dużej, wygodnej kuchni, którą Ellen urządziła na nowo rok temu. Dom był dla nich zbyt wielki – było w nim pięć sypialni, których jeszcze nie potrzebowali. Jedną z nich wykorzystywała jako domowe biuro, w drugiej urządziła gabinet George'a. Mieli też dwa pokoje gościnne oraz siłownię i domową salę kinową na parterze. Zajęli cały duży dom, który kupili pięć lat temu, gdy postanowili powiększyć rodzinę. Wówczas nie wiedzieli jeszcze, jakie to będzie trudne, jak odległe okaże się ich marzenie.

Przy kolacji rozmawiali o dwóch sprawach, nad którymi pracował obecnie George, oraz o klientach, dla których Ellen miała kupować towary w Nowym Jorku, a także o tym, co spodziewała się znaleźć. Niedawno zadzwonił do niej klient planujący urządzenie domu na południu Francji. Już cieszyła się na to zlecenie. To mógłby być pretekst, by od czasu do czasu spędzić tam weekend.

Po kolacji Ellen poszła dołożyć do aktówki kolejne próbki kolorów i dokumenty. Przed pójściem do łóżka George włączył kanał CNN, by dowiedzieć się czegoś jeszcze o huraganie. Wichura wciąż przedzierała się przez Karaiby w kierunku wschodniego wybrzeża. To go zmartwiło. Jednak nie wydano jeszcze żadnych poważnych ostrzeżeń dla Nowego Jorku.

– Chciałbym, żeby te cholerne zawieruchy się tam nie zdarzały albo żebyś jeździła do matki o innej porze roku.

Wydawał się nieco zirytowany, ale Ellen go zignorowała. Przed niszczycielskim huraganem, który dotknął miasto pięć lat temu, nikt nie zwracał uwagi na coroczne wichury. Nawet teraz większość ludzi nie obawiała się, że coś podobnego zdarzy się ponownie. George'owi jednak się to nie podobało. Podchodził do sprawy o wiele poważniej niż żona. Wydawało mu się, że wyjazd do Nowego Jorku w sierpniu czy wrześniu to głupota.

– Huragan nie dotrze do miasta – oświadczyła, gdy kładli się do łóżka.

George ucałował żonę. Tej nocy nie próbowali się kochać. Nie robili tego już od jakiegoś czasu. Nie miała owulacji, więc nie musieli. Czuli ulgę, że dla odmiany nie muszą o tym myśleć i mogą po prostu leżeć obok siebie, niczego nie planując. Brak seksu stał się równie przyjemny jak zbliżenia przed próbami *in vitro*. George nie musiał się obawiać, czy spełni oczekiwania. Wydawał się rozluźniony, gdy gasił światło, a Ellen otulała się kołdrą u jego boku.

– Gdy mnie nie będzie, możesz za mną trochę tęsknić – wyszeptała, a on się uśmiechnął.

– Będę o tym pamiętał – odparł, po czym przyciągnął ją do siebie.

Po chwili oboje zasnęli i obudzili się dopiero o szóstej rano, słysząc nastawiony przez nią budzik.

Po przebudzeniu Ellen myślała o tym, by kochać się z George'em. On jednak wstał, zanim rozbudziła się wystarczająco, by coś zrobić. Poszedł do swojej łazienki i garderoby, a ona odrzuciła kołdrę i weszła do swojej. Londyn był skąpany w słońcu. Cieszyła się na ciepłe, a może nawet gorące babie lato w Nowym Jorku. Czasem wciąż tęskniła za rodzinnym miastem. Jednak teraz, gdy mieszkała w Anglii, jej życie wyglądało zupełnie inaczej.

Włożyła ubrania przygotowane na podróż i przyszykowała śniadanie dla męża, zanim zszedł na dół. Musiała wyjść za pół godziny. Jedna z jej asystentek zamówiła dla niej samochód i kierowcę, który miał ją zawieźć na lot o dziesiątej. Leciała dużym Airbusem A380. Lubiła jego przestronne wnętrze i gładkość lotu pomimo tego, że po lądowaniu musiała ścigać się z pięciuset pasażerami, by odebrać bagaż. Miała dolecieć do Nowego Jorku o trzynastej czasu miejscowego. Miała nadzieję, że przejdzie odprawę celną i dotrze do centrum około piętnastej lub piętnastej trzydzieści. Chciała być w mieszkaniu matki przed jej powrotem z biura. Dzięki temu miałaby czas, by się rozpakować i zadomowić. Potem mogłyby bez pośpiechu porozmawiać przy obiedzie i nadrobić zaległości w wygodnym mieszkaniu Grace. Ellen wolała je od hotelu i wiedziała, że mama również przepada za jej obecnością. Kobieta pogodziła się z tym, że jej jedyna córka od dziesięciu lat mieszka w odległej Anglii. Sama była zajęta pracą. Przebywanie z matką zawsze powodowało u Ellen żal, że nie przyjeżdża do Nowego Jorku częściej.

Kiedy przyjechał samochód, George odprowadził ją i zniósł jej walizkę po schodach przed dom. Następnie podał bagaż żonie, patrząc na nią poważnie.

– Trzymaj się z dala od tego huraganu – poprosił, całując ją na pożegnanie, a potem ze smutkiem spojrzał jej w oczy.

– Baw się dobrze w weekend – odparła Ellen i znów go ucałowała.

– To nie będzie łatwe bez ciebie – stwierdził z uśmiechem, a potem wsiadł do swojego auta.

Kierowca włożył jej walizkę do bagażnika i poczekał, aż wsiądzie. Pomachała odjeżdżającemu George'owi, a potem pojechali przez poranne korki na lotnisko Heathrow.

Ellen nadała bagaże, włożyła kartę pokładową do torebki i skierowała się do terminalu. Jej wysoka, młodzieńcza sylwetka ładnie się prezentowała w beżowych spodniach, świeżej białej koszuli, sandałach i swetrze, który zabrała w razie chłodu w samolocie. Planowała obejrzeć film i trochę popracować. Uwielbiała nadrabiać zaległości kinowe w trakcie podróży. Ruszyła do strefy dla pasażerów business class, by napić się herbaty i poczytać gazetę przed wejściem na pokład. Jej komórka zadzwoniła niemal dokładnie w chwili, gdy usiadła i postawiła filiżankę na stoliku obok.

– Już za tobą tęsknię – powiedział George do słuchawki.

– To dobrze – stwierdziła z radosnym uśmiechem.

Przeszli razem cztery trudne lata, a ich małżeństwo prawie na tym nie ucierpiało pomimo stresu związanego z leczeniem, zastrzykami hormonalnymi, badaniami i sonogramami, rozczarowaniami i kolejnymi próbami. Było o wiele trudniej, niż się spodziewali, ale ich związek wciąż miał się dobrze.

– Kocham cię – powiedziała.

Gdy zakończyli rozmowę, rozsiadła się wygodnie, z uśmiechem popijając herbatę. Wiedziała, że będzie tęsknić za mężem, chociaż wyjeżdżała jedynie na nieco ponad tydzień.

Charles Williams spóźnił się pół godziny na odprawę na lotnisku w Heathrow. Obawiał się, że już stracił swoje miejsce. Ulżyło mu, gdy dowiedział się, że tak się nie stało. Miał jedynie małą podręczną walizkę na kółkach, nie musiał rejestrować bagażu. Odebrał kartę pokładową w automacie, a następnie popędził do strefy dla pasażerów, by coś zjeść. Zaspał, a teraz był potargany i przemęczony. Gdy siadał na miejscu naprzeciw Ellen, prawie rozlał kawę. Od razu go zauważyła. Był przystojnym mężczyzną – miał na sobie dżinsy, rozpiętą pod szyją koszulę i tweedową marynarkę. Wiedziała, że w Nowym Jorku będzie mu w niej za gorąco o tej porze roku. Wyglądał na Brytyjczyka, prawdopodobnie był przed czterdziestką albo miał najwyżej czterdzieści parę lat. Wydawał się bardzo nerwowy i spięty. Gdy próbował równocześnie pić kawę i czytać gazetę, emanował niepokojem. Nie zwracał uwagi na Ellen, a gdy skończył czytać, wydawał się zamyślony. Kiedy skierowali się do wyjścia, usłyszała, jak pyta pracowników obsługi lotu, czy pojawiły się nowe informacje o huraganie oraz czy podczas podróży mogą pojawić się problemy. Ellen od razu stwierdziła, że pewnie denerwuje się lotem, podobnie zresztą jak pracownica, której zadał pytanie. Uśmiechnęła się do niego uspokajająco, gdy ze zmartwioną miną odgarniał z oczu kosmyk prostych ciemnych włosów.

– Ależ skąd, proszę pana. Nie wylatywalibyśmy, gdyby istniało prawdopodobieństwo utrudnień. Nie dostalibyśmy na to pozwolenia. Zatem wszystko jest w porządku. Życzę miłego lotu.

Mężczyzna skinął głową, ale nie wyglądał na przekonanego. Odszedł, ciągnąc za sobą walizkę i trzymając w dłoni podniszczoną aktówkę. Ellen zauważyła, że ma na nogach ciemnobrązowe zamszowe buty – nadawały mu jeszcze bardziej angielskiego wyglądu. Poszła za nim do samolotu i z zaskoczeniem odkryła, że siedzi obok niego. Miała miejsce przy oknie, a on zajmował fotel przy przejściu. W milczeniu skinął głową, gdy go minęła. Usiadł na swoim miejscu i z wdzięcznością przyjął od stewardesy kieliszek szampana. Ellen poprosiła jedynie o małą butelkę wody. Nie lubiła pić alkoholu podczas lotu z samego rana i wcale tego nie potrzebowała. Z nim najwyraźniej było inaczej. Zdenerwował się chyba jeszcze bardziej, gdy poproszono o wyłączenie telefonów komórkowych, zamknięto drzwi i wyprowadzono samolot na pas startowy. W przeciwieństwie do wielu innych kursów mieli wylecieć o czasie. Zerknął wtedy na Ellen i skinął głową.

– Nie znoszę latać, zwłaszcza tymi wielkimi samolotami, ale nie udało mi się zarezerwować niczego innego – wyjaśnił.

Zanim odpowiedziała, uśmiechnęła się do niego przyjaźnie, współczując mu nieprzyjemnych przeżyć.

– Sądzę, że te duże maszyny latają szczególnie spokojnie. Mówi się, że nie czuć w nich turbulencji – stwierdziła, by go uspokoić.

Nie wydawał się przekonany. Gdy odrywali się od ziemi, zerknął jej przez ramię i popatrzył za okno. Dzielnie starał się ukryć panikę. Kiedy się unieśli, a stewardesa znowu podeszła do nich z napojami, poprosił o kolejny kieliszek szampana. Potem otworzył laptopa i skupił się na nim. Ellen tymczasem wysunęła ekran przed swoim siedzeniem i zaczęła przeglądać filmy. Włożyła słuchawki i wybrała coś, czego jeszcze nie widziała. Przez kolejne dwie godziny skoncentrowała się na filmie, a potem zamówiła lunch. Zauważyła, że jej sąsiad się uspokoił. Podczas posiłku gawędzili przez parę minut.

– Mieszka pani w Nowym Jorku? – spytał.

– Nie, w Londynie – odparła, potrząsając głową z uśmiechem.

Wydawał się zaskoczony. Poznał po jej akcencie i wyglądzie, że jest Amerykanką.

– Ja jadę do Stanów w interesach – wyjaśnił mężczyzna. – Mieszkają tam moje dwie córki.

Skinęła głową i domyśliła się, że jest rozwodnikiem, jednak nie skomentowała tego. Rozmawiali przez kilka minut. Gdy zabrano tacki po jedzeniu, Ellen postanowiła się zdrzemnąć. Spała przez dwie godziny, aż obudził ją komunikat kapitana i turbulencje. Jej towarzysz był rozbudzony i wyglądał na wystraszonego.

– Przez chwilę będzie nami lekko trzęsło – wyjaśnił kapitan przez głośniki. – Bardzo mi przykro. Wiatry nad wschodnim wybrzeżem powodują turbulencje. Za pół godziny lot powinien się uspokoić.

Ellen zauważyła, że mężczyzna obok niej bardzo się zdenerwował. Zamknęła oczy, by jeszcze chwilę pospać. Turbulencje ukołysały ją do snu, a po pół godzinie, gdy się nasiliły, obudziły ją. Jej sąsiad siedział obok z dzikim spojrzeniem. Zerknęła na niego współczująco.

W końcu, nie mogąc się powstrzymać, podniosła się na siedzeniu i spytała:

– Wszystko w porządku?

Wyspała się, a samolot znajdował się teraz pół godziny drogi od Nowego Jorku. Domyśliła się, że są pewnie nad Bostonem.

Mężczyzna zawahał się przez chwilę, a potem skinął głową i odparł:

– Tak. Nie znoszę latać, zwłaszcza gdy dzieje się coś takiego. To na pewno przez huragan. Nie wiem, czemu mówili, że nie będzie miał wpływu na lot.

– Zazwyczaj turbulencje nie są niebezpieczne, tylko nieprzyjemne.

Samolot trząsł się i szarpał, stało się jasne, że na zewnątrz wieje silny wiatr, a w dodatku padał deszcz. Po chwili dał się słyszeć kolejny komunikat pilota.

– Wygląda na to, że w Nowym Jorku rozszalała się burza. Na lotnisku jest bardzo wietrznie. Dostaliśmy właśnie pozwolenie na lądowanie w Bostonie.

– Cholera! – powiedział sąsiad Ellen, a na jego czoło wystąpiły krople potu.

Kobieta również nie była zbyt zadowolona. Nocleg w Bostonie zamiast lądowania w Nowym Jorku wcale jej nie odpowiadał. Kapitan powiadomił pasażerów, że wszystko jest w porządku, po prostu nie chcieli twardego lądowania na lotnisku JFK. Nie było jednak zagrożenia.

– Za każdym razem, gdy wsiadam do samolotu, wydaje mi się, że zginę – powiedział do Ellen jej sąsiad. – Odkąd rok temu się rozwiodłem, jest o wiele gorzej. Chciałaby pani zobaczyć zdjęcie moich córek?

Ellen skinęła głową, mając nadzieję, że to odwróci jego uwagę. Siedzenie obok kogoś tak przerażonego wywoływało niepokój. Mężczyzna otarł czoło serwetką, a następnie wyciągnął telefon i pokazał jej zdjęcia dwóch uroczych dziewczynek. Jedna z nich była do niego bardzo podobna – miała ciemne włosy i oczy – a druga była blondynką o wielkich niebieskich oczach, zapewne podobną do jego byłej żony.

– Tak przy okazji, nazywam się Charles Williams. Przepraszam, w samolocie zmieniam się w strasznego pacana. Na stałym lądzie jestem raczej normalny – dodał z drwiącym uśmieszkiem, a ona się roześmiała.

– Ja jestem Ellen Wharton – przedstawiła się i uścisnęli sobie dłonie.

Samolot zaczął powoli i niespokojnie obniżać się nad Bostonem. Po pięciu minutach zmienili kierunek, a w głośnikach znów dał się słyszeć głos pilota.

– Przepraszam, że znowu zmieniamy plany. Jednak wysyłają nas na lotnisko JFK, więc już dzisiaj dotrzecie do celu podróży. Może nami trochę trząść, ale wszystko będzie w porządku.

– To na pewno przez huragan – mruknął Charles Williams do Ellen. – Mam nadzieję, że nie będzie taki potworny jak ten sprzed pięciu lat – dodał spanikowany.

– O tej porze roku huragany są dość częste. Nie licząc Sandy, zazwyczaj nie stanowią zagrożenia. To pewnie zwykła burza, często zdarza się to pod koniec lata.

– A mnie się to nie podoba – upierał się Charles.

– Wylądujemy za około czterdzieści minut – powiedziała Ellen pocieszająco.

Od tego momentu Charles Williams cały czas z nią rozmawiał, jak gdyby chciał odsunąć od siebie myśl, że rozbiją się przy lądowaniu albo nawet wcześniej.

– Żona zostawiła mnie dla innego mężczyzny – powiedział nagle parę minut później. – Chciała zrobić karierę aktorską, pracowała jako modelka. On jest fotografem. Mieszkają teraz w Nowym Jorku z moimi córkami. Przypuszczam, że kiedyś się pobiorą.

To też najwyraźniej go martwiło.

– Życie z dala od dzieci musi być dla pana trudne.

Skinął głową, a potem spytał:

– Czy pani ma dzieci?

– Nie mam – odparła cicho, próbując powstrzymać uczucie porażki, które ogarniało ją zawsze, gdy słyszała to pytanie.

W tym momencie oboje poczuli, że turbulencje się wzmagają.

– Czym się pani zajmuje? – spytał mężczyzna, jak gdyby rozpaczliwie chciał porozmawiać o czymkolwiek.

– Projektowaniem wnętrz. Mój mąż jest adwokatem.

– Ja jestem bankierem inwestycyjnym – oświadczył.

Usłyszeli, jak wysuwa się podwozie, a potem pilot polecił załodze, by zajęła miejsca na czas turbulencji, które z każdą chwilą były coraz silniejsze.

– Mam w Nowym Jorku sprawy zawodowe i liczę, że uda mi się zobaczyć dzieci, jeśli nie będą zbyt zajęte – dodał ze smutnym wyrazem twarzy, ale przynajmniej nie myślał już o katastrofie. – Boi się pani? – wyszeptał.

– Nie, nic mi nie jest. Nie lubię, gdy tak mną rzuca, ale za kilka minut wylądujemy.

– Jeśli się nie rozbijemy – dodał rozpaczliwie. – Nie powinniśmy przylatywać ze względu na zbliżający się huragan. Ale przynajmniej będę tu z dziećmi. Przyleciała pani w interesach?

Skinęła głową.

– Poza tym chcę zobaczyć się z matką, która mieszka w Nowym Jorku.

– Dziękuję, że pani ze mną porozmawiała – powiedział z wdzięcznością i żałosną miną. – Gdyby pani tego nie zrobiła, pewnie biegałbym z krzykiem po korytarzu.

Miał dystans do siebie i nie ukrywał swojego lęku – to sprawiało, że był w jej oczach bardziej ludzki. Roześmiała się, słysząc jego słowa. Przy lądowaniu parę razy nimi wstrząsnęło, gdy samolot gwałtownie redukował wysokość. Charles bezwiednie ściskał jej ramię, a Ellen miała nadzieję, że zdążą wylądować, zanim złamie jej rękę lub zemdleje. Nic jednak nie powiedziała.

Gdy minęli wodę, maszyna gwałtownie zetknęła się z pasem lądowania i pędziła dalej, a pilot walczył z silnym wiatrem, by utrzymać stabilność samolotu. Była pewna, że Charles uważa inaczej, ale to było mistrzowskie lądowanie. Gdy zerknęła przez okno, zauważyła na pasie karetki z włączonym sygnałem świetlnym. Wtedy po raz pierwszy poczuła niepokój. Załoga ogromnym wysiłkiem spowolniła potężną maszynę. Poczekali jeszcze kilka minut, zanim ruszyli do wyjścia. Charles wydawał się bliski płaczu, gdy zerknął na nią z paniką.

– Przepraszam za twarde lądowanie – powiedział kapitan. – Musieliśmy się dziś zmagać z silnymi wiatrami. Wygląda na to, że huragan Ofelia wkrótce dotrze do Nowego Jorku. Witamy na lotnisku JFK i dziękujemy za wspólny lot.

– Te karetki były dla nas? – spytał Charles pełnym przerażenia szeptem, patrząc na migające światła pojazdów pogotowia. Nagle dostrzegł, że ściskał jej ramię, a ona mu na to pozwoliła.

– O Boże, przepraszam! Nie zauważyłem – powiedział, zwalniając uścisk.

– Nic się nie stało – odparła z uśmiechem. – Powinien pan się zapisać na zajęcia z radzenia sobie z lękiem przed lataniem. Podobno pomagają.

– Nie wiem, czy cokolwiek jest mi w stanie pomóc, odkąd moja żona uciekła z idiotą o imieniu Nigel. Od tamtej pory nie jestem sobą.

Gdy to mówił, wydawał się smutny, ale mniej zrozpaczony niż chwilę wcześniej. Dochodził do siebie i było mu wstyd, że bezwiednym uściskiem naraził Ellen na takie niewygody.

– Jak pani myśli, przypuszczali, że się rozbijemy? – spytał konspiracyjnym szeptem.

– Raczej nie. Po prostu nie chcą ryzykować, a pogoda wydaje się bardzo kiepska.

Widziała mężczyzn w ciężkich żółtych płaszczach naprowadzających samolot i walczących z silnym wiatrem.

– W weekend czeka nas chyba paskudna pogoda, dopóki nie minie burza – dodała.

W jej głosie słychać było rozczarowanie. Uwielbiała spacerować po mieście razem z mamą.

– To nie jest burza. To wygląda na cyklon.

Charles również przyglądał się mężczyznom w kombinezonach. Następnie samolot przebył resztę drogi do terminalu i zatrzymał się przy wejściu.

– Niezależnie od tego, co to takiego, dziękuję, że pomogła mi pani to przetrwać – powiedział pokornie.

– Jestem pewna, że najgorsze właśnie minęło – stwierdziła z przekonaniem, gdy samolot się zatrzymał, a oni wstali i zebrali swoje rzeczy.

– Miłego pobytu w Nowym Jorku – powiedział nieco zawstydzony.

Potem szybko wysiadł z samolotu, ciągnąc za sobą walizkę.

Ellen poszła wolniej za tłumem pasażerów. Idąc przez terminal, by odebrać bagaż, myślała o mężczyźnie i o tym, co opowiedział jej o swoim rozwodzie. Sprawiał wrażenie inteligentnego i miłego, był przystojny, ale najwyraźniej pełen niepokojów. Wydawało się, że w ciągu ostatniego roku doświadczył wiele cierpienia – żona rzuciła go dla Nigela i zabrała ze sobą córki do Nowego Jorku. Ellen ogarnęło współczucie, gdy czekała na swoją walizkę. Po chwili ją zobaczyła, zdjęła z taśmy i włożyła na wózek, po czym udała się na odprawę celną. Nie miała niczego do oclenia i szybko opuściła terminal. Gdy wyszła na zewnątrz, wiele osób czekało na taksówkę, ale żadna nie nadjeżdżała. Z przodu kolejki zobaczyła Charlesa Williamsa, który gestem zachęcił ją, by do niego dołączyła. Zawahała się przez chwilę, a potem ruszyła przed siebie.

– Chce pani pojechać ze mną do miasta? Taksówek chyba nie wystarczy dla wszystkich. Dokąd panią podwieźć? – spytał.

– Zatrzymam się u matki w Tribece – wyjaśniła.

Po stresie podczas ostatniej godziny lotu i trudnym lądowaniu w Nowym Jorku nagle poczuła się, jakby znali się od lat.

– Idealnie. Ja będę mieszkał w hotelu Soho Grand. Może pani wysiąść po drodze. Jestem pani coś winien za to, że prawie urwałem pani rękę.

Znów się uśmiechnął. W tym momencie podjechała taksówka. Byli pierwsi w kolejce, więc do niej wsiedli. Podała kierowcy adres, a potem Charles podał mu nazwę hotelu. Jej walizka jechała bezpiecznie w bagażniku. W drodze do miasta rozmawiali swobodnie.

– Przepraszam, że naopowiadałem pani tyle o rozwodzie. To był dla mnie trudny okres. Musiałem dostosować się do paru rzeczy, zwłaszcza do tego, że moje córki są tutaj, tak daleko ode mnie. Staram się je odwiedzać, kiedy tylko mogę, a letnie wakacje spędzają ze mną w Londynie – wyjaśnił, a potem zwrócił się do taksówkarza: – Czy są jakieś wieści o huraganie? Chyba już dotarł do miasta.

– To nic takiego – powiedział kierowca z wyraźnym zagranicznym akcentem. – Nie to co Sandy pięć lat temu. Nasza firma straciła większość taksówek. Garaże znalazły się trzy metry pod wodą. Myślę, że ten huragan złagodnieje, gdy dotrze do lądu, jak Irene rok przed Sandy. Zrobili wtedy wiele hałasu o nic. Wszystkich ewakuowano, ale nic się nie stało. Po Sandy było jednak gorzej niż po Katrinie w Nowym Orleanie. Mieszkam w Far Rockaway, a mój brat stracił dom.

Nawet pięć lat po kataklizmie ludzie byli zaskoczeni tym, jak wielkie szkody wyrządził huragan.

– Mówią, że to był sztorm doskonały, tak samo jak w filmie *Gniew oceanu*.

– Był naprawdę straszny – zgodziła się Ellen. – Apartamentowiec mojej mamy był poważnie uszkodzony. Radziłam jej wtedy, by przeniosła się na obrzeża miasta, ale nie chciała tego zrobić. Uwielbia Dolny Manhattan.

– Mnie się wydaje, że jest niebezpiecznie – stwierdził Charles.

Patrzył, jak wichura smaga drzewa przy ulicach, które mijali. Deszcz jednak ustał, a gdy dotarli do Manhattanu, wiatr nie był już taki silny. Charles cieszył się, że znowu czuje grunt pod nogami. Przez resztę podróży rozmawiali o przyjemniejszych sprawach. Gdy dotarli do apartamentowca matki Ellen, kobieta zaproponowała, że zapłaci połowę taryfy, Charles jednak nie chciał na to pozwolić.

– Proszę się nie wygłupiać. Będzie pani potrzebować pieniędzy na rehabilitację ręki – stwierdził.

– Z moją ręką wszystko w porządku – odparła ze śmiechem. – A pan zachował się bardzo uprzejmie, zabierając mnie ze sobą. Mam nadzieję, że wspaniale spędzi pan czas z córkami – dodała ciepło.

– A ja życzę pani miłego pobytu u mamy – powiedział, uśmiechając się.

Teraz wydawał się normalny, minęło zdenerwowanie, które odczuwał w samolocie, gdy był przekonany, że się rozbiją.

– Liczę też, że ma pani rację co do tego, że w czasie naszego pobytu nie będzie tu huraganu – dodał.

Kierowca wysiadł, wyjął walizkę Ellen z bagażnika i podał ją odźwiernemu. Ten uśmiechnął się, rozpoznając kobietę, a potem szybko zabrał bagaż do środka.

– Jeszcze raz dziękuję! – zawołała Ellen do Charlesa, uśmiechając się i machając mu z chodnika.

Gdy kierowca uruchomił silnik i ruszył, Charles jej odmachał. Cieszył się, że siedział obok niej w samolocie, i był przekonany, że bez niej postradałby zmysły.

Teraz jego umysł zaprzątało jedynie spotkanie z Lydią i Chloe. Gdy tylko o tym pomyślał, włączył telefon i zadzwonił do ich matki, ale usłyszał tylko nagranie jej poczty głosowej. Zostawił jej wiadomość, mówiąc, że jest w Nowym Jorku, w hotelu Soho Grand i ma nadzieję, że ona do niego oddzwoni, by mógł zobaczyć się w weekend z dziewczynkami. Kiedy on zmierzał do hotelu, Ellen otworzyła mieszkanie mamy swoim kompletem kluczy. Grace zadzwoniła do niej parę minut później i obiecała, że wkrótce będzie w domu. Ellen poszła się rozpakować, a godzinę później matka weszła do mieszkania i z radością przytuliła córkę. Była nieco niższa od Ellen, ale bardzo piękna – miała rude włosy i zielone oczy oraz rysy twarzy podobne do córki. Wyglądała dystyngowanie, arystokratycznie, ale nie snobistycznie. Miała na sobie czarne spodnie i czarny sweter, a na plecy opadał jej długi warkocz. Często czesała się tak do pracy. Wraz z nią pojawił się pies – mały biały maltańczyk – i zaczął wściekle ujadać u ich stóp. Tymczasem matka i córka, przytulone, radośnie się do siebie uśmiechały. Widać było, że Grace cieszy się ze spotkania z Ellen.

– Spokojnie, Blanche, to tylko Ellen.

Mała kulka białego futra podskakiwała wkoło, popisując się przed znajomym gościem. Mama uwielbiała swojego pieska, który zawsze jej towarzyszył. Grace zabierała Blanche nawet do biura i była z tego dumna. Mówiła, że zmieniła się w starą dziwaczkę z małym białym pieskiem i wcale nie przeszkadzał jej taki wizerunek. Grace Madison była przede wszystkim sobą i nie zamierzała za to przepraszać.

Ellen rozejrzała się po znajomym mieszkaniu, gdy usiadły w salonie na obitej białą wełną ogromnej kanapie, którą sama kupiła dla matki. Na podłodze leżały dwa duże białe ręcznie plecione dywany, rzucające się w oczy nowoczesne meble połączono z elementami z połowy dwudziestego wieku, na ścianach wisiały kolorowe współczesne obrazy. Grace sama zaprojektowała dwupoziomowe mieszkanie, które sprawiało raczej wrażenie domu. Pomimo nowoczesnego stylu było ciepłe i przytulne. Rozpaliła ogień w szklanym kominku. Stolik kawowy był po prostu bryłą szkła – sprowadziła go na specjalne zamówienie z Paryża. Był piękny. Podobnie prezentowała się reszta mieszkania znajdującego się na parterze ze wspaniałym widokiem na rzekę Hudson i światła na drugim brzegu. Budynek ucierpiał podczas huraganu Sandy, ale Grace uparcie odmawiała przeprowadzki, choć istniało ryzyko, że sytuacja się powtórzy. To był jej dom. Naprawiła wszystkie szkody powstałe podczas huraganu.

Blanche wskoczyła na kanapę obok Grace. Kobieta spytała córkę o lot, trzymając ją za ręce.

– Mocno trzęsło, ale było w porządku. Chyba zbliża się huragan – stwierdziła Ellen, ale matka nie wyglądała na przejętą.

– Zanim tu dotrze, złagodnieje. Zawsze tak jest.

Rozmawiały przez dwie godziny, a potem Grace spytała:

– Chciałabyś coś zjeść?

Poszły do kuchni, która była równie piękna, jak reszta mieszkania. Pogryzały coś z lodówki, ale Ellen nie była głodna. Jej zegar biologiczny mówił, że jest pierwsza w nocy, a poza tym najadła się w samolocie. Dotrzymała jednak towarzystwa mamie, gdy ta jadła sałatkę. Gdy tak rozmawiały przez kolejne pół godziny, Ellen zupełnie zapomniała o Charlesie Williamsie i o tym, jaki był przerażony podczas lotu. Rozmowa z nim pomogła jej zabić czas w trakcie ostatnich nieprzyjemnych chwil podróży, teraz jednak była w domu, z matką. Bardzo cieszyła się jej towarzystwem.

Ciągle jeszcze nie nadrobiły zaległości, gdy Grace odprowadziła córkę do sypialni dla gości. Nie mogła się doczekać spędzenia z nią dziesięciu dni i jedzenia kolacji w swobodnej atmosferze. Pocałowała córkę na dobranoc. Ellen umyła zęby i włożyła koszulę nocną. Natychmiast weszła do łóżka, wysłała do George'a SMS-a, że dotarła szczęśliwie, a potem zasnęła, zanim położyła głowę na poduszce.

*

Tymczasem w hotelu Soho Grand Charles wysłał swojej byłej żonie Ginie ostatniego SMS-a przed pójściem spać. Miał nadzieję, że kobieta odpowie rano. Nie zapowiedział tej wizyty, zdecydował się na nią w ostatniej chwili. Wiedział, że nie ma prawa wymagać od niej odpowiedzi, ale chciał jedynie zobaczyć córeczki i spędzić z nimi trochę czasu. Jak zwykle po szczęśliwym lądowaniu czuł, że dostał w życiu kolejną szansę. Dlatego tym bardziej pragnął się z nimi spotkać. W samolocie był pewien, że zginie, a teraz czuł się jak zmartwychwstały. Był przekonany, że los go oszczędził. Chciał teraz jedynie skontaktować się z Giną i ujrzeć dziewczynki. Odkąd mieszkały w Nowym Jorku, wciąż za nimi tęsknił. Żył w przeświadczeniu, że Nigel ukradł mu nie tylko żonę, ale także dzieci i całe życie. Pomimo wyczerpania i różnicy czasu długo nie mógł zasnąć, martwiąc się, że Gina nie zadzwoni.

Rozdział 2

Gdy następnego ranka Ellen obudziła się w wygodnym łóżku w pokoju gościnnym, za oknem szalała ulewa. Matka sprzedała mieszkanie na Park Avenue, w którym dorastała Ellen, gdy córka przeniosła się do Londynu i wyszła za George'a. Grace postanowiła przeprowadzić się do centrum. Uwielbiała swoje niezwykłe dwupoziomowe mieszkanie, które sama znalazła i przerobiła. Mieściło się w dzielnicy Tribeca, w starym magazynie przerobionym na apartamentowiec. W budynku znajdowało się dwadzieścia mieszkań, a każde z nich było inne. To należące do Grace było najbardziej niezwykłe. Całość obsługiwało kilku pracowników. Podobnie jak większość lokali w tej i innych atrakcyjnych dzielnicach w centrum, mieszkania zostały sprzedane za niebotyczne kwoty. Grace świetnie odnajdywała się w żywej atmosferze okolicy, wśród rodzin i młodych ludzi, którzy tu mieszkali. Uwielbiała także widok na rzekę. Teraz uważała, że Upper East Side to zbyt nadęta okolica. Wybierała się tam bardzo rzadko – jedynie do swojego biura, które znajdowało się na rogu Pięćdziesiątej Siódmej Ulicy i Park Avenue. Wszystko, czego potrzebowała do życia towarzyskiego i relaksu, było na Dolnym Manhattanie, a Ellen zawsze bardzo chętnie się u niej zatrzymywała.

Matka siedziała przy swoim biurku i opłacała rachunki przez Internet, gdy Ellen weszła do jej gabinetu. Kobieta korzystała z tego pomieszczenia, gdy czasem pracowała w domu. Ponieważ była sobota, Grace miała na sobie dżinsy i czerwony sweter w serek oraz czarne baleriny. Była szczupła i w świetnej formie. Od lat ćwiczyła jogę. Miała wyprostowaną postawę tancerki – zawdzięczała to wieloletniej nauce baletu w młodości, zanim odkryła jogę. Próbowała namówić na ćwiczenia Ellen, ale nigdy jej się to nie udało. Sądziła, że to pomogłoby jej się zrelaksować.

– Paskudna pogoda – stwierdziła córka, zerkając przez okno i opadając na wygodny fotel. – Czy są jakieś informacje o huraganie? Czy ciągle zmierza w naszą stronę?

Widziały, jak smukłe drzewa za oknem chwieją się na wietrze, jednak nie było to nic dziwnego podczas burz pod koniec lata.

– Mniej więcej – odparła ogólnikowo Grace bez emocji. – Niezależnie od tego, co teraz mówią, zaklasyfikują go jako tropikalną burzę, zanim tu dotrze.

Grace wciąż miała w głębi szafy „torbę awaryjną" z ubraniami, paroma lekami i wszystkim, czego mogłaby potrzebować, gdyby zaszła konieczność ponownej ewakuacji. Jednak ostrzeżenia dotyczące burz w sierpniu i wrześniu były raczej drobną niedogodnością, a nie poważnym zagrożeniem.

Budynek, w którym mieszkała Grace, znajdował się pięć lat wcześniej w pierwszej strefie zalewowej – było to nieuniknione, gdyż stał tuż przy rzece. Cztery lata temu, po huraganie Sandy, zainstalowano w budynku system zasilania awaryjnego, dzięki czemu można było poczuć się pewniej. Grace niewiele myślała o możliwości kataklizmu. Nie zwykła roztrząsać przeszłości – wolała spojrzeć w przyszłość i ruszyć dalej. Miała praktyczne podejście do życia i patrzyła na świat z optymizmem, co od młodości miało wpływ na postawę Ellen.

Matka uważała, że wszystko da się osiągnąć – taki pogląd dodawał Ellen sił w ciągu minionych czterech lat, gdy zawzięcie starała się o ciążę. Była przekonana, że jej marzenia o założeniu rodziny w końcu się spełnią. Koncentrowała się na swoim celu, na tym, że kiedyś razem z George'em będą mieli dziecko. Chociaż przez ostatni rok jej matka zastanawiała się, czy nie byłoby lepiej pomyśleć o bardziej realistycznej alternatywie, na przykład o adopcji, nie powiedziała Ellen o swoich obawach, by jej nie zniechęcać. Podziwiała jej odwagę i determinację, choć czasem córka zachowywała się nieco rozpaczliwie. Imponowało jej też, że zięć wciąż godzi się na ten plan pomimo dotychczasowych efektów. Uważała, że większość mężczyzn już by się poddała. Razem z ojcem Ellen starali się przez kilka lat o drugie dziecko i po licznych poronieniach zdecydowali, że wystarczy im jedna córka. Grace nigdy nie żałowała, że nie kontynuowali wysiłków. Myśl o tym, przez co przeszła Ellen w ciągu ostatnich czterech lat, przerażała ją. Rozumiała jednak pragnienie posiadania choć jednego dziecka. Mimo wszystko adopcja wydawała jej się do przyjęcia. Ellen i George uważali jednak inaczej. Przypuszczała, że ich niechęć do adopcji wynika z tradycyjnych poglądów zięcia na kontynuowanie linii rodu oraz z uporu córki. Młoda kobieta pod wieloma względami przypominała matkę – różnice były bardzo niewielkie. Obie miały silną wolę, były pracowite i wytrwałe.

– Co chciałabyś dzisiaj robić? – spytała Grace, uśmiechając się do córki znad biurka, gdy słuchały wyjącego za oknem wiatru.

– Ty zdecyduj – odparła swobodnie Ellen. – Po prostu cieszę się, że jestem tu z tobą. Masz do załatwienia jakieś sprawy?

Lubiły chodzić razem na zakupy, spacerować po SoHo i Tribece, a potem zatrzymywać się w małej restauracji na lunch. Wydawało się jednak, że nie jest to najlepszy dzień na takie zajęcia.

– Może powinnyśmy zrobić większe zakupy na wypadek, gdyby na kilka dni zamknięto sklepy? – dodała Ellen, która doskonale wiedziała, jak przygotować się do gwałtownej burzy.

– Na razie nie panikujmy – zbagatelizowała sytuację Grace. – Ostrzeżenia o burzy sprawią, że połowa Nowego Jorku będzie tłoczyć się dziś w supermarketach. Potem huragan skieruje się w inną stronę i w ostatniej chwili przeniesie się na morze, a my zostaniemy z górą butelkowanej wody i jedzenia, którego nie będziemy potrzebować. Mam latarki, świece, baterie i wszystko inne. Mam nadzieję, że ludzie nie zaczną znowu panikować. Teraz co roku się tak dzieje. To zawsze fałszywy alarm. Ostatnim razem miesiącami piłam zapas wody, a jedzenie oddałam do schroniska dla bezdomnych, żeby się go pozbyć. Spójrzmy prawdzie w oczy, nie da się bez końca jeść tuńczyka i brzoskwiń z puszki.

Ellen uśmiechnęła się i uznała, że matka ma rację.

– Może wybierzemy się do butików? – zaproponowała Grace. – Muszę kupić sweter dla Blanche. Zjadła wszystkie kryształki z poprzedniego – dodała lekko zirytowana, a jej córka się roześmiała.

– Ma więcej ubrań niż ja. Szkoda, że nosimy inne rozmiary – zażartowała.

Matka nie wstydziła się swojej miłości do pieska i śmiało przyznawała, że zupełnie rozpuściła zwierzątko. W nieskazitelnym salonie i całym mieszkaniu roiło się od psich zabawek.

– Moglibyśmy też kupić coś dla siebie – stwierdziła Grace.

Zawsze była hojna wobec córki. Gdy znajdowała coś, co mogłoby się spodobać Ellen, kupowała to i przesyłała jej w prezencie do Londynu.

– Chętnie zajrzałabym do sklepów ze starociami i antykami. Podczas pobytu muszę zrobić zakupy dla dwójki klientów – stwierdziła Ellen.

Czasem udawało jej się niespodziewanie znaleźć jakąś perełkę w sklepach w centrum – coś wyjątkowego, czego nie dostałaby nigdzie indziej. Lubiła poszukiwać niezwykłych materiałów i często jeździła do Paryża na aukcje w Hôtel Drouot. Kupiła tam wiele wspaniałych rzeczy dla klientów oraz dla siebie. Wyprawa do Drouot była jak poszukiwanie skarbów – nigdy się nie wiedziało, na co się trafi. Jednak przez lata miała też sporo szczęścia w dzielnicy SoHo. Co prawda pogoda nie sprzyjała zakupom, ale żadnej z kobiet to nie zniechęcało.

Ellen zabrała ze sobą sportowe buty. Płaszcz przeciwdeszczowy zamierzała pożyczyć od mamy. Zrobiła sobie kawy i ustaliła z Grace, że wyjdą za pół godziny. Pomyślała, czy nie zadzwonić do George'a, ale pewnie jadł teraz lunch razem z innymi gośćmi w wiejskim domku przyjaciela. Nie chciała mu przeszkadzać. Włączyła kanał pogodowy na małym telewizorze w kuchni, żeby posłuchać wiadomości. Kolorowe mapy pokazywały drogę i prędkość huraganu. Wynikało z nich, że zbliża się on do wybrzeży New Jersey i Nowego Jorku. Mimo to zmiany mogły nastąpić w każdej chwili i często tak właśnie było. Prezenter powiedział, że miasto będzie wydawać komunikaty co godzinę, nie było jednak jeszcze planów ewakuacji mieszkańców czy zatrzymania komunikacji miejskiej. Stałoby się to nieuniknione, gdyby huragan nie zmienił kierunku, ale burza wciąż była daleko od brzegu, w okolicy Karaibów. Wiele mogło się zmienić. Prawdopodobnie wichura zostanie uznana za sztorm tropikalny na długo przed dotarciem do wybrzeży. Nie było jeszcze powodów do obaw. Ellen wyłączyła telewizor i poszła na górę, żeby się ubrać. Wysłała George'owi SMS, by nie przeszkadzać mu w rozrywkach czy rozmowach z gospodarzami. Wiedziała, że zatrzymał się w podniszczonej rezydencji z epoki Tudorów, która od lat należała do rodziny przyjaciół. Miejsce świetnie sprawdzało się podczas dużych weekendowych przyjęć, które lubili urządzać i za którymi przepadał George. Dla Ellen takie spotkania były często przytłaczające. Otaczali ją ludzie od lat tworzący zamkniętą grupkę, jednak wszyscy zawsze odnosili się do niej uprzejmie, choć nie była jedną z nich. Teraz stała się już częścią grupy. Większość z nich znała się od dzieciństwa, tak samo było z kilkoma małżeństwami.

Dzięki temu, że czasem czuła się obco, powstała więź między nią a jej przyjaciółką Mireille. Między sobą śmiały się z tego i czasami pokpiwały z członków grupy. Wielu z nich nosiło tytuły arystokratyczne i z łatwością mogło wymienić swoich przodków z ostatnich sześciuset lat. Był to wśród nich częsty temat rozmów – kto się z kim pobrał i kogo urodził, czy to prawowity potomek, czy nie, kto był w danym czasie królem. Trochę trudno było za tym nadążyć, a Ellen nieszczególnie się tym interesowała – wydawało jej się to głupie. Inni jednak traktowali to bardzo poważnie, zwłaszcza George. Ellen bardziej interesowała się teraźniejszością, własnymi działaniami, życiem małżeńskim i pracą.

Pół godziny później Grace i Ellen wyszły z budynku. Ruszyły przez Tribekę w silnym wietrze. Wiatr zwiewał liście z drzew, u ich stóp latały papiery, nie było jednak szczególnie nieprzyjemnie. Lekki chłód w powietrzu działał orzeźwiająco. Poprzedniej nocy temperatura nieco spadła. Ellen czuła się dobrze w swoim swetrze i płaszczu pożyczonym od mamy. Grace miała na sobie gumowy płaszcz przeciwdeszczowy i błyszczące czarne kalosze. Wiatr rozwiewał jej rudą czuprynę, co najwyraźniej jej nie przeszkadzało. Rozmawiały i śmiały się, zaglądały do różnych sklepów w SoHo, które znała Ellen, choć część z nich była nieczynna. Nie wydano żadnych ostrzeżeń, ale ludzie byli niespokojni. Ze względu na ostrożność niektóre sklepy były dziś zamknięte, a ich okna zaklejone kartonem. Największym zagrożeniem przy silnych deszczach i wietrze były spadające połamane gałęzie albo przewracające się drzewa, które nie zdołałyby utrzymać się w mokrej glebie. Ellen uważała, by nie przechodzić pod drzewami, i nalegała, by matka postępowała podobnie. Były doświadczonymi mieszkankami Nowego Jorku, które każdej jesieni słyszały ostrzeżenia o huraganach i wiedziały, co robić. Zostawiły psa w domu – Grace stwierdziła, że Blanche nie znosi deszczu, choć miała odpowiednie stroje na taką pogodę – kilka płaszczy przeciwdeszczowych i zestaw małych bucików.

– Nie chce ich nosić, ale wygląda w nich uroczo – uśmiechnęła się Grace.

Ellen przewróciła oczami.

– Nikomu tego nie mów, mamo. Ludzie pomyślą, że ci odbiło.

– No cóż, Blanche jest wspaniałą towarzyszką, a ja ją kocham. Co mnie obchodzi, że ludzie uważają to za głupotę? Nie robię nikomu krzywdy.

Ellen wiedziała, że to prawda. Od kilkunastu lat w życiu jej matki nie było żadnego mężczyzny. Ostatni, z którym się spotykała, również był uznanym architektem. Pracowali wspólnie nad projektem i byli razem przez kilka lat, choć tego nie rozgłaszali. On zmarł nagle na atak serca, a potem nie było już nikogo. Grace chyba zaakceptowała, że kobiety w jej wieku nie są szczególnie pożądane. Mężczyźni po sześćdziesiątce wiązali się najczęściej z paniami o połowę młodszymi od siebie.

– Bystry umysł nie może się równać z młodymi udami – mawiała praktycznie – i trudno kogokolwiek za to winić.

Dlatego nie szczędziła Blanche czułości i cieszyła się obecnością córki, gdy się z nią spotykała. Uwielbiała też pracę, była wciąż zajęta i miała licznych przyjaciół. Czuła się spełniona w życiu i nie pragnęła już partnera. Mimo wszystko od czasu do czasu przyznawała, że byłoby to miłe, choć mało prawdopodobne. Mówiła też, że mężczyźni w jej wieku to same kłopoty. Nie chciała teraz zmieniać się w czyjąś pielęgniarkę, nie mając za sobą najlepszych lat z ukochanym. Zawsze mawiała, że nie ma ochoty wchodzić na scenę w ostatnim akcie. Życie, jakie prowadziła, było po prostu łatwiejsze. Poza tym praca wciąż pochłaniała ją tak samo jak zawsze.

Kobiety zjadły lunch w małej francuskiej kawiarence, którą obie lubiły. Ellen zauważyła, że goście byli w dobrych nastrojach – chyba nikt nie przejmował się huraganem. Od czasu Sandy wprowadzono wystarczająco dużo zmian, by dać ludziom poczucie bezpieczeństwa. Na początku proponowano różne rozwiązania. Znaczna ich część była niepraktyczna, zbyt kosztowna i raczej niepotrzebna – na przykład zapora przeciwsztormowa przy najdalej wysuniętej przystani, która kosztowałaby piętnaście miliardów dolarów. Proponowano też opaskę brzegową za miliard dolarów, jednak wszystko to uznano za zbyt drogie i nierealistyczne. Wprowadzono za to pewne rozsądne zmiany mające zwiększyć bezpieczeństwo w przypadku huraganu, ale zrezygnowano z planów niemożliwych do zrealizowania przez miasto czy rząd federalny. Odtworzono wybrzeże, wysypano wysokie wydmy piaskowe, wzmocniono bariery i wprowadzono dodatkowe przepisy budowlane.

Kobiety spędziły przy lunchu spokojną, relaksującą godzinę, a następnie ruszyły w kierunku wyrafinowanych sklepów w centrum – butików Prady, Chanel i kilku innych marek, za którymi przepadały. Ellen kupiła w sklepie Prady czerwoną spódnicę, a Grace wybrała dla siebie dużą torbę od Chanel. Stwierdziła, że będzie mogła zabierać w niej Blanche do pracy albo ukrywać ją podczas lunchu. Blanche była doświadczoną pasażerką na gapę. Nie wydawała z siebie żadnego dźwięku, gdy Grace wnosiła ją do restauracji w torbach podobnych do tej, którą właśnie kupiła. W drodze do domu zatrzymały się w jej ulubionym sklepie zoologicznym, gdzie znalazła dla niej dwa kaszmirowe sweterki – jasnoniebieski i wściekle różowy – oraz obroże pod kolor. Do tego dołożyła sześć nowych zabawek. Ellen trochę z niej pokpiwała, a Grace nie obrażała się o te uwagi. Przyzwyczaiła się do żartów córki na temat psa.

George zadzwonił do Ellen, gdy tylko wróciły do domu. Niedawno zjadł obiad z przyjaciółmi. Powiedział, że w telewizji podawano niepokojące informacje o huraganie i szkodach, które mógł wyrządzić. Porównywano go do Sandy. Obejrzał wiadomości o Nowym Jorku na telewizorze gospodarzy.

– Chyba po prostu media próbują paniką wzbudzić sensację. Tutaj nikt się nie niepokoi. Nikogo nie ewakuują, a poza tym sztorm dotrze do nas dopiero za kilka dni. Wszystko może się jeszcze zmienić – stwierdziła Ellen spokojnie.

– Tak – odparł George ponuro – może być jeszcze gorzej. Może razem z mamą wyjedziecie na parę dni gdzieś, gdzie będziecie bezpieczne?

– Skarbie, to bez sensu, nie musimy tego robić. Miasto podchodzi do sprawy bardzo odpowiedzialnie. Starają się teraz raczej skłonić ludzi do większej ostrożności. Będziemy wiedziały, jeśli sytuacja stanie się niebezpieczna. Wszyscy są też dobrze przygotowani do burzy takiej jak Sandy. Sztorm nikogo nie zaskoczy.

– Poprzednio rzeka wylała, a przed czymś takim się nie uchronicie. Przecież twoja mama mieszka w pierwszej strefie – przypomniał jej.

Uśmiechnęła się, słysząc jego słowa. Od czasu poprzedniego huraganu znał wszystkie zwroty, rozkład stref i zagrożenia.

– Nie martw się o nas. Wszystko jest w porządku. Po prostu baw się dobrze – odparła.

– Martwię się tylko, czy w miasto nie uderzy kolejny huragan.

– Nie sądzę, a jeśli się to zdarzy, będziemy przygotowane.

– Macie zapas jedzenia, wody i baterii do latarek? – spytał niemal wojskowym tonem.

– Mama ma wszystko, czego potrzebujemy. Nic nam nie będzie, obiecuję.

Wtedy spytała go o weekend i o to, kto przyjechał. Po paru minutach się rozłączyli. Powiedział jej, że w domu przyjaciół zatrzymało się czternaścioro gości. Znała większość z nich, choć nie wszystkich. Wiedziała, że mąż wspaniale spędzi weekend i była wzruszona tym, że zadzwonił, by sprawdzić, jak się mają. Cieszyła się, że George może się czymś zająć – dzięki temu jej nieobecność nie będzie mu się dłużyć. Zawsze miała poczucie winy, gdy wyjeżdżała z domu, nawet w sprawach służbowych. Spodziewała się jednak, że w ciągu tygodnia będzie zajęty w biurze. Wiedziała, że na kolejny weekend przed jej powrotem zaplanował polowanie.

Potem obie kobiety popracowały trochę przy swoich komputerach. Blanche spała u stóp swojej pani. Grace ubrała ją wcześniej w nowe sweterki i cieszyła się, że pasują oraz że wyglądają na niej tak uroczo, jak to sobie wyobrażała. Na zewnątrz deszcz i wiatr nie ustawały, jednak kobietom było przyjemnie w mieszkaniu. Z głośników zestawu stereo płynęła cicha muzyka. Pomimo huraganu, który miał dotrzeć do nich za parę dni, popołudnie było przyjemne i spokojne.

Gdy tylko Charles obudził się w sobotę rano w swoim pokoju w Soho Grand, zadzwonił do Giny. Wciąż włączała się jej poczta głosowa, wysłał więc do niej e-mail i SMS. Wiedział, że nie zawsze czyta wiadomości, zwłaszcza w weekendy, gdy jest zajęta dziewczynkami. Chloe grała w drużynie piłki nożnej, a Lydia właśnie zaczęła chodzić na balet. Obie najwyraźniej cieszyły się ze swojego nowego życia w Nowym Jorku i dużo opowiadały o nowych koleżankach. Nigdy nie wspominały o Nigelu – chyba instynktownie wyczuwały, że nie chce niczego wiedzieć. Przy każdym spotkaniu Charles widział, że jego córki są szczęśliwe i że matka dobrze się nimi opiekuje. Mimo to bardzo cierpiał, że mieszkają tak daleko od niego. Od początku był opiekuńczym ojcem, kochał żonę i chwile spędzone z rodziną. Jednak dziesięć lat różnicy między nim a Giną, inne zainteresowania, ścieżki kariery i sposób bycia okazały się barierą nie do pokonania. Gdy wzięli ślub, ona jeszcze się nie ustatkowała i uwielbiała wciąż wychodzić z domu. Charles był skupiony na karierze, burzliwe lata młodości miał już za sobą i lubił przebywać w domu. Próbował uszczęśliwić Ginę, ale nie zawsze mu się to udawało. Pracowała w dynamiczniejszym, nieszablonowym środowisku modelek. Stabilność, jaką jej zapewniał, zdawała się ją męczyć. Po ślubie jego życie i środowisko stały się dla niej potwornie nudne. Tęskniła za ludźmi w swoim wieku. Myślał, że żona zaadaptuje się do spokojniejszego stylu życia, jednak zanim tak się stało, poznała Nigela. Rodzicom Charlesa od początku nie podobała się przyszła synowa, a ich ostrzeżenia okazały się prawdą. Mówili, że nie dojrzała do małżeństwa i go nie docenia. Mieli rację.

Gina spalała się, marząc o karierze aktorskiej, a praca modelki sprawiła, że zetknęła się z zupełnie innym światem. Byli ze sobą od sześciu miesięcy, gdy zaszła w ciążę z Chloe. Gdy tylko się dowiedzieli, Charles się oświadczył. Uważał, że postępuje właściwie i kochał ją. Gina twierdziła, że nie muszą brać ślubu i chciała najpierw urodzić dziecko. To przeczyło wszystkiemu, w co wierzył Charles. Był tradycjonalistą, chciał stworzyć z nią prawdziwe małżeństwo i rodzinę. Przekonał ją do ślubu, gdy była w czwartym miesiącu ciąży i miała dwadzieścia cztery lata. Jej kariera modelki właśnie się rozpoczęła, dostawała też niewielkie role aktorskie – to sprawiło, że życie małżeńskie jeszcze mniej ją pociągało. Po dwóch latach zaszła w kolejną nieplanowaną ciążę z Lydią. Drugie dziecko sprawiło, że Gina musiała jeszcze bardziej skupić się na rodzinie i odsunąć własne cele na boczny tor. Charles obiecał, że przejmie opiekę nad dziewczynkami i zorganizuje nianię. Dotrzymał słowa. Zakochał się w swoich córkach i darzył Ginę namiętnym uczuciem. Ona także go kochała, ale drażniły ją ograniczenia związane z małżeństwem oraz to, że stawało na drodze jej celom zawodowym. Kiedy skończyła trzydzieści lat, ogarnęła ją panika, że będzie na zawsze uwięziona w domu, nie będzie mogła pracować jako modelka, a jej kariera aktorska przygaśnie, zanim zdoła na dobre rozkwitnąć. Wszystko, co reprezentował sobą Charles, stało się dla niej zagrożeniem. Winiła go za to, że namówił ją na małżeństwo w tak młodym wieku. Wielu jej znajomych miało nieślubne dzieci, co jej zdaniem było lepszym rozwiązaniem. Małżeństwo wydawało jej się więzieniem.

Charles dostrzegał, że Gina jest zdolna do głębokiego zaangażowania, choć sama jeszcze go nie chciała. Kiedy zajmowała się dziećmi, była dobrą matką, ciągle jednak pragnęła kariery w świecie modelek, aktorów, producentów i innych twórczych ludzi, którzy wydawali się ciekawsi i byli jej bliżsi. Próbowała wyjaśnić, że bycie żoną bankiera jej nie wystarcza. Wtedy pojawił się Nigel – był niczym wysłannik ze świata, do którego dążyła. Był dla niej idealny, a przynajmniej tak sądziła. Poznała go podczas sesji zdjęciowej na Tahiti, gdzie robił zdjęcia dla włoskiego „Vogue'a". Chociaż mówiła, że nie chciała, by tak się stało, ich romans zaczął się jeszcze podczas wyjazdu i przyciągnął uwagę tabloidów, ponieważ Nigel był znany w świecie mody. Kolejne miesiące były koszmarem. Charles musiał znosić wstyd, publiczne upokorzenie i oburzenie rodziców tym, przez co będą musiały przechodzić dzieci. Gina nie chciała wciągać go w skandal, więc po dwóch miesiącach od rozpoczęcia romansu oznajmiła, że odchodzi. Powiedziała, że potrzebuje wolności, chce w pełni wykorzystać ostatnie lata młodości. Oboje płakali przy tej rozmowie, ona jednak obstawała przy swojej decyzji. Nigel stanowił dla niej zbyt wielką pokusę. Pociągał ją o wiele bardziej niż Charles.

Powiedziała, że przeprowadza się do Nowego Jorku, by pracować dla amerykańskiego „Vogue'a", gdzie wszyscy byli zachwyceni Nigelem. Obiecywał jej fantastyczne możliwości, jeśli z nim pojedzie – może nawet miałaby szansę nakręcić film z jego znajomymi producentami z Los Angeles. Gina nie była w stanie się oprzeć ani obietnicom, ani jemu samemu.

Charles mógłby próbować powstrzymać ją metodami prawnymi, jednak wiedział, że walka w sądzie byłaby bolesna i spowodowałaby rozgłos, a ona znienawidziłaby go za to, że odebrał jej marzenia. Rozumiał, że musi pozwolić jej odejść. Nie znosił Nigela za to, że mu ją odebrał i pomógł znaleźć agenta w Nowym Jorku. Robili, co mogli, by podjęła współpracę także z innymi fotografami. Jej kariera w końcu na dobre rozkwitła. Charles mógł tylko mieć nadzieję, że Gina w końcu się tym znudzi i do niego wróci. Podszedł do sprawy wielkodusznie, a teraz gorzko tego żałował. Minął rok, a Gina była zachwycona Nowym Jorkiem i wciąż związana z Nigelem. Odnosiła sukcesy jako modelka, a dziewczynki były z nią szczęśliwe. Wyglądało na to, że stracił rodzinę na zawsze. Nigel i jego świat odpowiadały jej o wiele bardziej niż Charles. Ku jego rozczarowaniu wszystko ułożyło się tak, jak tego chciała. Uroda i niedbały styl Nigela były typowe dla towarzystwa, do którego Gina od lat chciała się zbliżyć. Była zbyt młoda i ambitna, by zadowolić się zwykłym rodzinnym życiem z Charlesem. Czuł się, jakby przed rokiem całe jego życie trafił szlag. Rozwód został niedawno sfinalizowany. Mężczyzna zastanawiał się, czy Gina wyjdzie za Nigela albo czy będzie miała z nim dziecko. Miał wrażenie, że w ich świecie małżeństwo nic nie znaczy. Związki i przyjaźnie pojawiały się i znikały, dzieci rodziły się z przelotnych relacji, często już po ich zakończeniu. W żaden sposób nie przypominało to życia Charlesa.

Z nikim się nie spotykał – żadna kobieta nie mogła równać się z Giną pomimo jej zdrady i zmiany stosunku do niego. Była o wiele piękniejsza i bardziej ekscytująca niż wszyscy ludzie, których znał. Była też matką jego dzieci. Uważał, że ta rola zasługuje na głęboki szacunek, mimo że kobieta nie czuła już do niego tego samego i zostawiła go dla innego mężczyzny. Od rozstania Charles zmagał się z załamaniem, napadami lęku i z trudem przychodziło mu kroczenie dalej przez życie. Jego jedynym celem stały się wizyty u córek. Starał się stłumić uczucia do ich matki, ale na razie mu się to nie udawało. Za każdym razem, gdy widział jej zdjęcie w reklamie czy na okładce czasopisma, czuł, jak serce mocniej mu bije. Wiedział, że to żałosne i że musi o niej zapomnieć, ale wciąż nie potrafił.

Teraz jego beztroska, chaotyczna była żona jak zwykle nie odbierała telefonów. Czekał w pokoju hotelowym w nadziei, że zobaczy się w dziewczynkami. W końcu wyszedł, by zaczerpnąć świeżego powietrza. Był niezwykle przystojny, ale najwyraźniej nie zdawał sobie z tego sprawy. Kobiety zauważały go, gdy mijał je na ulicy. Jak zwykle nie zwracał na to uwagi, nigdy nie uważał się za atrakcyjnego mężczyznę – zwłaszcza odkąd Gina go zostawiła. Dla wszystkich z wyjątkiem jego samego było oczywiste, czemu była żona z początku się w nim zakochała. Był przystojny, inteligentny, miał dobrą pracę, pochodził z dobrej rodziny i uwielbiał ją. Jednak w porównaniu z Nigelem kierującym się innymi wartościami był poważny, konserwatywny i odpowiedzialny – a to nie było seksowne dla Giny. Kiedy się denerwował, czasem plątał mu się język. Nigel był o wiele bardziej wygadany i pewny siebie, ale Charles uważał, że rywal nie jest zdolny do głębokich uczuć, i wątpił, czy jego związek z Giną przetrwa. Na razie jednak nie wyglądało na to, by miał ją zostawić.

Charles miał wiele zalet, które były pociągające dla wielu kobiet, jednak jego samego to nie obchodziło. Nie dostrzegał tego – chciał tylko odzyskać byłą żonę, wiedział jednak, że nie ma szans, by się to udało. Była zbyt szczęśliwa, żyjąc z Nigelem w Nowym Jorku. Spełniło się wszystko, na co liczyła, odchodząc. Charles zastanawiał się, jak długo to potrwa. W jej nowym świecie nic nie było stabilne. Jednak po roku Gina wciąż była tym wszystkim oczarowana.

Przez kilka godzin spacerował po SoHo i wzdłuż rzeki Hudson. Wciąż nie miał od niej wiadomości, gdy o czwartej wrócił do hotelu i znów włączył telewizor, by posłuchać wiadomości o huraganie. To była świetna pożywka dla jego lęków – był przerażony, że miasto zostanie zniszczone. Tego dnia nie miał nic więcej do zrobienia. Nie nastąpiła jednak żadna zmiana. Huragan zmienił nieznacznie kierunek na Karaibach, teraz jednak znów zmierzał w stronę Nowego Jorku i nabrał nieco prędkości. Charles próbował sobie wyobrazić, gdzie mogą być dziewczynki i Gina. Wykorzystał jednak wszystkie możliwości skontaktowania się z nią. Mógł już tylko czekać. Zamówił hamburgera do pokoju i siedział, oglądając kanał CNN. Huragan Ofelia był porównywany z Sandy, choć na razie wydawał się mniej złowrogi. Nie można było jednak zignorować potencjalnego zagrożenia dla miasta, nawet jeśli miałoby być mniejsze. Nawet to go nie pocieszało. Jedząc hamburgera, rozmyślał z troską o córkach. Brak odpowiedzi Giny na jego wiadomości jak zwykle doprowadzał go do szału. Gdziekolwiek teraz była, mogła nie mieć ze sobą komórki albo telefon mógł się rozładować – często tak tłumaczyła fakt, że nie oddzwaniała.

W sobotę od południa Juliette Dubois miała dyżur na oddziale ratunkowym w jednym z trzech największych szpitali w mieście. Miała trzydzieści jeden lat, była rezydentem i lekarzem pogotowia. Podczas huraganu Sandy była na studiach medycznych na NYU, uniwersytecie nowojorskim. Odbywała praktykę w szpitalu uniwersyteckim. Został on poważnie uszkodzony i konieczna była ewakuacja. Pomagała wynosić pacjentów z budynku do karetek, które odwoziły ich do innych szpitali, kiedy awaryjne systemy zasilania przestały działać. Nikt nie spodziewał się tak wielkich szkód. Podczas ewakuacji nikt nie zginął, jednak doszło do strasznych sytuacji z wcześniakami w inkubatorach i pacjentami podłączonymi do respiratorów. Urządzenia musiały być ręcznie obsługiwane przez personel do momentu przeniesienia do innego szpitala. Juliette wciąż była pod silnym wrażeniem tamtych zdarzeń i odczuwała respekt wobec klęsk żywiołowych. Chociaż huragan Ofelia nie wydawał się jak dotąd aż tak niebezpieczny, gdy na początku usłyszała, że zmierza w stronę Nowego Jorku, poczuła dreszcz.

Była na dyżurze od pięciu godzin i nie miała jeszcze czasu na przerwę. W soboty zawsze wiele się działo na oddziale ratunkowym. Ludzie, którzy zachorowali w tygodniu i nie pofatygowali się, by zadzwonić do lekarza, odczuwali pogorszenie w piątkowy wieczór i w weekend jechali na oddział ratunkowy. W mieście szalała grypa, szczególne zagrożenie dla dzieci i osób starszych. W weekendy zdarzało się też wiele wypadków w domu, kontuzji sportowych, a także przedwczesne porody czy złamania wskutek upadków na ulicach.

Teraz na oddziale były dwie osoby ze złamanymi biodrami – osiemdziesięcioczterolatka potrącona przez rower w Central Parku oraz dziewięćdziesięciolatek, który spadł z drabiny, gdy oglądał wyciek wody na suficie. Sanitariusze przywieźli tych dwoje oraz – jak zwykle – ludzi z zawałami serca, drobnymi urazami, atakami astmy, ranami wymagającymi szwów. Był tu także czterolatek, którego matka uważała, że dziecko prawdopodobnie połknęło swojego żółwia. Juliette uwielbiała różnorodność pracy nad oddziale ratunkowym – zmagała się zarówno z poważnymi urazami, jak i z tymi mniejszymi. Czasem jednak panował tu kompletny chaos.

O piątej zrobiła sobie pierwszą przerwę, kiedy minął ją Will Halter, główny rezydent oddziału. Był wyjątkowo wysoki, ciemnowłosy i przystojny. Minionego lata spotykali się przez trzy miesiące, ale źle się to skończyło. Nie mogli ze sobą wytrzymać. Zdaniem Juliette miał ego wysokości drapacza chmur. Ona nie miała zamiaru go podsycać, więc ją rzucił. Umawiał się prawie ze wszystkimi pielęgniarkami na oddziale, nawet z niektórymi z mężatek. Było jej głupio, że w ogóle się z nim związała, ale łatwo było ulec jego urokowi. Wszyscy byli nim oczarowani – pacjenci, pielęgniarki, studenci. Pacjenci byli zachwyceni tym, jak ich traktował, chociaż Juliette zaczęła wątpić, czy naprawdę mu na nich zależy. Podejrzewała, że tak nie jest. Musiała jednak przyznać, że właściwie był dobrym lekarzem, mimo że jako człowiek był beznadziejny.

On również nie darzył jej sympatią. Sprawiało to, że współpraca między nimi była niezwykle trudna, a wzajemna niechęć zwracała uwagę pacjentów. Pielęgniarki także były jej świadome, a część z nich znała przyczynę konfliktu. Will Halter rzucał jej złośliwe uwagi, kiedy sądził, że ujdzie mu to na sucho, ale niechętnie przyznawał, że Juliette jest świetnym lekarzem. Po prostu nie lubił jej jako człowieka. Wiedział, że go przejrzała i dostrzegła jego narcystyczne skłonności. Ona rozmawiała z nim odważnie i bezpośrednio, a kiedy było to korzystne dla pacjentów, przypierała go do muru wyzywającymi komentarzami. Z trudem byli w stanie zachować poprawne stosunki. Nie rozwiązali jeszcze tego problemu i nie wiedzieli, czy kiedykolwiek się to uda. Jako główny rezydent Will był bezpośrednim przełożonym Juliette. Kobieta otwarcie przedstawiła sytuację kierownikowi programu stażowego. Powiedziała, że „chemia między nimi uniemożliwia im współpracę" i krótko to skomentowała, stwierdzając, że są na siebie uczuleni. Ostrzegła kierownika, na wypadek gdyby Will chciał zaszkodzić jej karierze – sądziła, że mógłby być do tego zdolny, jednak do tej pory tego nie zrobił. Po prostu traktował ją pogardliwie, ale przynajmniej nigdy nie rozpowiadał kłamstw na jej temat.

– Widzę, że sam Bóg się dziś do nas pofatygował – rzuciła zjadliwie Juliette do siedzącej przy biurku szefowej pielęgniarek przyjmujących Michaeli Mancini, gdy zobaczyła Willa w korytarzu.

Michaela roześmiała się. Znała sytuację i wiedziała, co Juliette ma na myśli.

– Pojawił się chyba o czwartej. Mamy dziś masę pacjentów, więc dobrze, że przyszedł, chociaż zazwyczaj nie pracuje w soboty. Chyba że chcesz dostać kolejne dwanaście osób – dodała z uśmiechem.

Juliette potrząsnęła głową, sięgając po karty pacjentów.

– Mam pełne ręce roboty. Niech on dla odmiany trochę popracuje.

Nie wysilał się aż tak bardzo jak młodsi rezydenci, jednak nawet Juliette przyznawała, że świetnie stawiał diagnozy, zwłaszcza w najcięższych przypadkach. Czuła do niego niechęć w życiu prywatnym, a nie zawodowym. Wiedziała, że musi pogodzić się z sytuacją.

Juliette była ładną blondynką, zazwyczaj splatała włosy w warkocz, prawie nie zdejmowała szpitalnej odzieży i nie miała czasu się malować. Poświęcała się pracy i pacjentom, rzadko myślała o czymkolwiek innym. Była bezpośrednia i zaangażowana. W przeciwieństwie do Willa nikogo nie czarowała i nie kierowała się swoim ego. Juliette pochodziła z Detroit. Jej bracia i ojciec byli lekarzami, a matka przed ślubem pracowała jako pielęgniarka. Wszyscy w rodzinie mówili jej, że w swojej karierze spotkali przynajmniej jednego takiego głównego rezydenta. Powiedzieli, że związek z nim to poważny błąd. Gdy teraz na niego narzekała, sprawiała wrażenie zawistnej, zwłaszcza że to on ją rzucił. Wiedziała, że mają rację. Musiała po prostu wytrzymać i liczyć, że zadręczanie jej w końcu mu się znudzi.

Niczym zły duch przybywający na dźwięk swojego imienia, główny rezydent pojawił się przy recepcji pięć minut później i posłał Juliette wrogie spojrzenie.

Po chwili, gdy oboje przeglądali karty pacjentów przy biurku pielęgniarek, Juliette zadała mu pytanie obojętnym tonem, żeby nie wszczynać sprzeczki. Wszystko, co do niego mówiła, irytowało go i prowokowało – pielęgniarki widziały takie sceny wiele razy. Czasami było to niemal zabawne, niczym fajerwerki z okazji Dnia Niepodległości. Zawsze można było liczyć na pokaz.

– Przygotujemy się w jakiś sposób do huraganu, jeśli w mieście ogłoszą stan zagrożenia? – spytała.

Przez cały dzień się nad tym zastanawiała. Po doświadczeniach z Sandy w szpitalu uniwersyteckim wiedziała, jak ważne jest przygotowanie.

– Raczej nie. Nie róbmy sobie problemów. Będziemy sobie radzić, gdy nas powiadomią. Wcześniej nie będziemy mieć na to czasu. Nie wiem jak ty, ale ja mam dwa razy więcej pracy niż normalnie bez myślenia o huraganie.

– Ja też. Ale ktoś powinien przynajmniej sprawdzić awaryjne zasilanie, zanim ogłoszą stan zagrożenia. To załatwiło nas przy Sandy. Zapasowe generatory zawiodły.

– Pracujesz teraz w biurze zarządzania kryzysowego? – spytał cierpko, a jego usta zmieniły się w cienką kreskę. – Może zadzwonisz do dyrektora szpitala i mu o tym powiesz?

Zignorowała jego sarkastyczny ton, ale nie ustępowała.

– Przynajmniej tutaj moglibyśmy się przygotować. Jesteśmy poniżej poziomu morza i na tyle blisko rzeki, że może nas zalać.

– W takim razie włóż jutro kalosze do pracy. Czego ty ode mnie chcesz? Żebym sam układał worki piasku? Jestem tu głównym rezydentem, a nie pracownikiem fizycznym. Nie panikuj, bo pacjenci zaczną się niepokoić – skarcił ją, po czym odłożył kartę pacjenta i odszedł.

Michaela w milczeniu uniosła brew.

– Powinniśmy się przygotować – powiedziała do niej cicho Juliette.

Michaela skinęła głową.

– Mimo wszystko on ma rację. Nikt nie ma czasu się tym zajmować, jeśli to nie jest konieczne. Wszyscy wiedzą, co się stało w szpitalu NYU. Nie pozwolą, by powtórzyło się to tutaj – pielęgniarka próbowała pocieszyć koleżankę.

Juliette skinęła głową i podeszła do dziewięćdziesięciolatka ze złamanym biodrem czekającego na chirurga ortopedę. Wieczorem mieli go operować, była z nim córka i wnuki. Po raz setny powtarzali mu, że w ogóle nie powinien był wchodzić na drabinę. Był w pełni władz umysłowych i inteligentny. Nie był niedołężny, jedynie w podeszłym wieku.

– Dobrze się pan czuje, panie Andrews? – spytała Juliette z uśmiechem.

– Sprawdzałem wyciek na suficie. Rury w moim budynku są bardzo stare – ponownie wyjaśnił mężczyzna.

Zgodziła się z jego córką co do drabiny, był jednak uroczym staruszkiem, a ona mu współczuła. Zdaniem jego córki sytuacja dowodziła, że jej ojciec nie może już mieszkać sam. Wyglądał na przybitego. Bez problemu przeszedł badanie sprawności umysłowej, było jasne, że nie cierpi na demencję. Był po prostu niezależny, chciał sprawdzić wyciek i stracił równowagę. Niestety miał dziewięćdziesiąt lat i nie miał już tej koordynacji co kiedyś, był też mniej zwinny i mieszkał sam. Powiedział, że jego żona umarła dwa lata temu.

– Jak pan znosi ból? – łagodnie spytała Juliette.

– Jest w porządku – odparł zażenowany, gdy dotknęła jego dłoni.

– Po operacji wszystko będzie w porządku – powiedziała cicho.

Mężczyzna skinął głową, tymczasem do sali wszedł chirurg. Juliette poprosiła bliskich pacjenta, by na chwilę wyszli. Gdy odchodziła, nadal narzekali na niego na korytarzu, mówili, że jest nierozsądny, za bardzo niezależny, chce robić wszystko to, co robił w młodości, i nie chce zachowywać się, jak przystało na jego wiek. Juliette nie widziała w tym nic złego – wciąż był pełen energii i życia.

Potem poszła zajrzeć do chłopca, który połknął żółwia.

Dziecko ubierało się, by wrócić do domu, a matka miała wyraz ulgi na twarzy. Mały przyznał się, że nie połknął zwierzęcia i wcześniej okłamał mamę. Spuścił go w toalecie i nie chciał zostać ukarany, dlatego zmyślił tę historię. Matka strofowała go, tłumacząc, że nie wolno kłamać.

Juliette zerknęła na niego z powagą, z trudem powstrzymując uśmiech.

– Czy masz psa, Johnny? – spytała, znając już odpowiedź.

Chłopczyk skinął głową.

– Tak, ma na imię Dobie. To owczarek niemiecki.

– Pewnie jest bardzo fajny. Czy możesz mi coś obiecać?

Johnny spojrzał na nią szeroko otwartymi oczami i znowu skinął głową.

– Obiecasz mi, że go nie połkniesz? Bardzo rozbolałby cię brzuszek, a Dobiemu by się to nie spodobało.

Chłopiec wybuchnął śmiechem, słysząc jej słowa. Gdy chichotał, jego matka również się uśmiechnęła.

– Obiecuję. Ale on jest za duży, żeby go połknąć.

Pewnie nieszczęsny żółw też był za duży. Należał do jego siostry. Chłopiec powiedział pielęgniarce, że siostra pewnie będzie na niego bardzo zła. Czasem zdarzały się dzieci, które połknęły różne nieprawdopodobne obiekty, wprawiając w osłupienie lekarzy oglądających prześwietlenia.

– Po prostu o tym pamiętaj. Nie próbuj połknąć Dobiego.

Skinął głową, skończył się ubierać i z pomocą Juliette zszedł z leżanki. Podpisała wypis ze szpitala i podała go matce. Przypomniała też chłopcu, że nieładnie jest zmyślać. Poważnie skinął głową i pomachał jej, gdy parę minut później wychodzili. Powiedział mamie, że Juliette jest miła i że ją lubi. Potem obiecał, że już nie będzie kłamał.

Juliette przeszła wzdłuż kolejki swoich pacjentów, dzieląc przypadki na poważne i lżejsze. Gdy weszła do poczekalni, by porozmawiać z dziećmi mężczyzny po ataku serca wiezionego na oddział intensywnej opieki kardiologicznej, zobaczyła w telewizji fragment komunikatu. Nagle wszyscy wbili wzrok w ekran. Prezenter poinformował, że huragan Ofelia został zaklasyfikowany jako huragan pierwszej kategorii, znacznie przybrał na prędkości i zmierzał wprost na nich. W mieście ogłoszono stan zagrożenia, metro miało być zamknięte do dwudziestej, a wyznaczone obszary były objęte ewakuacją. Ich lista wyświetlała się na ekranie. Wszyscy inni mieszkańcy byli proszeni o pozostanie w domach po dwudziestej pierwszej. Zapowiedziano kolejne komunikaty oraz wypowiedź burmistrza na żywo o osiemnastej.

– Cholera! – powiedziała głośno Juliette. – Znowu się zaczyna.

Potem odwróciła się do rodziny pacjenta po zawale.

– Czy szpital zostanie zamknięty? – spytał ze zmartwieniem ktoś z grupy.

– Nie, jesteśmy przygotowani na takie sytuacje. Mamy awaryjny system zasilania, wprowadzimy konieczne zmiany i prawdopodobnie nie będzie tak źle jak ostatnio.

Miała nadzieję, że się nie myli, wspominając sceny ze szpitala NYU, wynoszenie pacjentów po schodach z latarkami. Następnie objaśniła, jakiemu zabiegowi miał być poddany ojciec rodziny.

Potem wróciła do biurka. Kilka pielęgniarek musiało wyjść wcześniej, przed unieruchomieniem komunikacji miejskiej, ponieważ dojeżdżały metrem. Wzywano właśnie pracowników, którzy mieli je zmienić. Juliette wiedziała, jak będzie wyglądać sytuacja, a potem uświadomiła sobie, że jej mieszkanie znajduje się w strefie zalewowej.

– A co z tobą? Może musisz pojechać do domu po rzeczy? – spytała ją Michaela, a Juliette wzruszyła ramionami.

– Jedyną cenną rzeczą, jaką tam mam, jest mój paszport. Zawsze mogę wyrobić sobie nowy. Moje mieszkanie to kompletny chaos. Nie ma tam niczego, co chciałabym ratować.

Całe jej życie toczyło się w szpitalu. Żaden z przedmiotów, które miała w domu, nie miał dla niej większego znaczenia. Nie trzymała tam żadnych zwierząt czy pamiątek. To wszystko znajdowało się w Detroit. Jej miejsce zamieszkania było tylko sypialnią, do której wpadała między zmianami.

Niedługo potem Juliette zobaczyła, jak Will Halter przemierza pospiesznie korytarz, by zbadać pacjenta. Nie było czasu na złośliwości – ogłoszono stan zagrożenia, a strefy zalewowe objęto ewakuacją. Juliette liczyła, że ktoś rozsądny sprawdził system zasilania w szpitalu. Nie miała jednak na to wpływu. Musiała zbadać pacjentów, a jeśli huragan okazałby się równie silny, jak Sandy, poradziliby sobie z nim. Musiała skupić się na chorych i swojej pracy – pracownicy techniczni mogli zająć się resztą. Nie obchodziło jej, co myśli na ten temat główny rezydent, nie miało znaczenia, co jej powie.

Ellen włączyła właśnie telewizor w mieszkaniu matki, gdy pojawił się komunikat. Przez chwilę zszokowana wpatrywała się w ekran. Wyraźnie widziała, że dzielnica mamy, strefa pierwsza, była na samym początku listy obszarów ewakuowanych. Poszła poinformować o tym Grace, która właśnie karmiła w kuchni Blanche.

– Musimy stąd wyjść przed dwudziestą pierwszą, mamo. To za cztery godziny. Trzeba się zorganizować, znaleźć miejsce, w którym będziemy mogły się przespać. Chyba powinnyśmy pojechać do hotelu na Górnym Manhattanie.

Poprzedni huragan nie spowodował nawet najmniejszych zniszczeń na obszarze powyżej Trzydziestej Dziewiątej Ulicy, a poniżej pozostawił pobojowisko. Najbezpieczniej było udać się na północ. Grace wysłuchała córki i przez chwilę się zastanawiała, stawiając miskę Blanche na podłodze. Potem odwróciła się do Ellen, patrząc na nią z determinacją, której córka się nie spodziewała.

– Nigdzie nie jadę – oświadczyła Grace zdecydowanie. – To samo robiłam poprzednim razem i straciłam mnóstwo rzeczy, bo nie było mnie tutaj i nie mogłam ich ochronić.

Pięć lat wcześniej na dolnym poziomie mieszkania było pół metra wody. To wystarczyło, by zniszczyć wyposażenie, na szczęście miała do dyspozycji dodatkowy górny poziom.

– Jeśli salon znów zostanie zalany, będę mogła spać na górze, w swojej sypialni – dodała. – Pewnie nie będzie aż tak źle, jak mówią. Robią to, żeby się ochronić. Nie chcą, by ludzie potem narzekali, że nikt ich nie ostrzegł. Budynek nigdzie nie odpłynie. Poza tym ustawiono już zabezpieczenia. Komitet mieszkańców zdecydował, że w przypadku przyszłych huraganów i ewakuacji w holu zostanie ułożony wał z worków piasku. Nie jadę. Jeśli chcesz, możesz jechać do hotelu.

Ellen wbiła w nią wzrok.

– Chyba nie mówisz poważnie. To zbyt niebezpieczne, mamo. Nie pozwolę ci zostać.

Była równie uparta, jak jej matka. Grace uśmiechnęła się.

– A co zrobisz? Przerzucisz mnie przez ramię? Nie bądź głupia. Mnie i Blanche nic się tutaj nie stanie.

Patrzyła twardo na Ellen, która poczuła w żołądku ukłucie paniki. A co, jeśli powódź będzie tak potężna, że Grace utopi się w mieszkaniu? Podczas Sandy niektórzy ludzie w strefach zalewowych, którzy nie mogli opuścić domów albo zbyt późno zdecydowali się na ucieczkę, tak właśnie skończyli.

– Nie mogę ci na to pozwolić – powiedziała Ellen z przerażeniem.

W telewizji zwrócono uwagę, że odmowa ewakuacji mogła oznaczać konieczność zaangażowania ratowników i oderwania ich od ważniejszych spraw niż ratowanie osób, które powinny były opuścić niebezpieczne miejsce wiele godzin temu.

– Nie możesz mnie zmusić, żebym stąd wyszła. Jestem dorosła, w pełni władz umysłowych i podjęłam decyzję. Jeśli chcesz, zarezerwuj pokój na północy, ja jednak zostanę w mieszkaniu.

Dała do zrozumienia, że nie zmieni zdania. Wyrzuciła do kosza puszkę po dietetycznej psiej karmie i zaczęła sprzątać kuchnię. Po chwili znów odwróciła się do Ellen.

– Chyba na wszelki wypadek wezmę niektóre rzeczy do sypialni.

Przynajmniej takie wnioski wyciągnęła z poprzedniego kataklizmu, który zniszczył wiele sprzętów.

– Jestem w stanie przenieść wszystko sama – zapewniła.

Poszła do salonu i zaczęła ustawiać delikatne przedmioty na stoliku kawowym, przygotowując je do zabrania. Obrazy wisiały wysoko, więc woda pewnie ich nie dosięgnie. Jedynym problemem były książki i drobne przedmioty. Chciała też przenieść kilka cennych krzeseł. Nie była w stanie ochronić kanap i ciężkich mebli, ale miała dużo mniejszych rzeczy, które mogła zabrać do sypialni na wyższym poziomie.

Patrząc na nią, Ellen przestała myśleć o ewakuacji. Wiedziała już, co musi zrobić. Jeśli matka postanowiła zostać, Ellen nie mogła jej opuścić, choć wydawało się to szaleństwem i choć się z nią nie zgadzała. Była pewna, że George'owi się to nie spodoba, ale znała swoją mamę. Grace nigdzie się nie wybierała. Nie chciała się ewakuować. Cokolwiek miało nastąpić w ciągu kolejnych godzin lub dni, decyzja została podjęta. Być może była to głupota, ale miały razem zmierzyć się z Ofelią.

Rozdział 3

Ellen ostrożnie zbierała przedmioty podobne do tych, które zostały uszkodzone poprzednim razem – kolekcję elegancko wydanych albumów, książki oprawione w skórę, wśród nich pierwsze wydania – i zanosiła je na górę do sypialni matki oraz do pokoju gościnnego, w którym spała. Znalazła duże arkusze folii użyte przy odmalowywaniu mieszkania po Sandy. Próbowała możliwie najlepiej osłonić meble, tymczasem Blanche biegała wkoło, szczekając i wchodząc jej pod nogi. Wyczuwała, że dzieje się coś ważnego. Gdy Ellen siłowała się z folią i taśmą klejącą, usłyszała dzwonek do drzwi. To był sąsiad jej matki z naprzeciwka. Miał podobne mieszkanie, był bardzo życzliwy i od czasu do czasu zaglądał do Grace. Przepadał za nią, a ona także go lubiła. Był znanym autorem powieści kryminalnych, przeprowadził się do Nowego Jorku z Los Angeles. Ellen spotkała go raz podczas jednej z wizyt. Grace często o nim mówiła, a jej córka wiedziała, że jest cichym i wycofanym mężczyzną przed pięćdziesiątką. Jego książki utrzymywały się na listach bestsellerów przez całe miesiące od premiery. Ellen czytała jedną lub dwie, podobały się jej. Grace przeczytała je wszystkie i była jego oddaną fanką – głównie dlatego, że bardzo go lubiła. Nazwisko Roberta Wellsa było rozpoznawalne na całym świecie. Pomimo sławy był dość niepozorny. Ellen była w szoku, gdy go poznała i uświadomiła sobie, kim jest. Wiele z jego powieści zostało przeniesionych na ekran. Wiedziała od Grace, że był rozwodnikiem i miał dwoje dorosłych dzieci.

Kiedy otworzyła mu drzwi, z zaskoczeniem przypomniała sobie, jaki jest wysoki. On wydawał się zdziwiony, że ją widzi. Wyglądał też młodziej, niż go zapamiętała.

– Czy pani mama jest w domu? – spytał i natychmiast poczuł się głupio.

– Jest na górze, przenosi rzeczy – wyjaśniła Ellen z uśmiechem.

– Nie wiedziałem, że pani tu jest – powiedział, czując się niezręcznie.

Wcześniej, gdy go poznała, również wydawał się nieśmiały. W jego sposobie bycia kryło się coś, co podpowiadało, że jest samotnikiem i introwertykiem, jednak jego troska o Grace wskazywała, że jest także opiekuńczy.

– Przyszedłem, by zobaczyć, czy Grace nie potrzebuje pomocy – dodał. – Czy mogę coś dla pań zrobić?

Otworzyła szerzej drzwi, by mógł wejść. W tym samym momencie jej matka zeszła po schodach. Biegnąca obok Blanche zaczęła machać ogonem, gdy go zobaczyła. Zbliżyła się do niego i wyraźnie go rozpoznała. Grace z uśmiechem zaprosiła mężczyznę do środka, ciesząc się, że go widzi.

– Witaj, Bob. Razem z Ellen zdecydowałyśmy, że zostajemy. Zanoszę właśnie parę rzeczy na górę w razie, gdyby znów nas zalało.

Bob Wells wydawał się zszokowany i zaniepokojony jej słowami.

– To chyba niezbyt rozsądne, Grace – powiedział grzecznie. – Ostatnio budynek bardzo ucierpiał. Nie powinno cię tu być, gdyby sytuacja miała się powtórzyć. Może po prostu ochronisz, co się da, i pojedziesz do hotelu albo zatrzymasz się u przyjaciół?

Zerknął na Ellen, która się z nim zgadzała, jednak Grace już podjęła decyzję.

– To się nie powtórzy. Nic dwa razy się nie zdarza i te rzeczy.

Bob jednak uważał, że pozostanie w budynku to bardzo zły pomysł, zwłaszcza w jej wieku, ale to przemilczał. Lubił ją jako przyjaciółkę i sąsiadkę, nigdy nie uważał jej za starszą panią. Mimo wszystko w tak niebezpiecznej sytuacji trzeba było wziąć pod uwagę jej wiek. Gdyby budynek został zalany, musiałaby być dość sprawna i silna, by uciec.

– Jeśli to, co mówią, jest prawdą, podczas przypływu fale na rzece mogą sięgać wysokości pięciu czy sześciu metrów. Lepiej nie ryzykować – dodał poważnie, przekonany, by pojechać na północ.

– Woda popłynie ulicą, nie wedrze się do środka – stwierdziła Grace stanowczo. – Ty wyjeżdżasz?

Była zaskoczona, chociaż na kanałach informacyjnych ponaglano, by ewakuować się z wyznaczonych obszarów.

– Tak. Zatrzymam się u swojego agenta na Upper West Side. O północy w centrum wyłączą prąd. Nie ma sensu siedzieć tutaj w ciemności, bez ogrzewania i klimatyzacji. Powinnaś się jeszcze zastanowić. A tymczasem ci pomogę.

Zerknął na Ellen, która owijała meble folią i zaklejała je taśmą. Grace przenosiła przedmioty z półek i blatów. Mieszkanie wyglądało, jakby chciała wszystko z niego wynieść. Obie kobiety działały szybko. On zrobił to samo w swoim mieszkaniu, chociaż większość jego mebli była stara i zniszczona. Ich zaletą była wygoda, a nie wygląd czy cena – w przeciwieństwie do pięknych przedmiotów w mieszkaniu Grace. Planował zabrać tylko rękopis książki, nad którą właśnie pracował, a także ulubioną maszynę do pisania. Jego starsze rękopisy znajdowały się w wodoszczelnym sejfie w jego gabinecie na górnym poziomie, a kopie – w skrytce w banku na wypadek pożaru, powodzi lub kradzieży. Nie ufał w pełni swojemu sejfowi i nigdy nie pisał książek na komputerze, na którym używał tylko poczty elektronicznej.

Bob sięgał po kolejne arkusze folii, pomagając Ellen owinąć pozostałe meble. Grace dalej przenosiła drobne przedmioty i pamiątki. Ellen związała zasłony i podniosła je z podłogi. Zwinęli jeden z dywanów – drugi był za duży. Płaszcze Grace przenieśli z szafy w holu na jej łóżko. Po niecałej godzinie zrobili już wszystko, co się dało. Grace zaproponowała Bobowi kieliszek wina, a on z wdzięcznością się zgodził. Sprawnie i solidnie wykonali pracę, mężczyzna jednak wciąż namawiał ją, by wyjechała.

– Jeśli sprawy wymkną się spod kontroli, będzie tu strasznie – powiedział, ale nie zdołał jej przekonać. – Nie chcesz chyba brodzić przez wodę do wyjścia z budynku, a tym bardziej płynąć – dodał dobitnie. – Poza tym co z Blanche? – spytał, mając nadzieję, że tym ją przekona.

Grace jednak obstawała przy swojej decyzji. Bob opuścił kobiety, by spakować torbę i włożyć starą maszynę do pisania do podróżnej walizki wraz z zawiniętym w folię rękopisem, którego kopia znajdowała się w sejfie na górze.

Przed wyjściem jeszcze raz zadzwonił do drzwi i podał im numer swojej komórki, w razie gdyby go potrzebowały. Życzyli sobie powodzenia. Martwił się, że zostają. Wychodząc, przypomniał portierowi, by do nich zajrzał. Mężczyzna obiecał, że to zrobi – on również bardzo lubił Grace. Dozorca miał zostać w budynku, by na bieżąco przeciwdziałać powodzi. Nikt nie wierzył, że zagrożenie będzie równie duże, jak podczas Sandy, jednak natura jest nieprzewidywalna. Nawet gdyby sytuacja była mniej ekstremalna, podczas przypływu mogłoby dojść do poważnego zalania. Według informacji podawanych w telewizji burza miała uderzyć z pełną siłą dopiero za dwadzieścia dwie godziny – jednak gdyby wiatry przyspieszyły, Ofelia mogła dotrzeć do Nowego Jorku wcześniej. Policja chodziła wieczorem od drzwi do drzwi, by sprawdzić, czy wszyscy się ewakuowali. Nie mogli zmusić Grace do opuszczenia mieszkania, ale usilnie nakłaniali wszystkich, by usłuchali ostrzeżeń. Gdy Bob wychodził, zauważył, że na ulicy stoją policyjne łodzie, gotowe, na wypadek gdyby rzeka wylała tak jak poprzednio. Niepokoiło go to, martwił się też o sąsiadkę, która postanowiła zostać w mieszkaniu. Pomyślał, że przynajmniej jest z nią Ellen. Gdyby była sama, nalegałby bardziej, zaproponowałby, że zabierze ją ze sobą i wysadzi gdzieś poza potencjalną strefą zalewową. Grace jednak pozostawała nieugięta, poza tym miała do pomocy córkę. Miał nadzieję, że w ciągu najbliższych godzin Ellen nakłoni ją do rozsądnej decyzji i przekona do ewakuacji.

*

Tego wieczoru kobiety cicho rozmawiały w sypialni Grace, gdy wyłączono prąd. Był to krok zapobiegawczy, o którym zdecydowały władze miasta. Gdy w mieszkaniu nagle zapadła ciemność, poczuły się dziwnie. Awaryjne zasilanie działało tylko na korytarzach i w windzie. Ellen zapaliła świece, a Grace włączyła dużą lampę na baterie, którą kupiła w sklepie turystycznym na takie okazje lub na wypadek awarii prądu. Latem w Nowym Jorku zasilanie czasem szwankowało.

– Nic ci nie jest, mamo? – spytała Ellen z troską.

Grace się uśmiechnęła. Sypialnia była wypełniona delikatnymi przedmiotami oraz płaszczami z szafy na dole.

– Wszystko w porządku.

Ellen miała nadzieję, że rano przekona ją do opuszczenia mieszkania, tej nocy jednak nie poruszała już tego tematu. Było już po północy, za późno, by wychodzić. Blanche z zadowoleniem spała na kolanach Grace. O ile wszyscy byli przy niej, nie obchodziło jej, co się dzieje. Była wyczerpana ruchem panującym w mieszkaniu przy przenoszeniu rzeczy po schodach. Przez cały ten czas nawet na chwilę nie rozstała się ze swoją panią.

Poszły spać wkrótce po tym, jak wyłączono prąd. Ellen napełniła wanny wodą, w razie gdyby jej potrzebowały. Miały także wodę butelkowaną – było jej jednak niewiele, wyrzuciły też jedzenie, które mogło się zepsuć. Nie mogły już lepiej się przygotować. Leżąc w łóżku, Ellen myślała o George'u. Nie zadzwonił, a ona nie chciała wyczerpać baterii komórki. Nie mogłaby jej teraz naładować, a telefon może okazać się potrzebny w nagłej sytuacji. Zastanawiała się, czy George dobrze się bawi na przyjęciu. Czuła się, jakby był oddalony o miliony kilometrów od zdarzeń w Nowym Jorku. Cieszyła się, że jest tutaj ze swoją matką. Nie chciałaby, by kobieta została sama, chociaż Grace nie wydawała się wystraszona czy zaniepokojona. Była bardzo rzeczowa podczas przygotowań do huraganu i wciąż wierzyła, że będzie o wiele mniej niebezpieczny, niż zapowiadano. Ellen miała nadzieję, że matka się nie myli.

Budynek na Clinton Street na Lower East Side był stary i zapadły, w kiepskim stanie, ale czynsz był niski. Studenci od lat wynajmowali tam mieszkania. Mieszkało tam też kilku artystów, ale głównie studenci z NYU. Informacje o takich miejscach słyszało się od znajomych, a pokoje były wolne przez jeden lub dwa dni, zanim ktoś zdążył je zająć. Peter Holbrook i Ben Weiss wprowadzili się tam dwa lata wcześniej. Mieli po dwadzieścia jeden lat, byli na trzecim roku studiów na NYU. Mieszkanie było obskurne, aż prosiło się o malowanie. Umeblowali je sprzętami znalezionymi na chodnikach i kupionymi w sklepach z używanymi rzeczami. Ich rodzice nie byli tym zachwyceni, a matka Bena martwiła się, że spięcie w starym budynku spowoduje pożar. Chłopcom jednak bardzo odpowiadało ich mieszkanie, niezależność i niski czynsz. Znajdowało się na szóstym piętrze, a w budynku nie było windy – tylko tak młodzi lokatorzy mogli to zaakceptować.

Obudzili się wcześnie w niedzielny poranek i spotkali w salonie. Ben siedział na wysłużonej kanapie ze swoim czarnym labradorem o imieniu Mike, który leżał wygodnie rozłożony obok pana. Peter wszedł do pokoju i spojrzał na deszcz za oknem. Niebo było ciężkie i ciemne, wiatr wiał mocniej niż poprzedniego dnia. Obaj przyznali, że huragan ich fascynuje. Zastanawiali się, co się stanie, gdy dotrze do Nowego Jorku. W swojej twierdzy na szóstym piętrze nie musieli obawiać się powodzi. Ben kupił już zapas jedzenia i wody w supermarkecie. Mieli wszystko, czego potrzebowali, obu chłopcom ewakuacja wydawała się głupotą. Czego mieliby się bać? Jeśliby chcieli, mogliby pojechać do mieszkania rodziców Bena, jednak żaden z nich nie miał na to ochoty. Uznali, że fajniej będzie zostać tutaj. Cieszyli się na dni spędzone w przytulnym mieszkaniu do czasu, aż huragan minie. Szkoły publiczne w okolicy miały zostać wykorzystane jako schroniska, w razie gdyby musieli szybko wyjść i nie zdołali się dostać na północ. W telewizji i gazetach informowano, że można zabierać ze sobą zwierzęta domowe, więc nie obawiali się o psa. Ani Peter, ani Ben nie chcieli jednak iść do schroniska z setkami, może nawet tysiącami ludzi. Lepiej było im w domu.

Peter pochodził z Chicago, studiował ekonomię na uniwersytecie nowojorskim. Ben był studentem teatrologii na wydziale artystycznym tej samej uczelni, wychował się w Nowym Jorku. Poznali się, gdy dwa lata temu Peter zaczął umawiać się z Anną, również studentką teatrologii. Ben i Anna przyjaźnili się od przedszkola, dziewczyna przedstawiła Petera koledze. Po trzech miesiącach chłopcy zostali najlepszymi przyjaciółmi i współlokatorami. Od tamtego czasu cała trójka była nierozłączna. Byli niczym troje muszkieterów, którym towarzyszył czarny labrador Bena, Mike.

Peter otworzył pudełko pączków i obrał banana, gdy zadzwoniła jego komórka. Zobaczył, że dzwoni Anna. Mieszkała w dzielnicy West Village z dwiema współlokatorkami. Poprzedniego wieczoru po dziewiątej dziewczyny postanowiły zostać w domu. Matka Anny miała przyjechać po nie rano i zabrać je do swojego mieszkania w północnej części miasta. Anna chciała, by chłopcy pojechali z nią, jednak poprzedniego wieczora nie byli jeszcze zdecydowani.

– To jak, jedziecie z nami? – spytała Anna. – Mama będzie tu za pół godziny. Możemy po was podjechać.

Mama miała cadillaca escalade, w którym zmieściliby się wszyscy wraz z bagażami. Dziewczyny spakowały się tak, by w mieszkaniu rodziców Anny mieć rzeczy na kilka dni.

– Co o tym myślisz? – spytał Peter współlokatora, który bawił się właśnie z psem. – Chcesz z nimi jechać?

– Jeśli chcemy się wydostać z centrum, możemy zatrzymać się u moich rodziców – stwierdził rozsądnie Ben.

Jego czternastoletni brat wciąż mieszkał z nimi, przy zachodniej granicy Central Parku.

– To jak? Może zostaniemy tutaj?

Wiatr był silny i padał deszcz, jednak nie działo się nic groźnego. Jeśli nie będą wychodzić z domu, nic im się nie stanie. Ben nie miał teraz ochoty znosić swojej rodziny i jazgotu na temat huraganu. Pozostanie w mieszkaniu wydawało mu się prostsze.

– Powiedz, że zadzwonimy później, jeśli będziemy chcieli przyjechać.

Znał Annę całe życie, była dla niego jak siostra.

– Na razie nie jedziemy – powiedział do słuchawki Peter, wgryzając się znów w pączka.

Pies patrzył na niego błagalnym spojrzeniem. Ich zapasy składały się głównie ze słodyczy i pustych kalorii, wody, napojów gazowanych i piwa.

– Głupio robicie – oświadczyła Anna. – A co, jeśli znów dotrze tam powódź? Utkniecie w budynku bez jedzenia, wszystkie sklepy będą zamknięte.

– Wczoraj zrobiliśmy zapasy – stwierdził z dumą Peter, a Ben szeroko się uśmiechnął.

– Jakie? Pączki i piwo? – Dobrze ich znała. – Nie będzie nawet elektryczności. Co noc będziecie siedzieć po ciemku.

– Zobaczymy, jak to będzie. Jeśli się znudzimy, zawsze możemy pojechać na północ – powiedział Peter.

Anna życzyła mu powodzenia, a potem się rozłączyli. Pół godziny później trzy dziewczyny jechały na północ razem z mamą Anny, która również uważała, że chłopcy nie powinni zostawać w centrum.

– Pewnie myślą, że to bardzo męskie – stwierdziła zniesmaczona Anna, gdy gawędziły w drodze na Upper East Side.

Obie jej współlokatorki pochodziły z innych miast i cieszyły się, że mają się gdzie zatrzymać. Rodzice gorączkowo do nich wydzwaniali, odkąd wydano pierwsze ostrzeżenia na temat huraganu. Zadzwonili też do matki Anny, by podziękować za zaopiekowanie się nimi. Mama Bena z radością przyjęłaby Petera pod swój dach. Uwielbiała go, w ciągu ostatnich dwóch lat stał się członkiem rodziny. Chłopcy jednak sądzili, że zachowają się bardziej „dorośle" i „po męsku", jeśli zostaną. Byli też ciekawi, jak będzie wyglądał huragan z ich okien. Ben powiedział rodzicom, że nic im nie będzie, że mają jedzenie, wodę i wszystkie potrzebne rzeczy. Oni niechętnie zgodzili się na jego plan i zapewnili rodziców Petera, że chłopcy są bezpieczni, choć sami woleliby, żeby opuścili centrum.

Tego popołudnia Peter i Ben wyszli na spacer z Mikiem, by trochę go rozruszać. Siła wiatru była dla nich zaskoczeniem. Przy niektórych podmuchach z trudem utrzymywali równowagę. To było fascynujące. Wrócili do mieszkania po szesnastej, niecałe dwie godziny przed przewidywaną porą uderzenia huraganu Ofelia. Nawet Mike cieszył się, że zaczerpnął trochę świeżego powietrza. Męczyło ich kiszenie się przez cały dzień w mieszkaniu. Zjedli już pierwsze pudełko pączków, puszkę chipsów Pringles, paczkę innych i wypili napój izotoniczny.

Zanim zrobiło się ciemno, przygotowali kanapki w kuchni. Ben podał Mike'owi kolację, a potem usiedli, by zjeść i porozmawiać, czekając na burzę. Anna kilka razy dzwoniła do nich, nazywając ich idiotami za to, że się nie ewakuują i nie jadą na północ. Przynajmniej miała pewność, że w mieszkaniu na szóstym piętrze mogą co prawda w końcu zgłodnieć, ale się nie utopią. Razem z koleżankami całe popołudnie oglądały filmy. Rodzice nie odrywali wzroku od kanału pogodowego, patrzyli, jak burza się przesuwa – siła wiatru była teraz większa, niż wcześniej przewidywano, i wciąż rosła. Anna i jej współlokatorki miały już dość tych samych obrazów i wywiadów powtarzanych bez końca w telewizji. Można było tylko czekać na huragan i przekonać się, jak wielkie zniszczenia wyrządzi.

*

Była siedemnasta, gdy Gina w końcu oddzwoniła do Charlesa. Do tego czasu prawie oszalał z niepokoju, zastanawiając się, gdzie może być. Był w Nowym Jorku prawie od dwóch dni i nie miał od niej żadnych wiadomości. Tym razem wyjątkowo była żona go przeprosiła, gdy tylko odebrał telefon.

– Bardzo mi przykro. Komórka mi się rozładowała. – W tle słychać było różne hałasy, jakby była na lotnisku albo dworcu, jej słowa były prawie niezrozumiałe. – Czemu mi nie powiedziałeś, że przylatujesz?

– Do końca nie byłem tego pewien. Przed wylotem wysłałem ci SMS z lotniska, dzwoniłem do ciebie już w piątek po przylocie. Gdzie jesteś?

Bardzo chciał się z nimi zobaczyć i zaczął się poważnie martwić ze względu na huragan, który tej nocy dotarł do Nowego Jorku.

– Jesteśmy w schronisku w SoHo. Wczoraj wieczorem ewakuowali nasz budynek. Przed chwilą przygotowali miejsce do ładowania komórek, dlatego mogę do ciebie zadzwonić. To jakiś dom wariatów, ale dziewczynki są zachwycone. Jest tu mnóstwo dzieci, kotów i psów. Strasznie się cieszą, że musimy tu być.

Gina wydawała się rozluźniona i w dobrym nastroju. On czuł się zupełnie inaczej po tym, jak próbował się z nią skontaktować przez ostatnie czterdzieści osiem godzin, nie mając pojęcia, gdzie jest, gdy huragan zawładnął Nowym Jorkiem.

– A gdzie Nigel? Jest z tobą?

W głosie Charlesa słychać było niepokój. Gina pozostała spokojna, choć musiała ewakuować się z córkami.

– Nie, pojechał wczoraj do Red Hook na Brooklynie, żeby zabezpieczyć swoje studio i przewieźć sprzęt do kolegi. Mieli spędzić całą noc na przenoszeniu rzeczy, a dzisiaj miał pomóc komuś innemu. Mieszka tam wielu znanych artystów, a poprzednim razem Red Hook bardzo ucierpiał. Nigel obawia się, że tym razem może być podobnie. Odkąd wczoraj wyjechał, nie odzywał się do mnie. Mówił, że nas znajdzie. Pewnie przyjedzie do schroniska dziś lub jutro, kiedy wszystko się trochę uspokoi.

– Zostawił cię samą z dziewczynkami?

Charles był zszokowany, choć zazwyczaj nie rozmawiał z nią o Nigelu.

– W studiu jest cały jego sprzęt. Nie stać go na to, by po prostu go tam zostawić i siedzieć z nami. W końcu się tu pojawi, a nam nic nie jest. Dziewczynki nie są nawet wystraszone. Cieszą się, że mogą się pobawić z innymi dziećmi. To dla nich przygoda.

Spakowała torby dla całej trójki, zabierając ubrania na kilka dni, przybory do mycia, leki i paszporty. Jej paszport był ważny, ponieważ miała w nim wizę pracowniczą od „Vogue'a". Słuchając jej, Charles wpadł na pewien pomysł. Nie wiedział, co ona o tym pomyśli, ale wolał być blisko córek.

– Bardzo by ci przeszkadzało, gdybym przyjechał do schroniska, żeby zobaczyć się z dziewczynkami? Jeśli nie będziesz chciała, nie zostanę. Pójdę sobie, gdy przyjedzie Nigel. Ale przez cały weekend czekałem na spotkanie z nimi.

Zawahała się tylko przez chwilę. Nie sądziła, by było w tym coś złego, i była pewna, że Nigel to zrozumie. Nie lubił Charlesa, ale nie był z nim w poważnym konflikcie, ponieważ to on wygrał rywalizację o Ginę.

– W porządku. Nigel pewnie przyjedzie dzisiaj dopiero późną nocą. On też nie mógł się do mnie dodzwonić, bo miałam rozładowaną baterię, więc nie wiem, jakie ma plany. Ale dziewczynki bardzo chcą cię zobaczyć.

– Dziękuję – powiedział z wdzięcznością. – Jeszcze nie ewakuowali mojego hotelu, ale być może później do tego dojdzie.

Powiedziała mu, gdzie znajduje się schronisko – utworzono je w szkole niedaleko od jego hotelu. Parę minut później walczył z ostrym wiatrem, idąc w kierunku tymczasowego schroniska oddalonego o trzy przecznice. Kiedy tam dotarł, ujrzał kompletny zamęt – w sali gimnastycznej i wyznaczonych salach lekcyjnych siedziało prawie tysiąc osób ułożonych w śpiworach na podłodze. Tak jak mówiła Gina, były tam psy, koty, kobieta z dwiema papugami w klatce, chomiki, świnki morskie, króliki i chłopiec z legwanem na głowie. Wszędzie biegały dzieci w różnym wieku, a w szkolnej stołówce podawano jedzenie. Charles spędził dwadzieścia minut, przedzierając się przez tłum, aż w końcu zobaczył je w rogu sali gimnastycznej. Gina rozmawiała z grupą kobiet, a Lydia i Chloe bawiły się w berka z nowymi kolegami, piszcząc z radości. Zobaczyła go, dopiero gdy stanął obok z wyrazem ulgi na twarzy. Ludzie wyglądali, jak gdyby ubrali się w pośpiechu. W pomieszczeniu panował zaduch, unosiło się ciepło tysiąca ciał. Zapach jedzenia i ludzi wisiał w powietrzu. Gdy Gina zobaczyła Charlesa, podniosła wzrok i nieśmiało się uśmiechnęła.

– Nie wierzę, że nas znalazłeś.

– Ja też nie.

Podobnie jak ona, miał na sobie dżinsy. Włożył też idealnie wykrochmaloną niebieską koszulę z kołnierzykiem, a przez ramię przerzucił płaszcz przeciwdeszczowy. Wyglądał dostojnie, jak zwykle. Ona włożyła podkoszulek, pod którym nie miała biustonosza, oraz srebrne sandały. W tym momencie zobaczyły go córki i zaczęły biec w jego stronę.

– Tatuś! – krzyknęły radośnie, obejmując go za nogi. – Skąd wiedziałeś, że tu jesteśmy? Przyleciałeś do Nowego Jorku, żeby się z nami zobaczyć? Zbliża się huragan, nazywa się Ofelia.

– Mam w klasie dziewczynkę, która ma na imię Ofelia – dodała Lydia. – Jest wredna, nie lubię jej.

Charles uśmiechnął się, słysząc jej słowa.

– Wiem, że zbliża się huragan – powiedział, kucając i obejmując obie dziewczynki. – Przyleciałem tu w interesach i od piątku próbowałem was znaleźć. Wasza mama właśnie mi powiedziała, że jesteście w schronisku, więc przyszedłem.

Był równie rozradowany, jak one.

– Możemy zjeść lody? Są w stołówce.

Pobliski supermarket oddał je schronisku do natychmiastowego skonsumowania, zanim zdążą się rozpuścić po wyłączeniu prądu. Gina skinęła głową, gdy Charles zerknął na nią pytająco. Potem poszedł z dziewczynkami po lody. Wrócili pół godziny później, gdy dzieci kończyły swoje porcje. Lody skończyły się, zanim wyszli ze stołówki. Charles wytarł im buzie, gdy dotarli do Giny. Kobieta wpatrywała się w niedawno ustawiony wielki ekran, na którym wszyscy mogli śledzić aktualności związane z huraganem. Wichura właśnie dotarła do wybrzeży New Jersey, zostawiając za sobą zniszczone domy, drzewa, łodzie i budynki. W sali zaległa cisza, gdy ludzie zrozumieli, że burza może dotrzeć do Manhattanu już za kilka minut. Reporter powiedział, że właśnie zaczął się przypływ. W ciągu ostatnich kilku godzin sytuacja niebezpiecznie przypominała Sandy. W rogu ekranu wyświetlano mapy pogodowe wskazujące najbardziej zagrożone tereny. Red Hook na Brooklynie, gdzie znajdował się Nigel, był na pierwszym miejscu. Charles zauważył niepokój Giny. Z bólem pomyślał o tym, jak dawno nie czuła czegoś podobnego wobec niego. Była przerażona, że Nigelowi mogłoby się coś stać. Mapa pogodowa pokazywała, że mocny cios spadnie również na Dolny Manhattan, zupełnie tak samo jak poprzednio. Wydawało się niewiarygodne, że kolejny huragan tak podobny do Sandy znów miał zetrzeć miasto niemal na proch. Eksperci przez cały czas uważali, że istnieje taka możliwość, ale nikt im nie wierzył. Nagle odrzucenie planów zabezpieczeń proponowanych po Sandy wydawało się tragiczną decyzją. Stało się pewne, że na przedmieściach, peryferiach i być może nawet w mieście ludzie stracą domy.

W ciągu kolejnych kilku minut zobaczyli na ekranie ogromne fale zalewające południowy kraniec Manhattanu, Battery Park, Lower East Side, Greenwich Village, Tribekę, obwodnicę na zachodnim wybrzeżu i Staten Island. Wyglądało to, jakby fala przypływu uderzyła w Nowy Jork. Wiele osób widziało coś podobnego pięć lat wcześniej, a teraz przeżywali wszystko na nowo. Charles i Gina w milczeniu i oszołomieniu wpatrywali się w ekran wraz z setkami innych dorosłych w schronisku.

Tymczasem dzieci wróciły do zabaw, nieświadome tego, co działo się na ekranie. Charles poczuł ulgę, że są w schronisku, że Gina nie została w mieszkaniu na Lower East Side tuż przy cieśninie East River. Widzieli, jak znajome budynki są niszczone, jedna z kobiet wybuchła płaczem, patrząc, jak jej mieszkanie na parterze przy zachodniej obwodnicy znika pod wodą. Wezbrana rzeka zmywała z ulicy samochody niczym zabawki, a pozostałe auta po prostu zniknęły.

– O Boże! – powiedział Charles stłumionym głosem, instynktownie obejmując Ginę i przyciągając ją do siebie.

Było o wiele gorzej, niż się spodziewano. Wiedzieli, że podczas powodzi zginą ludzie – fale przypływu rosły i przedzierały się przez pierwszą strefę, która już wcześniej podobnie ucierpiała. Dla wszystkich było to niczym koszmarne *déjà vu*. Patrząc na to wszystko u boku byłego męża, Gina miała tylko nadzieję, że Nigel przetrwa fale zalewające Red Hook na Brooklynie i że opuścił już swoją pracownię. Mówiono, że miejscami fale mają prawie cztery lub pięć metrów. Rzeka Hudson znów przelała się przez brzeg Manhattanu.

Odźwierny i dozorca przyszli, by zajrzeć do Grace i Ellen tuż przed uderzeniem huraganu. Kobiety spokojnie czekały w mieszkaniu, siedząc na owiniętych plastikiem kanapach, w otoczeniu lamp na baterie. Blanche leżała na kolanach Grace. Wiatr wył, a jedno z drzew przed budynkiem się przewróciło, jednak powódź jeszcze się nie zaczęła. Kiedy już do tego doszło, kobiety wyraźnie to usłyszały. Rozległ się huk i szum, słychać było przewracane lub zabierane przez wodę przedmioty.

Wyjrzały przez okno i zobaczyły, jak wszystkie samochody na ulicy znikają pod wodą. Po kilku chwilach rozbrzmiał dźwięk roztrzaskanych drzwi do budynku. Nagle podłoga znalazła się kilkanaście centymetrów pod wodą, która niemal natychmiast sięgnęła ich kolan. Kobiety uciekły po schodach, a Grace mocno przytulała do siebie psa. Woda zatrzymała się na parę minut w połowie schodów, jak gdyby chciała odpocząć, a potem znów zaczęła się podnosić. Wszystkie meble w salonie zostały zatopione, dolny poziom mieszkania stopniowo zalewała woda. Gdy Ellen z matką patrzyły na to w przerażeniu, usłyszały nerwowe walenie do drzwi. Dozorca i dwaj policjanci otworzyli je siłą. Zobaczyli dwie kobiety na schodach. Mężczyźni z jednostki ratunkowej zaczęli brodzić w wodzie, by do nich dotrzeć, mówiąc, że na zewnątrz czeka na nie łódź.

– Muszą panie z nami pójść – oświadczyli ratownicy.

Ellen przeszyła wzrokiem matkę.

– Idziemy z nimi, mamo.

Grace skinęła głową i wbiegła na górę. Ku zaskoczeniu Ellen wróciła z dwiema małymi torbami spakowanymi na wypadek ewakuacji. Założyła na piersi nosidełko i włożyła do niego Blanche, by mieć wolne ręce i zapewnić psu bezpieczeństwo. Woda sięgała mężczyznom do pasa, a Ellen do piersi, gdy zeszła po schodach. Dozorca sięgnął po ich torby i uniósł je wysoko, by się nie zamoczyły. Policjanci w strojach do nurkowania wyciągnęli kobiety z mieszkania i przenieśli je przez przedsionek wypełniony wodą. Sięgała już do nosidełka z psem. Grace podniosła je, by głowa Blanche nie znalazła się pod wodą. Brodziły w całkowitej ciemności. Gdy minęły drzwi wejściowe, zobaczyły łódź z reflektorami. Policjanci dźwignęli kobiety do łodzi. Kolejne silne dłonie usadziły je na pokładzie. Grace i Ellen były całkiem mokre i bose po brodzeniu przez wodę. Siedząca w nosidełku Blanche wyglądała jak przemoknięty szczur, ale wszystkie żyły. Nie przewróciły się ani nie pośliznęły, gdy wyszkoleni mężczyźni prowadzili je przez ciemność i wodę w korytarzu do łodzi szarpanej wiatrem i falami niczym zabawka. Była w niej trójka innych ocalonych osób. Kierujący nią policjant uruchomił wielki silnik i poprowadził łódź parę przecznic dalej, do nieobjętych powodzią obszarów. Tam z pomocą ekipy ratunkowej wysiedli, owinęli się w koce i weszli do karetki, by wyschnąć i złapać oddech. Ktoś podał Ellen i jej matce ręczniki, suche ubrania i klapki. Kobiety włożyły je, ciągle zszokowane tym, co przeżyły. Potem Grace osuszyła Blanche jednym z ręczników. Biedny pies trząsł się z zimna. Wtedy wyprowadzono ich z karetki do furgonetki, tymczasem dotarła kolejna łódź z ocalonymi ofiarami powodzi. Osoby z grupy Grace i Ellen zostały odwiezione do pobliskiego schroniska. Wciąż miały ze sobą torby, choć Ellen była pewna, że wszystkie ich rzeczy są przemoknięte. Oszołomione weszły do budynku. Grace mruknęła coś do Ellen o poczuciu winy, że nie ewakuowały się wcześniej i zajmowały czas ratownikom, którzy mieli ważniejsze rzeczy do roboty. Była jednak wdzięczna, że zdążyli po nie przyjechać.

Tak wiele wydarzyło się w tak krótkim czasie, że trudno było to wszystko przyswoić. Ellen trzymała matkę za ramię i prowadziła ją przez tłum w schronisku, gdy usłyszała, że ktoś woła ją po imieniu. Odwróciła się i z zaskoczeniem zobaczyła poznanego w samolocie Charlesa Williamsa. Obok niego stała kobieta i dwie małe dziewczynki. Na jego twarzy nie było już przerażenia, które towarzyszyło mu tamtej nocy – wyglądał na silnego, spokojnego i opiekuńczego mężczyznę. Wyciągnął do Ellen ręce i przytulił ją. Czuł, że jest jej winien przynajmniej tyle po tym, jak prawie złamał jej rękę, gdy myślał, że samolot się rozbije.

– Nic pani nie jest? – spytał zmartwiony.

Kobiety były wyraźnie w szoku.

– Chyba nie... Właśnie ocalono nas z mieszkania matki, wszystko było ponad metr pod wodą. W samą porę zabrali nas stamtąd łódką.

Nie utopiłyby się na górnym poziomie, ale mogłoby się to stać na dole, gdyby tam trafiły albo próbowały wydostać się z budynku. Nawet Grace nie mogła wydusić słowa, gdy Ellen przedstawiała ją Charlesowi i wyjaśniała, skąd się znają.

– A to jest Gina, moja... była żona – powiedział, wahając się tylko przez chwilę – oraz moje córki, Lydia i Chloe.

Dwie małe dziewczynki wpatrywały się w nie szeroko otwartymi oczami. Były zachwycone Blanche, która wciąż znajdowała się w nosidełku na piersi Grace. Uprząż uratowała jej życie, gdy wychodziły z budynku. Grace kupiła ją wiele lat temu – wtedy wydawało się, że to idiotyczny zakup, ale teraz cieszyła się, że ją ma. Kobieta wyjęła psa z uprzęży i ułożyła sobie na rękach jak dziecko. Ellen poszła po gorącą zupę i herbatę dla mamy, która została z Charlesem i Giną. Poprowadzili ją do miejsca, gdzie znajdowały się posłania dziewczynek, by mogła usiąść. Noc obfitowała w przeżycia, a pokazywany na wielkim ekranie huragan był przerażający. Ofelia okazała się równie potworna jak Sandy, równie mocno wyniszczała miasto i okolice. Szkody w mieszkaniu Grace były znacznie gorsze od tych, których doznała pięć lat temu. Gdy usiadła, wciąż oszołomiona, nagle poczuła się stara.

Gdy Ellen wróciła z zupą i herbatą dla mamy, Grace przyjęła ją z wdzięcznością i bez słowa. Myślała tylko o tym, jak wielkie mają szczęście, że żyją. Pozostali rozmyślali o tym samym, patrząc na zniszczenia, które zostawiał za sobą huragan.

Ellen nalegała, by matka położyła się na pryczy, którą Charles uczynnie dla niej załatwił. Gdy Grace zasnęła przykryta kocem razem z Blanche, kobieta wróciła z Charlesem do stołówki, by wziąć herbatę dla siebie. To była niewiarygodna, przerażająca noc.

– Nie spodziewałem się, że to będzie tak wyglądać – przyznał Charles.

– Ja też nie, a przynajmniej miałam nadzieję, że będzie inaczej – powiedziała ze smutkiem Ellen.

Myślała o tym, w jakim stanie było mieszkanie mamy, gdy je opuściły. Cieszyła się, że wydostały się z niego bezpiecznie, dotarły do łodzi ratunkowej i ocaliły psa. Grace przeżyłaby potworną traumę, gdyby Blanche utonęła. Ellen z dwóch powodów cieszyła się, że matka miała nosidełko.

– Chciałbym zabrać stąd dziewczynki i polecieć z nimi do domu – powiedział wyczerpany Charles. – Tymczasem chętnie zatrzymałbym się z nimi w jakimś hotelu. Kiedy wychodziłem ze swojego pokoju, zapowiadali ewakuację budynku. Gina nie ma jeszcze wiadomości od swojego chłopaka, a wcześniej na pewno nie będzie chciała stąd wychodzić.

W jego spojrzeniu widać było zmęczenie i smutek. Ellen skinęła głową. Trudno było uwierzyć w to, przez co przeszli, czy wyobrazić sobie, co ich jeszcze czeka.

– Miejmy nadzieję, że najgorsze wkrótce minie, a woda znów opadnie – powiedziała Ellen wciąż oszołomiona. – Tak było poprzednim razem. Woda cofnęła się równie szybko, jak wezbrała. Została dłużej tylko na obszarach położonych poniżej poziomu morza.

Wciąż o tym rozmawiali, gdy wrócili do pozostałych. Ellen z ulgą zobaczyła, że mama mocno śpi na pryczy z psem u boku. Wiedzieli, że żadne z nich nie zapomni tej nocy, a to nie był jeszcze koniec. Najsilniejsze, najbardziej niszczycielskie uderzenie Ofelii miało dopiero nadejść.

Rozdział 4

Na oddziale ratunkowym w noc po uderzeniu huraganu ruch był coraz większy. Przywożono ludzi z drobnymi i poważnymi urazami – między innymi mężczyznę, na którego spadła gałąź drzewa. Został poddany operacji mózgu, ale nie przeżył jej. Przed dwudziestą policja zaczęła sprowadzać ludzi z łodzi ratunkowych. Niektórzy doznali urazów, większość była w szoku. Utonęło dwoje dzieci porwanych przez wodę. Kilka osób utonęło w samochodach, gdy woda gwałtownie się podniosła.

Juliette, Will, pozostali rezydenci i lekarze na dyżurze przez całą noc rozdzielali pacjentów i biegali między salami. Wezwano wszystkich pracowników szpitala. Pracowali bez przerwy, pacjentów było trzy razy więcej, niż byli w stanie normalnie przyjąć. Ludzie czekali na leżankach w korytarzu – wiele godzin wcześniej skończyły się miejsca w salach i oddzielonych strefach. Juliette właśnie odesłała sześciolatka ze złamaną nogą do rezydenta ortopedii, gdy światła na oddziale zamigotały i przygasły, a potem wyłączyły się zupełnie, jakby ktoś zdmuchnął nagle dziesiątki świeczek. W jednej chwili otoczyła ich ciemność.

Ktoś niedaleko Juliette głośno powiedział: „Cholera!". Rozpoznała głos Willa, ale nie dała po sobie poznać, że go słyszała. Wszędzie pospiesznie poruszały się pielęgniarki i pracownicy techniczni, by uruchomić system świateł na baterie. Mogliby wtedy przynajmniej widzieć, co się dzieje wokół, ale te lampy nie były dość mocne, by przeprowadzić zabiegi u najpoważniej rannych pacjentów. To samo wydarzyło się w szpitalu NYU pięć lat wcześniej. Następnie pracownicy techniczni poinformowali ich, że właśnie wysiadło awaryjne zasilanie, choć nikt nie wiedział dlaczego. Na oddziale ratunkowym był to poważny problem, ale było to szczególnie tragiczne na chirurgii, oddziale intensywnej opieki medycznej i oddziale noworodkowym oraz dla pacjentów podłączonych do respiratorów i innych urządzeń podtrzymujących życie.

Gdy Juliette biegła przez korytarz, by dowiedzieć się, co z tym zrobią, usłyszała, jak Will Halter rzuca krótkie komendy pielęgniarkom.

– Niech natychmiast przyjadą tu chłopaki z biura zarządzania kryzysowego! Ratownicy, straż pożarna, każdy, kogo dacie radę ściągnąć. Nie mam zamiaru stracić dziś pacjentów, bo wysiadł cholerny generator.

Podczas awarii w NYU nie umarł ani jeden pacjent, on też nie chciał do tego dopuścić. Pielęgniarki zaczęły obdzwaniać wszystkich przez komórki – zadzwoniły między innymi na numer alarmowy i zgłosiły, co się stało. Juliette spojrzała na Willa. Oboje byli wyczerpani, ale prawdziwa praca dopiero się zaczynała. Musieli się jeszcze zmierzyć ze skutkami przypływu.

– Jak mogę pomóc? – spytała Willa Juliette, tylko pozornie zachowując spokój.

– Miałaś rację – odparł przez zaciśnięte zęby. – Pewnie nie sprawdzili awaryjnych generatorów. Nie mam pojęcia, co teraz robić.

Wydawał się wściekły i przerażony.

– Poradzili sobie z tym w NYU podczas Sandy, nam też się uda – powiedziała cicho. – Kiedy przyjedzie policja i straż pożarna, zaczniemy wysyłać ich grupami na górne piętro, żeby ściągnęli ludzi na dół.

– Gdzie ich przeniesiemy?

Will walczył z napadem paniki i był pod wrażeniem jej opanowania.

– Przyjmą ich inne szpitale. Nie mają wyjścia. Policja pomoże nam to zorganizować. Najpierw trzeba wywieźć wszystkich podpiętych do respiratorów i noworodki, musimy ręcznie obsługiwać urządzenia. Pewnie na górze już się tym zajmują. Dobrze, że nie mamy tu teraz żadnych nagłych przypadków.

– Nie mów tego głośno – odparł zmartwiony.

W tym momencie zaczęli przyjeżdżać ratownicy, policjanci i strażacy. Dyrektor szpitala był tej nocy na miejscu i natychmiast przyszedł, by z nimi porozmawiać. Ustalono, że najpoważniej chorzy pacjenci zostaną wyniesieni z budynku jak najszybciej. Uruchomiono kilka małych generatorów i podjęto decyzję, że osoby w dobrym stanie zostaną, by nie wywoływać masowej paniki podczas próby wyprowadzenia wszystkich. Wezwano już pozostałych pracowników, których nie było na dyżurze, mieli zatem dość personelu, by przeprowadzić ewakuację.

Juliette nie widziała Willa przez kilka godzin, rozmawiała z jedną z pielęgniarek o tym, jak poradzić sobie z pacjentami na leżankach w korytarzu, gdy wszedł mężczyzna w kombinezonie i płaszczu strażackim. Budził zaufanie, błyskawicznie rozprawiał się z problemami. Miał zarządzać całą operacją przeniesienia pacjentów do innych szpitali. Przedstawił się Juliette i innym pracownikom:

– Sean Kelly, biuro zarządzania kryzysowego.

Na szyi miał urzędowy identyfikator, emanowały z niego równocześnie opanowanie i napięcie. Napięcie, by rozwiązać problem jak najszybciej, najefektywniej i najbardziej precyzyjnie, oraz opanowanie, które mobilizowało wszystkich, by wykonywali swoje zadania i dawali z siebie tysiąc procent. Spytał Juliette, ilu pacjentów muszą przenieść z oddziału. Tej nocy mieli nieco ponad dwieście osób, oszacowała, że czterdzieści jeden z nich wymaga natychmiastowego przeniesienia do działających na pełnych obrotach szpitali. Pozostali mieli zostać. Należało przenieść cały oddział intensywnej opieki medycznej, noworodkowy i chirurgiczny.

Policja wraz biurem zarządzania kryzysowego sprowadziła tyle karetek, ile się dało. Pracownicy z górnego piętra znosili już po schodach pacjentów z respiratorami i bez. Patrzyła, jak Sean Kelly bezbłędnie zarządza całą operacją, efektywnie korzystając z pomocy personelu szpitala. Działał jak szwajcarski zegarek. Przed drugą w nocy wszyscy pacjenci wymagający przeniesienia zostali wyniesieni, a pracownicy biura zarządzania kryzysowego poinformowali, że przetransportowano bezpiecznie wszystkich, także wcześniaki. Kiedy to usłyszeli, na oddziale ratunkowym i innych piętrach dał się słyszeć okrzyk radości. Will Halter z uśmiechem przybił piątkę Juliette.

– Dziękuję, że nie powiedziałaś: „A nie mówiłam?" – odezwał się po chwili ciszej, szczerze.

Nagle zachowywał się po ludzku. Tego wieczoru otrzymał lekcję pokory.

– Kogo to obchodzi? – rzuciła z uśmiechem. – Cieszę się po prostu, że bezpiecznie ich wyprowadziliśmy.

Było to najbardziej imponujące przeniesienie, jaki widzieli – w warunkach kryzysowych, w ciemności musieli transportować pacjentów w najcięższym stanie, których życie było zagrożone. Wszystko przebiegło sprawnie. Był to współczesny cud, który zawdzięczali Seanowi Kelly'emu.

– Kim tak naprawdę jesteś? Magikiem? – spytała go Juliette, gdy spotkali się przypadkiem pół godziny później w kafejce dla pracowników, gdzie oboje popijali letnią kawę.

– Dziękuję, pani doktor – odpowiedział z uśmiechem.

Wydawał się pełen energii, a nie wyczerpany jak reszta. Napędzała go adrenalina, był też bezkonkurencyjny w swojej pracy.

– Nie, po prostu jestem nałogowcem kryzysów – wyjaśnił. – Zawaliłem studia medyczne i żałuję, że nie ukończyłem transportu.

Juliette się roześmiała.

– Byłam w szpitalu NYU, kiedy to samo przydarzyło się w trakcie Sandy. To było niesamowite. Przeszedłeś dziś samego siebie.

– Tak samo jak pozostali – powiedział szczerze, popijając kawę. – Kolejne dni będą trudne dla wszystkich – dodał współczująco.

Kobieta skinęła głową, zastanawiając się, kiedy będzie miała okazję się przespać. Raczej nie było na to szans w najbliższym czasie. Zwróciła uwagę na to, co powiedział wcześniej.

– Być może wszyscy w tej branży jesteśmy nałogowcami kryzysów – stwierdziła szczerze.

– Kluczowe słowo to „ratunkowy". W moim przypadku to służby ratunkowe, a w twoim to oddział ratunkowy. Mogłaś zostać dermatologiem albo chirurgiem plastycznym. Ale wybrałaś co innego. Dlatego jesteśmy tutaj i biegamy jak wariaci, zmieniając katastrofy w zwycięstwa. Nic nie daje takiego kopa.

Znów się do niej uśmiechnął. Był przystojnym mężczyzną o silnych ramionach i elektryzująco błękitnych oczach, które wiele dostrzegały. Miał w sobie coś bardzo ludzkiego. Był praktyczny i mocno stąpał po ziemi, obchodzili go tylko ludzie, którym ratował życie.

– Chyba ma pan rację – przyznała w zamyśleniu Juliette. – Nigdy o tym tak nie myślałam. Jeden z moich braci jest chirurgiem plastycznym, a drugi laryngologiem, leczy cieknące nosy. Tata jest położnikiem. To też daje kopa.

– Ale nie tak jak oddział ratunkowy – przypomniał jej Sean Kelly.

Skinęła głową.

– Do zobaczenia – powiedział, machając do niej.

Potem wrócił do pracy, by sprawdzić przed wyjściem wszystkie piętra. Chciał osobiście upewnić się, że nie zostawili nikogo, kto wymagał przeniesienia.

Sean Kelly zdemaskował ją jako nałogowca kryzysów. Gdy się nad tym zastanowiła, zrozumiała, że się nie pomylił. Nie dotyczyło to jej życia prywatnego, które zapadło w śpiączkę, odkąd zaczęła studia medyczne – jednak praca na oddziale ratunkowym to był dla niej odlot. Praca ją pasjonowała, lubiła napięcie i szybkie tempo. Przyznała przed sobą, że miał rację. Po chwili wyrzuciła pusty styropianowy kubek i wróciła do pracy. Sean twierdził, że jest taki sam. Żeby robić to, co oni, trzeba było się takim urodzić.

Juliette wróciła do biurka pielęgniarek, które na dwie godziny udostępniły jej schowek z ustawioną w nim pryczą, żeby mogła się trochę przespać. Po największym uderzeniu huraganu tej nocy czekał ich ciężki kolejny dzień oraz wiele trudnych tygodni. Miną miesiące, zanim miasto wróci do normalności. Jedno było pewne – życie mnóstwa ludzi zmieniło się nieodwracalnie, gdy huragan Ofelia dotarł do Nowego Jorku. Mieszkańcy miasta i cały świat zapamiętają to na zawsze. To również okazja do bohaterstwa – na przykład takiego, jakim wykazał się Sean Kelly i oddziały ratunkowe z biura zarządzania kryzysowego.

Peter i Ben nie mieli kontaktu z Anne po północy – nie mogli dodzwonić się do niej z komórek, a telefon stacjonarny już nie działał. Przez większość nocy siedzieli i rozmawiali, słuchając otaczających ich dźwięków i patrząc przez okno w dół na płynącą ulicami wodę. Nurt porywał samochody i przykrywał je. Przepływały łodzie policyjne, przesuwały się wzdłuż ulic, poszukiwano ludzi potrzebujących ratunku, a gdy było to możliwe – wyciągano ich z miejsc, w których byli uwięzieni. Dźwięk silników jednostek ratunkowych był stałym elementem nocy. Budynek skrzypiał tak przerażająco pod uderzeniami wichury, że chwilami spodziewali się zawalenia. Wiedzieli, że nie mogą zrobić nic, by wydostać się stąd tej nocy. Byli jedynymi lokatorami, którzy pozostali w budynku. Wszyscy inni się ewakuowali. Zanim nadszedł ranek, wiedzieli, że popełnili błąd. Niemal czuli, jak stary budynek chwieje się na wietrze. Wyczuwając, co się dzieje, Mike wpatrywał się w nich przez całą noc, niespokojny i czujny. Ben głaskał psa, by się uspokoił, a czarny labrador skamlał, zerkając na niego z lękiem.

– Wszystko jest dobrze, piesku, nic złego się nie dzieje – zapewniał go Ben, a Mike skowyczał nerwowo.

Gdy nadszedł świt, po całonocnym silnym deszczu budynek zdawał się trzeszczeć jeszcze głośniej. Mike szczeknął kilka razy, jakby próbował im coś powiedzieć, a Peter zerknął na Bena.

– Może powinniśmy spróbować się wydostać? – spytał ostrożnie.

– Nie wiem, czy jesteśmy w stanie. Ulica ciągle jest zalana.

Byli też na tyle blisko rzeki, że trudno byłoby im walczyć z silnym nurtem. Woda płynęła szybko.

– Moglibyśmy poczekać, aż będzie przepływać policyjna łódź.

Jednak od jakiegoś czasu nie widzieli żadnej jednostki, a budynek zaczynał brzmieć jak statek bliski zerwania cum. Żadnemu z chłopców nie podobał się ten dźwięk, pies także się nim niepokoił.

– Myślę, że budynek nie ustoi zbyt długo – zmartwił się Peter. – Wydaje już naprawdę straszne dźwięki.

– To prawda – zgodził się Ben.

– W liceum byłem kapitanem drużyny pływackiej – powiedział Peter.

Zastanawiał się, co powinni zrobić – jak najszybciej się wydostać czy poczekać, aż woda się cofnie, co mogło długo potrwać. Gdyby budynek się zawalił, na pewno by zginęli.

– A ty? Chcesz spróbować? – dodał, sam niepewny, choć próba ucieczki zaczynała mu się wydawać rozsądniejsza niż czekanie.

– Dosyć dobrze pływam, ale nigdy nie płynąłem przez coś takiego. Nie wiem też, czy on sobie poradzi.

Ben zerknął na Mike'a, który leżał na podłodze z łbem między łapami i żałośnie popiskiwał, jak gdyby wcale nie podobał mu się ich plan.

– Psy są mądre. Pewnie pozwoli, by poniósł go nurt. My musielibyśmy zrobić to samo – stwierdził poważnie Peter. – Nie musimy płynąć daleko, by dotrzeć do wyżej położonych miejsc, o ile gdzieś nie utkniemy albo nie rozbijemy się o ścianę.

Słowa Petera nie brzmiały dla Bena zachęcająco, ale odgłosy trzaskających elementów budynku były naprawdę złowieszcze. Zobaczyli, jak parę metrów od drzwi wejściowych nurt porwał powalone drzewo niczym gałąź.

– Musielibyśmy na to uważać – powiedział w zamyśleniu Ben.

W tym momencie usłyszeli huk i dźwięk tłuczonego szkła wewnątrz budynku. To wiatr wybił okno. W ich szyby łomotał już od wielu godzin.

– Chyba powinniśmy stąd uciec – oświadczył zmartwiony Ben, a potem zerknął na psa. – Możemy spróbować zostawić tu Mike'a.

– A jeśli coś się stanie z budynkiem? Być może nie damy rady po niego wrócić przez wiele dni – odparł Peter.

Ben skinął głową. Czuli, że nie mają wyboru. Anna miała rację. Postąpili głupio, zostając tutaj. Obaj żałowali swojej decyzji. Spojrzeli na siebie i skinęli głowami. Byli młodzi, silni i w dobrej formie. Stwierdzili, że dotrą do bezpiecznego miejsca albo ocali ich przepływająca łódź. To było lepsze niż czekanie, aż budynek zawali im się na głowy, a wyglądało na to, że tak się stanie. Skrzypienie było z minuty na minutę coraz głośniejsze.

– Ruszajmy, uciekajmy stąd – powiedział Ben, wstając.

Zastanawiał się, co powinni na siebie włożyć, żeby ubrania ich nie krępowały. Zdecydowali, że pozostaną w dżinsach i podkoszulkach.

Wyszli z mieszkania parę minut później. Mike biegł za nimi przez sześć pięter do drzwi wyjściowych. Od strony ulicy schody były strome, a podłoga przedsionka znajdowała się trzydzieści centymetrów pod wodą. Brodząc, dostali się do drzwi.

– Na zewnątrz jest pewnie jakieś cztery metry wody – stwierdził Peter.

Ben skinął głową i poklepał psa, a Peter otworzył drzwi. Ben założył Mike'owi smycz, żeby móc go lepiej pilnować i nie zgubić w wartkim nurcie. W razie potrzeby zawsze mógł ją puścić, ale na początek wydawało się to lepsze, by Mike nie odpłynął za daleko od niego.

Gdy Peter otworzył drzwi, gwałtowny wiatr wyrwał mu je z dłoni i rzucił nimi o ścianę. Stłuczone szkło spadło do wody w holu, gdzie stali. Chłopcy zerknęli na siebie, uśmiechając się. Obaj byli zdenerwowani, ale teraz wiedzieli, że podjęli właściwą decyzję i że powinni byli to zrobić wiele godzin wcześniej.

Jednak teraz woda stała niżej niż poprzedniej nocy, poza tym lepiej było uciekać w ciągu dnia i widzieć, co znajduje się pod wodą wokół nich.

– Powodzenia – powiedział Peter do Bena, po czym wyszedł na stopnie przed budynkiem i wkroczył do wody.

W jednej chwili zniknął – porwany przez nurt, płynął szybko, usiłując utrzymać się na powierzchni i nie dać się wciągnąć pod wodę. Nie miał czasu, by się odwrócić i zobaczyć, jak Ben wskakuje za nim, mocno trzymając smycz Mike'a. Peterowi brakowało już tchu, gdy zauważył przed sobą słup lampy. Pomyślał, że dzięki niemu będzie w stanie zwolnić. Spróbował skierować się w jego stronę, po czym z nadludzkim wysiłkiem chwycił go i zawisł na nim na chwilę, walcząc z siłami, które chciały go od niego oderwać. Wtedy zobaczył, jak mija go coś ciemnego. Instynktownie wyciągnął jedną rękę i chwycił obrożę Mike'a. Labrador pędził przez wodę. Peter odwrócił się, próbując zobaczyć, co jest za nim. Nie widział Bena, był tylko pies.

– Wszystko dobrze, piesku! – zawołał do zwierzaka.

Jedną ręką mocno ściskał jego obrożę i utrzymując jego głowę nad wodą, a drugą obejmując z całych sił słup lampy. Nie czuł nawet, jak kawałek metalu wbija mu się w ramię, gdy zobaczył płynącą w ich kierunku łódź. Ekipa ratunkowa ujrzała Petera i pospiesznie zbliżała się do niego. Pies szalał, gdy Peter ściskał jego obrożę, aby nie porwał go nurt. Parę chwil później łódź była tuż obok. Dwaj pracownicy służb ratunkowych chwycili Petera i Mike'a, wciągając ich na pokład. Chłopakowi brakowało tchu i był prawie nieprzytomny. Owinęli go kocem i położyli na podłodze, a pies skamlał, leżąc obok. Peter pomachał do nich ręką, zanim ruszyli dalej.

– Nie... mój przyjaciel... jest w wodzie... byliśmy razem, on trzymał psa...

Rozejrzeli się po wzburzonej wodzie, jednak niczego nie zobaczyli. Cofnęli się nieco, ale nie widzieli śladu człowieka w wodzie. Nie mówiąc nic Peterowi, popłynęli dalej, a chłopak zemdlał. Gdy płynął, połknął sporo wody. Po odzyskaniu przytomności zwymiotował. Przenieśli go na pomost zbudowany specjalnie dla łodzi ratunkowych, na który przez całą noc przewozili ocalonych mieszkańców. Wezwali dla Petera karetkę. Gdy kładli go na noszach i wsuwali do środka, gorączkowo machał rękami, wskazując na psa. Dwaj mężczyźni, którzy go ocalili, wymienili spojrzenia. Jeden z nich skinął i pomógł wielkiemu zmęczonemu labradorowi wejść do karetki. Zwierzę położyło się na podłodze, wciąż mając smycz przypiętą do obroży. Nigdzie jednak nie było śladu Bena. Peter położył głowę na noszach. Gdy dotarli do szpitala, płakał. Próbował wyjaśnić ratownikom, co się stało, powiedzieć, że Ben wciąż był w wodzie, gdy znalazła go łódź.

– Może cię wyprzedził, a ty tego nie zauważyłeś. Woda płynęła dość szybko. Powiemy ratownikom w łodziach, żeby tam wrócili i sprawdzili jeszcze raz. Teraz po prostu się uspokój.

– To jego pies – powiedział Peter.

Płakał jak dziecko i czuł się, jakby nie ocalił Mike'a, lecz go ukradł. Pies z trudem wyczołgał się z karetki i poszedł do szpitala za ratownikami z noszami. Nikt jednak go nie zatrzymywał, gdy podążał za Peterem, ciągnąc z sobą smycz. Pielęgniarki na oddziale ratunkowym widziały już tej nocy dziwniejsze rzeczy. Mężczyźni wieźli chłopaka korytarzem, a potem pozostawili go zalanego łzami, by wypełnić formularze przyjęcia. Mike skulił się zasmucony obok leżanki. Po jakimś czasie pielęgniarki wróciły do Petera. Wciąż płakał z twarzą zwróconą do ściany, myśląc o Benie i martwiąc się o niego. Mógł tylko mieć nadzieję, że ktoś go już uratował.

– Czy to pański pies? – spytała łagodnie pielęgniarka.

Obaj wyglądali, jakby o mało nie utonęli, co zresztą było prawdą.

– Należy do mojego przyjaciela – odparł chłopak, odwracając się do niej. – Wrócili, żeby go poszukać.

Słyszeli mnóstwo takich historii od ludzi przywożonych przez karetki. Nie wszystkie miały szczęśliwe zakończenia. Wiele z nich kończyło się tragicznie. Zginęło już więcej ludzi, niż się obawiano.

– Jak się wabi? – spytała, by odwrócić jego uwagę, gdy sprawdzała jego oddech, temperaturę i tętno.

Peter dalej płakał, a ona zapytała go o wiek, adres i o to, czy chce do kogoś zadzwonić. Podał im numer Anny, bo nie chciał, by jego rodziców wystraszył telefon ze szpitala. Pielęgniarka zanotowała numer.

– Niedługo obejrzy cię lekarz – powiedziała pokrzepiająco.

Mike patrzył za nią, a Peter wychylił się, by go poklepać. Myślał tylko o Benie i o tym, co mogło się z nim stać po tym, jak wskoczył do wody. Nurt był o wiele silniejszy, niż się spodziewał. Nie zauważył nawet, że gdy trzymał się słupa, coś przecięło mu rękę. Pielęgniarka zapisała to na jego karcie i podała ją Juliette, opowiadając o nim.

– Ratownicy mówili, że prawie się utopił. Chyba będzie trzeba mu zaszyć ranę na ręce. Przywieźli go z psem. Mówił, że był w wodzie z przyjacielem, ale ten drugi tu nie dotarł.

Juliette ponuro skinęła głową. Łatwo było go zauważyć – obok leżanki kulił się czarny labrador. Gdy zatrzymała się przy nim z uśmiechem, zobaczyła, że chłopak płakał. Przykryto go podgrzewanymi kocami, by się nie wyziębił. Pracownicy biura zarządzania kryzysowego niedawno uruchomili dla nich systemy zasilania. Peter gwałtownie drżał z zimna i emocji.

– Jak się czujesz, Peter? – spytała go łagodnie.

Był w szoku, blady, miał sine wargi, a w karetce, którą przyjechał, musieli przeciwdziałać wstrząsowi. Podobnie jak wszyscy, którymi zajmowała się od rozpoczęcia huraganu, wiele przeszedł. Pies też wyglądał, jakby miał sporo za sobą. Obejrzała rękę Petera i zdecydowała, że nie potrzeba szwów. Jego parametry życiowe były lepsze, niż się spodziewała. Młody wiek działał na jego korzyść. Ktoś starszy nie dałby rady przetrwać i oprzeć się sile nurtu. Gdy go badała, opowiedział jej o Benie. Stwierdziła, że być może przyjaciela zabrano do innego szpitala w zależności od tego, kto i gdzie go znalazł. Spytała o psa. Peter był w dość dobrej formie jak na to, co przeszedł. Chciała jednak, by został na obserwację jeszcze parę godzin, może całą noc. Wolała mieć pewność, że nie wystąpi żadna opóźniona reakcja na podtopienie. Powiedział jej, że jest studentem trzeciego roku na NYU.

– Czy chciałbyś, żebyśmy zadzwonili do twoich rodziców? – zaproponowała, a on potrząsnął głową.

– Są w Chicago, tylko się wystraszą. Wolałbym zadzwonić sam i powiedzieć, że nic mi nie jest. Mama martwiła się tym huraganem.

Dotknął kieszeni w poszukiwaniu telefonu komórkowego, ale już go tam nie było. Zniknął też jego portfel. Uświadomił sobie, że Ben także mógł stracić swoje rzeczy, a jeśli był ranny lub nieprzytomny, nie będą wiedzieli, kim jest. Wspomniał o tym Juliette, a ona obiecała, że jeśli w ciągu najbliższych godzin przywiozą młodego mężczyznę bez dokumentów, da mu znać. Chłopiec podziękował jej i opisał, jak wygląda przyjaciel. Spytała, czy mogłaby zabrać Mike'a gdzieś, gdzie nie będzie przeszkadzał, gdyby któryś z pacjentów nie życzył sobie jego obecności albo się go bał, choć pies był bardzo grzeczny.

– Mamy tu schowek z dwoma łóżkami polowymi, lekarze korzystają z niego, by się przespać. Zaprowadzę go tam i dam mu coś do jedzenia – obiecała.

Peter usiadł i patrzył, jak lekarka zabiera psa. Zwierzęciu chyba to nie przeszkadzało. Po paru minutach kobieta wróciła i powiedziała, że dała Mike'owi pół kanapki z indykiem i miskę wody. Teraz leżał, wydawał się spokojny. Peter uśmiechnął się, po czym opadł na leżankę, znów myśląc o Benie. Po chwili zasnął.

Gdy się obudził, Juliette poprosiła jedną z pielęgniarek o telefon dla niego, by mógł zadzwonić do rodziców. Płakał, zanim zdążyli odebrać. Powiedział mamie, gdzie jest i co się stało, a ona wybuchnęła płaczem. Słysząc to, chłopiec również łkał. Przedostanie się przez wodę było największym wyzwaniem w jego życiu. Gdy tylko o tym myślał, drżał jeszcze bardziej. Wiedział, że był wtedy bliski śmierci.

– Mamo, nie wiem, gdzie jest Ben. Był tuż za mną, a ja złapałem Mike'a. Nigdzie nie widziałem Bena, a gdy mnie uratowali, nie znaleźli go. Mówili, że może mnie wyprzedził, ale gdy wychodziłem, był za mną.

Oboje nie mogli powstrzymać łez. Ojciec Petera również wybuchnął płaczem, gdy żona dała mu znać, że dzwoni ich syn. Potwornie się niepokoili, czekając na wieści od niego.

– Pewnie nic mu nie jest i zabrali go do innego szpitala – próbowała go pocieszyć.

Juliette mówiła mu to samo.

– Mam taką nadzieję. Dom skrzypiał, jakby miał się zawalić, dlatego uciekliśmy.

Próbował jej to wyjaśnić, a ona nie obwiniała go, że nie ewakuowali się wcześniej – po prostu cieszyła się, że żyje i że do nich zadzwonił. Od poprzedniej nocy próbowali się z nim skontaktować, ale zasięg komórek był słaby albo zupełnie zanikał. Kiedy nie udawało im się nawiązać połączenia, zamartwiali się. W centrum praktycznie nie było zasięgu, a matka Bena dzwoniła do nich kilka razy. Jane Holbrook nie wiedziała, co jej powiedzieć, gdy odebrała od niej telefon. Jednak jeśli Peter trafił do szpitala, być może Bena także znalazła jakaś łódź ratunkowa i zabrano go gdzieś indziej. Jeżeli jeden z nich przeżył, drugi zapewne też ocalał. Wiedziała jednak, jak trudno będzie poinformować kobietę o tym, że Petera ocalono, a Ben zaginął.

Rozmawiali przez parę minut, a potem chłopak pomówił też z ojcem. Rodzice chcieli, by przyleciał do Chicago, gdy tylko będzie w stanie podróżować, a lotniska zostaną otwarte. Ogłoszono już, że część uniwersytetu NYU została poważnie zalana i będzie zamknięta przez parę miesięcy. Budynki uczelni zajmowały spory teren, a te w pierwszej strefie zalewowej były mocno uszkodzone. Lotniska również wciąż były zamknięte – w innym wypadku państwo Holbrook już przylecieliby do Nowego Jorku. Chcieli, by jak najszybciej wrócił do domu, by mógł dojść do siebie po ciężkich przeżyciach. Peter nic nie powiedział, ale również chciał przylecieć, gdy tylko się dowie, że Benowi nic nie jest.

Potem zadzwonił do Anny. Rozpłakała się, gdy usłyszała jego głos. Oboje łkali, gdy powiedział jej, że Ben zaginął.

– Chwyciłem Mike'a, gdy przepływał obok mnie, ale nigdzie nie widziałem Bena. Dzwonił do ciebie? – spytał Peter.

Anna zaprzeczyła i obiecała, że przyjedzie do szpitala, jeśli go tam zatrzymają. Dodała, że może zabrać Mike'a do siebie do czasu, gdy Ben się z nimi skontaktuje. Gdy się rozłączyli, matka Anny zadzwoniła do rodziców Bena, by dowiedzieć się, czy się do nich odzywał. Przed chwilą rozmawiali z Holbrookami. Ojciec Bena dzwonił do wszystkich szpitali, by dowiedzieć się, czy uratowano kogoś podobnego do niego. Oczekiwanie na znak życia od niego było potworne. Trudno też było dodzwonić się do szpitali i uzyskać informacje. Wszędzie panował chaos, ludzie niewiele wiedzieli.

Matka Anny pojechała tego popołudnia do Petera. Przywiozła mu ubrania i sportowe buty męża, które na niego pasowały. Chłopak przytulił się do niej jak dziecko i rozpłakał. Wciąż nie było wieści od Bena, nie trafił też do żadnego ze szpitali, do których dzwonili jego rodzice. Mogli tylko czekać na wiadomość od niego albo informację z jakiegoś szpitala.

Juliette zdecydowała, że zatrzyma Petera na noc, gdy dostał gorączki. Przychodziła do niego kilka razy. Powiedziała mu, że z Mikiem wszystko jest w porządku. Jedna z pielęgniarek w trakcie przerwy zabrała go na spacer, wszyscy byli nim zachwyceni i dokarmiali go. Peter poprosił matkę Anny, by pies z nim pozostał. Pokrzepiała go myśl o jego obecności – jak gdyby miał przy sobie cząstkę Bena – a pracownikom szpitala to nie przeszkadzało. Kiedy Peter odwiedził go w schowku, Mike szalał z radości na jego widok. Chłopak siedział obok psa na podłodze, obejmując go, aż pielęgniarka zmusiła go, by wrócił do łóżka.

– A co z jego przyjacielem? – zwróciła się do Juliette pielęgniarka przyjmująca, zapisując w karcie pacjenta informację o gorączce.

– Nie mamy go tutaj i chyba z nikim się nie kontaktował – odparła cicho lekarka.

Pielęgniarka skinęła głową. Nic więcej nie mogła powiedzieć. Ta sytuacja powtarzała się wielokrotnie – po powodzi ludzie tracili ze sobą kontakt. Juliette wiedziała, że prędzej czy później znajdą ciało Bena albo chłopak zadzwoni do domu. Do tego czasu mogli tylko mieć nadzieję.

Rozdział 5

W schronisku, gdzie przebywały Ellen i Grace, panował ogłuszający hałas. Światła wciąż były włączone, dzieci płakały albo bawiły się i biegały. Było tłoczno, ludzie się niepokoili. Zaśnięcie było równie trudne, jak na lotnisku czy stacji kolejowej. Przy stresie, przez który wszyscy przechodzili, i otaczającym ich chaosie nikt nie był w stanie odpocząć. W poniedziałek rano, po tym, jak huragan uderzył w miasto, Grace wydawała się wyczerpana i było po niej widać wiek. Wichura błyskawicznie dotarła do Manhattanu – wszystko działo się o wiele szybciej i intensywniej, niż przewidywano. Ellen czuła się równie źle, jak matka. Gina i Charles także byli wyczerpani. Telefony prawie nie miały zasięgu – z wyjątkiem pojedynczych punktów na Dolnym Manhattanie. Ellen nie mogła już skontaktować się z George'em. Kanały informacyjne podawały, że podobnie jak podczas Sandy Górny Manhattan pozostawał praktycznie nietknięty. Do poważnych szkód i zalania doszło na południe od Czterdziestej Drugiej Ulicy – woda sięgnęła jedynie kilka przecznic wyżej niż poprzednio. Charles powiedział Ellen, że o ile to możliwe, chciałby znaleźć dla nich wszystkich pokoje hotelowe na północy. Jego hotel także ewakuowano. Gina jednak powiedziała mu już, że nie pojedzie. Nigel wciąż się do niej nie odezwał, a przecież obiecał, że gdy tylko będzie mógł, spotka się z nią w schronisku. Większość mostów łączących Manhattan z innymi częściami miasta zamknięto. Podejrzewała, że nie udało mu się jeszcze wydostać z Brooklynu, a Red Hook było jednym z najbardziej poszkodowanych miejsc. Myślała, że być może wciąż ratuje sprzęt w swojej pracowni. Nie chciała po prostu zniknąć w hotelu i kazać mu się zamartwiać, gdyby po nią wrócił. Wydawało jej się to nie w porządku, choć wizja wygodnego pokoju była bardzo kusząca.

– O ile w ogóle uda się znaleźć pokój na Górnym Manhattanie – rzuciła Ellen, gdy Charles powiedział jej o swoich planach. – Wiele osób utknęło w mieście. Hotele na północy na pewno są przepełnione.

Rozmawiali w stołówce, gdzie przyszli po jedzenie dla pozostałych. Mężczyzna powiedział, że jego córki żywią się chipsami i popcornem, a on im na to pozwala. Czerwony Krzyż oraz restauracje i hotele na Górnym Manhattanie przesyłały za darmo jedzenie do schronisk. Ellen powiedziała, że wypiła dość kawy, by nie spać przez cały rok. Uśmiechnęli się do siebie. Kobieta chętnie zabrałaby mamę do hotelu, ale w telewizji i w schronisku mówiło się, że nie da się już dostać pokoju w mieście. Osoby, którym udało się to szybko zorganizować, pojechały na północ poprzedniego dnia – niektórzy nawet przed ogłoszeniem ewakuacji, obawiając się tego, co może nastąpić. Teraz znalezienie pokoju graniczyłoby z cudem. Wszystkie hotele były pełne ludzi, którzy nie mogli wyjechać z miasta, turystów tkwiących tam ze względu na zamknięte lotniska oraz uciekinierów z modnych dzielnic na Dolnym Manhattanie. Dla wielu pieniądze nie były problemem, dlatego hotele zapełniły się już poprzedniego dnia.

– W takim razie chyba tu utknęliśmy. My pewnie zostaniemy w schronisku przynajmniej do czasu, aż zjawi się Nigel – powiedział Charles.

Z trudem nieśli tace dla czekającej na nich reszty grupy. Ellen była zadziwiona tym, jaki był spokojny. Zniknął kłębek nerwów ściskający jej rękę w samolocie, teraz miała przed sobą kogoś zupełnie innego. Był bystry, miał świetne relacje z dziećmi i umiał się nimi zająć. Godzinami bawił się z nimi i opowiadał im bajki. Kiedy się nudziły, z braku lepszego zajęcia oprowadzał je po schronisku i wspólnie liczyli psy, koty, czarne czy białe zwierzęta – robił wszystko, by odwrócić ich uwagę i je zabawić. Był cierpliwy i pełen szacunku w stosunku do byłej żony, choć wyraźnie martwiła się o mężczyznę, dla którego go zostawiła. Ellen podziwiała Charlesa za to, jaki był wobec niej opiekuńczy, i powiedziała mu to.

– Przez długi czas ją kochałem, a moje serce potrzebowało czasu, by przywyknąć do sytuacji – stwierdził smutno. – Poza tym jest przecież matką moich dzieci.

Słysząc jego słowa, Ellen po raz kolejny pomyślała o tym, co zaprzątało jej myśli od czterech lat – zaczęła się zastanawiać, czy kiedyś sama będzie mogła zostać matką. Wydawało jej się to największym zaszczytem. Gdy przyszło jej to do głowy, posmutniała jak zwykle. Teraz jednak mieli inne zmartwienia. Jej mama pytała już, kiedy będzie mogła wrócić do swojego mieszkania, żeby przynajmniej je obejrzeć. Na całym Dolnym Manhattanie porozciągano policyjne taśmy ochronne, których nie można było przekraczać. Prąd nie działał, czasem zdarzały się tragiczne obrazy ofiar utopienia na ulicach. Drzewa miały osłabione korzenie i wciąż mogły się przewrócić, a budynki – zawalić. W poniedziałek rano woda już się cofała, jednak nie opadła wystarczająco nisko. Niektóre budynki były zalane na wysokość trzech lub czterech metrów, a ich piwnice i części parteru znajdowały się pod wodą. Nie sposób było przewidzieć, kiedy Grace będzie mogła zobaczyć swój dom. Ellen obawiała się szoku, jaki przeżyje jej matka, gdy w końcu go ujrzy. Już raz, po huraganie Sandy, przechodziła przez to samo, jednak powtórna katastrofa wydawała się bardzo silnym przeżyciem. Miała przecież siedemdziesiąt cztery lata.

– Jak się trzyma twoja mama? – spytał Charles, gdy kluczyli wśród tłumu.

Mijali właśnie chłopca z legwanem. Zwierzę przez większość czasu siedziało na jego głowie. Ellen skrzywiła się, gdy przechodzili obok. Gad wystawił język, a Charles się roześmiał. Mieli wrażenie, że znają się od dawna.

– Jest bardzo dzielna po wszystkim, przez co przeszła – dodał mężczyzna.

Grace była też bardzo miła dla jego córek i pozwalała im bawić się z psem. Blanche także była wstrząśnięta i zaniepokojona, ale okazywała dzieciom sympatię.

– Była przekonana, że tym razem nie będzie aż tak źle, a gdy uciekałyśmy, mieszkanie było już pod wodą. W każdym razie dolny poziom był zatopiony.

Brodzenie przez wodę sięgającą po pas i po pachy było dla Ellen i jej matki niezapomnianym przeżyciem.

– Sądzę, że gdy wrócimy, będzie to wyglądać bardzo źle – dodała. – Być może straci wszystko, a uwielbia swoje mieszkanie.

Czuła się, jakby przeżyli wojnę. Klęski żywiołowe zabierały ze sobą wszystko, nie bacząc na uczucia ludzi, na to, co się miało, a czego nie, na to, jak dobrze było się przygotowanym. Ellen przeczuwała, że pomoc sąsiada w przygotowaniach pójdzie na marne, chociaż wszyscy mieli dobre intencje.

Kiedy wrócili do pozostałych, Gina była zmartwiona i znów mówiła o Nigelu. Przed chwilą na ekranie zasilanym generatorem prądu pokazywano Brooklyn. Cała dzielnica Red Hook wydawała się kompletnie zniszczona. Utonęło tam czternaścioro ludzi, Gina była przerażona, że wśród nich jest Nigel. Charles objął ją i pocieszał jak brat albo przyjaciel. Nie próbował wykorzystać sytuacji czy okazać uczucie do niej. Ellen jeszcze bardziej go za to podziwiała. Cicho rozmawiała z matką. Grace upierała się, by przynajmniej spróbować wrócić do mieszkania i sprawdzić, czy policja pozwoli je obejrzeć.

– Myślę, że jeszcze na to za wcześnie, mamo – powiedziała łagodnie Ellen.

Sama żałowała, że nie może dodzwonić się do George'a. Pewnie się o nie zamartwiał, a teraz był już w swoim biurze. Nie była jednak w stanie się z nim skontaktować, dopóki nie znajdą się na obszarze, gdzie mogłaby złapać zasięg. Z początku ich telefony sporadycznie działały, ale teraz było dużo gorzej – linie były przeciążone, bo ludzie dzwonili do bliskich lub odbierali telefony.

– CNN właśnie podało, że woda się cofa – upierała się Grace. – Ostatnio pozwolili mi wejść dziesięć godzin po burzy. Minęło już szesnaście. Jeśli nas nie wpuszczą, możemy po prostu wrócić.

Była zdeterminowana, by spróbować. Cały dzień spędziła w napięciu, czekając na powrót do domu, gdy Ellen martwiła się brakiem kontaktu z George'em, a Gina płakała za każdym razem, gdy pomyślała o Nigelu. Wszyscy mieli zszargane nerwy.

W tym momencie niczym bohater romantycznej fantazji pojawił się przystojny mężczyzna z długimi, mocno potarganymi włosami i z rozczochraną brodą, atletycznej budowy, w podniszczonych butach i dżinsach. Przedzierając się przez tłum, zmierzał w ich stronę. Gdy tylko Gina go zobaczyła, krzyknęła i padła mu w ramiona. Charles dyskretnie się odwrócił, zerkając na Ellen. Kobieta pytająco uniosła brew, a on skinął głową. To był Nigel. Przez chwilę trzymał Ginę w ramionach, a potem odsunął ją od siebie. Nie zwracał uwagi na dziewczynki ani na nikogo wokół.

– Dzięki Bogu... Bałam się, że coś ci się stało... – westchnęła Gina.

Razem emanowali pięknem i młodością, chociaż byli okropnie brudni.

– W telewizji mówili, że w Red Hook utonęło czternaście osób – dodała, wspominając, jak się o niego bała.

– Straciłem cały sprzęt. Pracownia jest trzy metry pod wodą – oświadczył załamany, nie pytając nawet, jak się mają dziewczynki, ani nie mówiąc, jak się cieszy, że one także przeżyły.

Zarówno Ellen, jak i Charles byli tym zszokowani, ale żadne z nich nie powiedziało ani słowa.

– Czy wiesz, co to dla mnie oznacza? – mówił dalej Nigel. – Oczywiście nie mam ubezpieczenia na wypadek powodzi. Całą noc pomagałem tym wszystkim artystom pakować płótna do furgonetek. Uratowaliśmy wiele spośród ich prac, ale żadnej z moich. Moje negatywy też są zniszczone. To tragedia.

Gdy to mówił, prawie płakał. Gina wyraziła szczere współczucie, obejmując go w pasie.

– Po prostu cieszę się, że żyjesz – powiedziała wzruszona.

– Miną lata, zanim odkupię cały ten sprzęt, a negatywów nie da się odtworzyć. Całe szczęście, że stare klisze zostawiłem w Anglii – powiedział, rozglądając się wokół i po raz pierwszy dostrzegając otoczenie. – Rany, co za dołujące miejsce. Ile tu dzieci i starych ludzi.

Skrzywił się, gdy Grace i Ellen przyglądały mu się z ciekawością. Zachowywał się niemal jak postać z filmu. Było w nim coś nierealnego, a jego narcystycznej postawy nie dało się nie dostrzec.

– Czemu nie pojechałaś do hotelu? – spytał Ginę zaskoczony.

– Nie miałyśmy na to czasu. Ewakuowała nas policja, musiałam zostawić wszystko w mieszkaniu. Wzięłam tylko ubrania dla dziewczynek. Wszystkie hotele na Dolnym Manhattanie są zalane. Nie chciałam opuszczać schroniska, dopóki nie dotrzesz... Nie chciałam, żebyś się martwił, gdybyśmy po prostu zniknęły i pojechały na północ.

Nie powiedziała mu, że Charles błagał, by przenieśli się do hotelu i zrobili, co się da, by dostać pokój.

– Trzeba było to zrobić. Za parę minut muszę wracać na Brooklyn. Przyjechałem, by zostawić część prac u kolegi.

Charlesowi nie umknęło, że mężczyzna jest tutaj tylko przy okazji.

– Mam jeszcze przyjaciół w Red Hook, chcę im pomóc – dodał Nigel.

Miał też kobietę i dwójkę dzieci, które podobno kochał, a one tkwiły w schronisku na Manhattanie. W jego słowach i oczach nie było śladu uczuć do Giny.

– Powinnaś jak najszybciej spróbować się stąd wydostać – rzucił. – Sam ten hałas doprowadziłby mnie do szału.

Oni też nie byli nim zachwyceni, ale Gina nalegała, by zostali i zaczekali, aż ich znajdzie. Wydawało się, że dopiero wtedy przypomniał sobie o jej dzieciach i spojrzał na nie. – Dobrze się bawicie, dziewczynki? Niezła przygoda, no nie?

Nie czekając na ich odpowiedź, spojrzał z rozkojarzeniem na Ginę i rzucił:

– Muszę lecieć. Czekają na mnie. Zobaczymy się w mieszkaniu, gdy uda mi się tu wrócić. Pewnie dopiero za kilka dni.

– Uważaj na siebie. Wciąż jest niebezpiecznie. Gdzie się zatrzymasz?

– Sam nie wiem. Większość Red Hook została wczoraj zniszczona. Znajdę jakieś łóżko. Zadzwonię, gdy będę miał zasięg.

Po tych słowach cmoknął ją w usta i nie żegnając się z dziewczynkami ani z nikim innym, zaczął przepychać się w stronę wyjścia. Rzucał zirytowane, pełne pogardy spojrzenia ludziom, którzy ze względu na tłok blokowali mu drogę. Nie obejrzawszy się nawet na Ginę, zniknął. Interesowało go tylko, co się stanie z nim samym. Nawet nie powiedział jej, by na siebie uważała, gdy wracał do przyjaciół czekających na zewnątrz. Nie zaproponował też, że ją ze sobą zabierze, choć Charles i tak by się na to nie zgodził ze względu na bezpieczeństwo dziewczynek. Nigel jednak najwyraźniej w ogóle się nimi nie interesował ani nie martwił o Ginę.

Ta scena w dość szokujący sposób pokazała, jaki jest naprawdę. Gina też to dostrzegła, a gdy odszedł, miała łzy w oczach. Odwróciła się od Charlesa, by nie widział, że płacze. Nie skomentował sytuacji i gawędził z dziewczynkami, teraz jednak wiedział doskonale, dla kogo go zostawiła. Ona także to zrozumiała. Potem poszła po herbatę – a przynajmniej tak powiedziała. Gdy wróciła, odezwała się cicho do Charlesa, mówiąc, że powinni poszukać hotelu, o ile uda im się jakiś znaleźć. Choć nie powiedziała tego głośno, nie było sensu czekać tu na Nigela. Charles nie miał już żadnych interesów w mieście, ponieważ wszystkie firmy na Wall Street był zamknięte, a sama ulica i giełda zatopione. W Nowym Jorku trzymała go tylko Gina i córki, którym chciał pomóc. To była jego jedyna misja.

– Zobaczę, co da się zrobić – powiedział cicho.

Po chwili poszedł ustawić się w kolejce do jednego z telefonów stacjonarnych udostępnionych dla osób ze schroniska. Ellen próbowała dodzwonić się z niego do George'a, ale po dwóch godzinach w kolejce dowiedziała się jedynie, że można wykonywać tylko połączenia miejscowe, a nie międzynarodowe. W jednej krótkiej chwili stracili wszystkie udogodnienia współczesnej technologii i cywilizacji. Ktoś w kolejce stwierdził, że cała sytuacja przypomina obozowanie w średniowieczu. Jednak, ogólnie rzecz biorąc, cieszyli się, że mają gdzie się zatrzymać, choć było głośno, niewygodnie i niewiele dało się zrobić. Lepiej było przebywać tutaj niż narażać się na niebezpieczeństwo w domach.

Dzieciom sytuacja podobała się chyba o wiele bardziej niż dorosłym, którzy odczuwali niewygody, napięcie i wyczerpanie.

Gina była milcząca i wydawała się zaniepokojona. Gdy Charles odszedł do telefonów, myślała o wizycie Nigela, a Ellen się do niej nie odezwała. Cicho rozmawiała z matką, która przytulała Blanche i wciąż upierała się, by zobaczyć zniszczenia w mieszkaniu.

Charles wrócił po godzinie i oznajmił, że znalazł pokój w hotelu za Pięćdziesiątą Ulicą, po wschodniej stronie Manhattanu.

– Przypuszczam, że będzie okropny – stwierdził szczerze. – To chyba hotel drugiej kategorii, ale ktoś mi powiedział, bym spróbował. Wszystkie porządne hotele na Górnym Manhattanie są zarezerwowane. Tam też próbowałem, a ten zarezerwowałem w ostateczności. Nazywa się Lincoln East, mieli tylko jeden pokój. Dadzą nam dostawki dla dziewczynek, a ja mogę spać na podłodze, jeśli ci to nie przeszkadza. Dla mnie to nie problem. Możesz też sama wziąć ten pokój, a ja tu zostanę, ale wolałbym być przy tobie i dzieciach. Nie chcę, żebyś teraz sama włóczyła się po mieście, nawet po Górnym Manhattanie. Co o tym sądzisz? Zarezerwowałem go i zapłaciłem kartą kredytową, więc możemy tam jechać w każdej chwili.

Na twarzy Giny pojawił się wyraz ogromnej wdzięczności i ulgi. Po niemal czterdziestu ośmiu godzinach wszyscy byli wyczerpani pobytem w schronisku. Dwa dni hałasu, niewygód i chaosu pośród tysiąca ludzi odbiłoby się na zdrowiu osób w każdym wieku.

– Chodźmy wszyscy – powiedziała Gina.

Charles przejął kontrolę nad sytuacją i zaopiekował się nimi. Dzięki niemu czuła się bezpiecznie, a Nigel zwyczajnie ją porzucił. Po huraganie będzie mu miała wiele do powiedzenia na ten temat. Nie podobało jej się, że zostawił ją samą i najwyraźniej wcale nie martwił się o nią i dziewczynki. Nie były jego dziećmi, ale spodziewała się po nim czegoś więcej, a teraz była bardzo rozczarowana. Po raz pierwszy zobaczyła tak wyraźny dowód jego egoizmu. Dotąd zawsze był dla niej dobry. Jednak Nigel nigdy w życiu nikim się nie opiekował, za nikogo nie był odpowiedzialny. Najwyraźniej bardziej obchodzili go przyjaciele-artyści niż Gina i jej córki. Nagle poczuła głęboką wdzięczność do Charlesa i przypomniała sobie, że zawsze był dla niej oparciem – tak samo jak teraz. Wydawał się teraz silniejszy i bardziej opanowany niż kiedykolwiek. Wiedziała, że ona i dzieci są w dobrych rękach. Mężczyzna stanął na wysokości zadania, pokazał, że jest dżentelmenem i życzliwym człowiekiem. Aż do teraz nie pamiętała, jak bardzo może na nim polegać i jak pokrzepiająca bywa jego obecność.

– Chodźmy stąd – zaproponowała z uśmiechem. – Możesz spać z nami w pokoju. Zresztą ja też mogę przespać się na podłodze albo położyć się na dostawce z jedną z dziewczynek, a ty prześpisz się na łóżku.

– Ustalimy to, kiedy dojedziemy. Zbierz swoje rzeczy. Musimy znaleźć jakąś taksówkę, a to może trochę zająć.

Komunikacja miejska nie działała, a wiele garaży, w których przechowywano nowojorskie taksówki, było zalanych. Część z nich jednak jeździła po ulicach. Ponieważ ulice na Dolnym Manhattanie były zalane, ruch w kierunku północnym miał być bardzo utrudniony. W wiadomościach podano, że wydostanie się ze zniszczonej południowej części półwyspu do wyżej położonych obszarów mogło zająć nawet cztery godziny – ulice były zablokowane i zalane, nie było sygnalizacji świetlnej ani prądu.

Charles cicho pożegnał się z Ellen. Podał jej numer swojej komórki, by skontaktowała się z nim, gdy złapie zasięg. Powiedział, by zadzwoniła, gdyby mógł jej jakoś pomóc, nawet po huraganie. Wcześniej spytał ją, czy chce, by znalazł pokój także dla niej i Grace. Ellen spytała o to matkę, ale ona uparcie chciała pozostać na południu półwyspu, choćby nawet w schronisku, i jak najszybciej przenieść się z powrotem do mieszkania niezależnie od szkód. Była w tej kwestii bardzo stanowcza, więc Ellen podziękowała mu i odmówiła.

Kobiety ucałowały dzieci na pożegnanie, a one przed wyjściem dały po buziaku Blanche. Ellen życzyła Ginie powodzenia – wiedziała, że będzie jej potrzebne z Nigelem, ale nie powiedziała tego głośno. Z Charlesem pożegnali się uściskiem.

– Uważaj na siebie, Ellen – powiedział wyraźnie wzruszony, żałując, że zostawia ją i Grace w schronisku.

– Ty też – odparła.

Pomyślała, jakie to dziwne, że wystarczył trudny lot z Londynu i huragan w Nowym Jorku, by zostali przyjaciółmi. Tego rodzaju kryzysy zbliżają ludzi jak nic innego.

Gdy Charles odszedł wraz ze swoją rodziną, Ellen poczuła się w schronisku samotna. Jej matka skomentowała bulwersujące zachowanie Nigela.

– To niesamowite, jak głupie decyzje podejmują niektórzy ludzie. Jej były mąż wydaje się taki porządny. Kochanek jest pociągający, ale ma ją gdzieś – stwierdziła mądrze Grace, a Ellen się zgodziła.

– Myślę, że sama to dostrzegła. Jednak Charles jest dla niej nieco zbyt sztywny. Jest piękną kobietą, ma dziesięć lat mniej od niego, a on wydaje się konserwatywnym biznesmenem. Biedak był przerażony podczas lotu z Londynu. Nigel jest bardziej śmiały, a jego męskość jest pociągająca, ale nawet nie pomyślał o Ginie czy dzieciach.

Ellen była tym zszokowana, a teraz mogła głośno wyrazić swoje zdanie.

– To, co tradycyjne, jest o wiele trwalsze, ale zawsze mniej ekscytuje – stwierdziła filozoficznie Grace.

Ellen doszła do tego samego wniosku, gdy zdecydowała się na małżeństwo z George'em. Był chyba najbardziej tradycyjnym i brytyjskim mężczyzną w całej Anglii. W przeszłości miała kilku żywiołowych, nieodpowiedzialnych chłopaków, ale to George był materiałem na męża, choć musiała przystosować się do jego sposobu życia. Na początku trochę ją to kosztowało, a on chciał, by robili wszystko na jego sposób. Jednak zaakceptowała to jako część małżeństwa i uwielbiała to, że był taki wyważony i wzbudzał zaufanie.

Wciąż ją zadziwiało, jak bardzo różnią się od siebie Brytyjczycy i Amerykanie. Kontrast był ogromny, jednak ona polubiła życie w angielskim stylu. Poza tym Brytyjczycy zawsze byli lojalni dla bliskich, do których ona również należała. Po powrocie do Londynu chciała przedstawić Charlesa mężowi – była pewna, że się polubią, pod wieloma względami byli podobni. Obaj mieli tradycyjne, konserwatywne poglądy i właściwe priorytety.

Popołudnie ciągnęło się, gdy oglądały w kółko te same obrazy na ekranie. Zalane ulice Tribeki, zniszczona dzielnica Red Hook na Brooklynie, Staten Island mniej dotknięta niż poprzednio dzięki wprowadzonym zabezpieczeniom, New Jersey w kompletnej ruinie, Coney Island po raz kolejny zrównana z ziemią, liczne zniszczone domy na półwyspie Rockaway równie podatnym na zniszczenia, jak poprzednio, całkowicie zalane wybrzeża cieśniny East River i rzeki Hudson. Oglądanie tego wszystkiego było męczące i dołujące. Grace zabrała Blanche na spacer, by trochę się przewietrzyć. Gdy tylko wróciła do Ellen, zobaczyły, jak przez tłum przedziera się wysoki mężczyzna zmierzający w ich stronę. To był Bob Wells, sąsiad Grace, który najwyraźniej ich szukał. Gdy dotarł do Grace, przytulił ją serdecznie, a ona ucieszyła się na jego widok.

– Co ty tu robisz? – zapytała zdziwiona.

To niemal cud, że je znalazł, ale szukał ich od wielu godzin. Miał na sobie rybackie kalosze, które pożyczył mu agent, oraz zniszczone ubranie. Mimo to spotkanie z nim było miłą odmianą po hałasie i zamieszaniu w schronisku, które tymczasowo stało się domem dla nich i tysiąca innych osób.

– Nie mogłem się do ciebie dodzwonić – powiedział po prostu. – Niedawno ogłosili w wiadomościach, że policja wpuszcza ludzi do niektórych części pierwszej strefy, między innymi do budynków w Tribece. Nie można wrócić na stałe, ale da się wejść i ocenić szkody w domach, zabrać dokumenty i cenne przedmioty. Część budynków ciągle jest zbyt zalana, by do nich wejść, albo grożą zawaleniem, ale w niektórych przypadkach mieszkańcy mogą dostać się do środka. Mam zamiar spróbować i chcę wiedzieć, czy mógłbym coś dla ciebie przynieść.

Był niezwykle uczynny, przychodząc tutaj i oferując swoją pomoc. Wynajął dużego, solidnego SUV-a, a Grace spojrzała na niego z wdzięcznością.

– Pojadę z tobą – oświadczyła cicho.

– To raczej nie jest dobry pomysł – odparł z szacunkiem, zerkając na Ellen, a ona się zgodziła. – Tam jest bardzo źle, Grace, gorzej niż poprzednio. Poziom wody jest w niektórych miejscach wyższy, a rury kanalizacyjne znów popękały.

Poprzednim razem w mieszkaniach obojga wylały ścieki. Zanim wrócili, wsiąkły we wszystko, a odór był nie do zniesienia. Nie chciał, by musiała tego doświadczać, wolał też oszczędzić jej szoku na widok szkód. Grace jednak nie dawała się przekonać do pozostania w schronisku, gdy on miał pojechać do budynku, ocenić szkody i uratować, co się da.

– Jeśli wpuszczają ludzi do niektórych budynków – zaczęła, dowiedziawszy się o tym dopiero teraz – pojadę z tobą lub bez ciebie, Bob, choćbym miała iść pieszo.

Grace trudno było przestraszyć, nie obawiała się klęsk żywiołowych ani niczego innego, nie przejmowała się zmęczeniem ani tym, że jej włosy o ognistym kolorze są kompletnie potargane i że wygląda równie strasznie jak wszyscy. Bob był ubrany schludniej i czystszy, bo zatrzymał się w mieszkaniu agenta na północy półwyspu. Nie miał zamiaru pozwolić, by Grace szła do budynku sama. Chciał jej pomóc.

– Jesteś pewna?

– Oczywiście.

Zebrała swoje rzeczy, zanim on lub Ellen zdążyli ją powstrzymać, i z miną żołnierza gotowego do marszu włożyła Blanche z powrotem do nosidełka na piersiach. Bob uśmiechnął się do niej. Zawsze ją lubił, a teraz darzył ją szczególną czułością.

– Na pewno zdajesz sobie sprawę, że będzie pewnie bardzo źle. Przygotuj się na szok, Grace.

– Będę przygotowana – odparła.

Kobiety ruszyły za nim do wyjścia. Postanowiły zabrać ze sobą rzeczy, by nikt ich nie ukradł pod ich nieobecność. Sytuacja przypominała przebywanie w przytułku dla bezdomnych, mogły trafić na gorszych lub lepszych ludzi.

Bob zaparkował samochód obok rzędu stojących już aut i włączył światła awaryjne. Pomógł Grace wsiąść do wysokiego pojazdu i ruszyli w stronę budynku. Drogi były tak zablokowane taśmami policyjnymi, że pokonali tę krótką odległość w godzinę. Było po szesnastej, gdy dotarli do swojej przecznicy i zostali zatrzymani przez policję. Bob wyjaśnił, że mieszkają w budynku przy tej ulicy. By to udowodnić, pokazał adres na swoim prawie jazdy. Policjanci nie przepuszczali dziennikarzy ani ciekawskich. Wszyscy troje zauważyli dwie karetki i otaczających je strażaków – to oznaczało, że z ulicy usuwano ciała. Ta scena ich otrzeźwiła.

– Chcemy tylko zabrać parę rzeczy – odezwał się Bob do policjanta. – Ważne dokumenty, które zostawiliśmy i które będą nam potrzebne.

Młody funkcjonariusz zawahał się, skinął głową i pokazał, by przejechali dalej. Sam miał na sobie ciężkie kalosze, a na ulicach były ślady ścieków, zanim jeszcze dotarli do budynku. Ellen próbowała powstrzymać obrzydzenie, by być w pełni sił i pomóc matce, gdy dotrą na miejsce. To nie były widoki dla słabeuszy – wiedziała, że musi być twarda. Jej matka wykazywała się siłą – miała zaciętą minę i patrzyła wprost przed siebie, gdy mijali policjantów, jadąc w stronę budynku. Po chwili zaparkowali samochód wśród odpadów na ulicy i wysiedli. Z każdej strony otaczały ich zniszczone przedmioty, potłuczone szkło, przewrócone drzewa i krzaki na chodniku oraz niezidentyfikowane obiekty, które przyniosła tu powódź. Na końcu ulicy kołysał się dziwacznie dźwig, a cały teren był oddzielony taśmą. Wszyscy troje bardzo uważali, by nie stanąć na kablach elektrycznych – trudno było stwierdzić, które z nich są pod napięciem. W tamtej chwili nic nie było bezpieczne ani pewne.

Kiedy dotarli do drzwi wejściowych budynku, zobaczyli stojącego przed nimi dozorcę z wyrazem załamania na twarzy. Powiedział im, że zginął jeden z ich ulubionych odźwiernych – utonął w piwnicy, przed chwilą zabrano jego ciało. To był dla nich kolejny cios. Weszli do ciemnego holu i minęli kruszącą się ścianę. Wszystkie meble z przedsionka wypłynęły poprzedniej nocy na ulicę. Grace i Ellen natychmiast przypomniały sobie, jak wychodziły z budynku zanurzone po pas w wodzie. Podłoga wciąż znajdowała się kilkanaście centymetrów pod wodą i sięgała im do kostek. Grace wyciągnęła klucze, a Ellen wstrzymała oddech. Bob stał obok, by wspierać kobiety, jak tylko mógł. Do mieszkania prowadziły krótkie schody, więc Ellen spodziewała się, że woda już się cofnęła. Mieszkanie wciąż jednak było zalane do pół metra wysokości. Gdy otworzyły drzwi, zaczęły brodzić między poprzesuwanymi, poprzewracanymi meblami, kanapami i krzesłami, które przesiąkły ściekami i wodą. Zapach był paskudny, a dolny poziom został całkowicie zniszczony. Nie pomogło zawinięcie mebli w folię – zerwał ją silny nurt wody. W pozbawionym prądu mieszkaniu było ciemno. Cała trójka przedostała się na górę, gdzie woda swobodnie dostała się przez rozbite okna. Mimo tego większość rzeczy, które zaniosły na wyższy poziom, pozostała nienaruszona. Wyjątek stanowiły łóżka, także nasiąknięte wodą. Poza tym wszystkie płaszcze i futra Grace były przemoczone. Większość ubrań w szafach dało się uratować, a wysoko zawieszone na ścianach obrazy pozostały nietknięte, ale rzeczy we wszystkich pokojach leżały porozrzucane w kompletnym nieładzie. Niektóre z nich powódź przeniosła na dół, a większość była bezpowrotnie zniszczona. Można było przypuszczać, że Grace utonęłaby, gdyby tu została – zwłaszcza jeśli byłaby w mieszkaniu sama. Po jej policzkach spływały łzy, gdy rozglądała się wokół i dotykała ulubionych przedmiotów jak bliskich zmarłych. To rozdzierało serca Ellen i Boba, którzy płakali wraz z nią. Nawet Blanche cicho siedziała w nosidełku na piersi Grace. Kobieta milczała przez kilka chwil.

– Chyba tym razem jest gorzej – odezwała się w końcu, a Bob się zgodził.

Widok zniszczonego niemal całego dobytku napawał ją przytłaczającym uczuciem bezradności. Ellen przypuszczała, że podobnie jak poprzednio uda się uratować niektóre z ulubionych przedmiotów, jeśli zostaną starannie odnowione, jednak nie będzie to łatwe. Poza tym straciła większość tego, co posiadała. Grace zawsze przykładała wielką wagę do ubezpieczeń, Ellen wiedziała więc, że ubezpieczyciel pomoże jej także tym razem. Poprzednio spisał się wspaniale. Jednak niektóre pamiątki i cenne przedmioty były nie do zastąpienia. Trudno też będzie zacząć od nowa – to pochłonie mnóstwo energii i będzie wymagać odwagi.

Ellen była zrozpaczona widokiem mieszkania, wiedziała, jak dużo czasu zajmie jego odnowienie i odbudowa, naprawa tego, co nadawało się do reperacji, odkupienie tylu przedmiotów.

Przez kilka miesięcy jej mama będzie musiała mieszkać gdzieś indziej.

– Nie będzie łatwo – stwierdziła Grace, ocierając łzy i bezwiednie poklepując psa – ale damy radę.

Uśmiechnęła się lekko do Boba i córki. Widok wszystkich jej strat był smutny, a gdy poszli do mieszkania Boba naprzeciw, było jeszcze gorzej. Ponieważ jego meble nie były wiele warte, nie zabezpieczył ich aż tak dokładnie. Niemal wszystko w mieszkaniu mężczyzny było zdewastowane. Zostawił ubrania w szafach na dole – teraz były zupełnie przesiąknięte. Nie było prawie niczego, co dałoby się uratować. Nienaruszone pozostały tylko niektóre z jego książek i rękopisów umieszczone na wysokiej półce na górnym poziomie. Prawie wszystkie pozostałe rzeczy wyglądały, jakby nadawały się tylko do wyrzucenia. Zarówno Grace, jak i Ellen wiedziały z doświadczeń po Sandy, że istnieją firmy, które potrafią naprawić niemal wszystko. Można było odnowić książkę przez zamrożenie, gdy wciąż była mokra, a potem wysuszenie kolejno każdej strony. Firmy zajmujące się odnawianiem mebli potrafiły czynić cuda. Inne zakłady zajmowały się futrami, ale poprzednio wszystkie okrycia Grace zostały nieodwracalnie zniszczone. Były też pralnie chemiczne czyszczące skóry i delikatne tkaniny. Przy ostatniej powodzi ubezpieczyciel Grace pomógł jej w załatwieniu tego wszystkiego, a na ukończenie tych prac musiała czekać kilka miesięcy. Jednak gdy patrzyli na rzeczy w mieszkaniu Boba, nie wierzyli, by dało się je ocalić. Tutaj, podobnie jak w mieszkaniu Grace, unosił się odór ścieków, a ściany salonu były tak przesiąknięte, że wyglądały, jakby miały się przewrócić. Niewiele mogli teraz zrobić. Musieli ocenić szkody, by zdecydować, co należy wyrzucić, a co spróbować odnowić – była to precyzyjna, skrupulatna i czasochłonna praca, która wymagała miesięcy i stanowiła ogromny wydatek dla firmy ubezpieczeniowej. Poprzednio Ellen pomogła matce w załatwieniu tego wszystkiego i tym razem również miała zamiar to zrobić. Grace spojrzała na Boba i poklepała go po ramieniu.

– Pomożemy ci, Bob – powiedziała łagodnie. – Może nie jest aż tak źle, jak się wydaje.

Mężczyzna uśmiechnął się do niej z westchnieniem i otarł łzę z policzka. Dla niego również było to trudne przeżycie – każdy byłby tym wstrząśnięty.

– Jest gorzej, niż się spodziewałem – przyznał.

Pod wodą znajdowały się oprawione zdjęcia jego dzieci i wszystkie książki z wyjątkiem tych, które sam napisał.

– Chyba czeka nas ciężka przeprawa, prawda? – dodał, uśmiechając się do sąsiadki.

Po kilku minutach oglądania tych przygnębiających widoków wyszli, przeszli przez hol i wrócili do samochodu. Ellen bardzo się cieszyła, że pojechały razem z nim – wstrząs na widok szkód był łatwiejszy do zniesienia, kiedy mogli się nawzajem wspierać.

Ellen spodziewała się, że sąsiad zawiezie je z powrotem do schroniska. Mężczyzna zwrócił się do nich, gdy tylko wsiedli do samochodu.

– Może pojedziecie razem ze mną na Górny Manhattan? Mój agent ma wielkie mieszkanie po zachodniej stronie Central Parku. Chętnie wam pomoże, jest bardzo miły. Powiedział, żebym was przywiózł, jeśli będziecie chciały. Będziecie przynajmniej mogły trochę odpocząć, zamiast znosić hałas i tłok w schronisku. Ja będę tam przez cały czas, a wy możecie zostać, jak długo chcecie.

– Nie chciałabym się narzucać – powiedziała Grace skrępowana, po chwili jednak przypomniała sobie, jak wyczerpujące było schronisko i jak mało spała od czasu, gdy tam trafiły. – Może na kilka dni – dodała z wahaniem – aż uda nam się wynająć pokój w hotelu albo znajdę tymczasowe umeblowane mieszkanie. Ostatnio udało mi się przywrócić wszystko do porządku dopiero po czterech miesiącach.

Pobyt w hotelu przez ten czas byłby zbyt długi i kosztowny.

– On naprawdę nie będzie miał nic przeciwko. Wydaje mi się, że lubi towarzystwo. Jest bezdzietnym wdowcem i chętnie pomaga przyjaciołom.

One jednak były zupełnie obcymi osobami, co było krępujące dla Grace. Ellen była gotowa dostosować się do decyzji matki. Teraz już raczej nie miały szans na znalezienie w najbliższym czasie pokoju w hotelu czy nawet umeblowanego mieszkania. Pomyślała, że to będzie dla nich ukojenie, jeśli będą mogły zatrzymać się na kilka dni w mieszkaniu agenta Boba, choć sąsiad nie był ich bliskim przyjacielem. Teraz jednak jechali na tym samym wózku. Bob był bardzo życzliwy i najwyraźniej lubił Grace, a przez relację z sąsiadką darzył sympatią także Ellen.

– Dobrze – powiedziała cicho Grace, wciąż przytłoczona tym, co zobaczyła, i utratą domu po raz kolejny. – Pojedziemy na północ do twojego przyjaciela. Ale obiecuję, że nie zostaniemy długo – dodała pokornie.

Zarówno Ellen, jak i Bob poczuli ulgę. Nie chcieli, by szok i trudności, przez jakie przechodziła, odbiły się na jej zdrowiu – a było to możliwe.

Przebiwszy się przez pogrążony w chaosie Dolny Manhattan, dotarli do Czterdziestej Drugiej Ulicy dopiero po dwóch godzinach. Bez przerwy trafiali na objazdy, korki, ludzi próbujących dotrzeć do zniszczonych domów albo z nich wyjść, zniszczone lub nieprzejezdne ulice. Kiedy dotarli do części miasta, której nie dotknęła powódź, poszło już szybciej. Dochodziła dziewiętnasta, gdy zatrzymali się przed znanym budynkiem po zachodniej stronie Central Parku. Na zewnątrz czekał odźwierny w mundurze. Czuli się, jakby odbyli podróż z piekła do nieba. Grace ze zmęczonym wyrazem twarzy wysiadła z samochodu, a Bob i Ellen ruszyli za nią. Pisarz podał odźwiernemu kluczyki do samochodu i poprosił, by odprowadził go do garażu. Mężczyzna od razu go rozpoznał. Miał klucze do mieszkania Jamesa Aldricha i powiedział, że pan Aldrich na nich czeka. Odźwierny znał Boba i wiedział, że chwilowo tu mieszka.

Bob wpuścił kobiety do mieszkania. Poczuły się, jakby wkroczyły do innego świata. Mieszkanie było ogromne i pięknie urządzone w męskim stylu. Pan Aldrich miał wspaniałe antyki, znane obrazy, było widać pracę zarówno architekta, jak i dekoratora wnętrz. Całość zajmowała dwa piętra i przypominała raczej dom. Grace natychmiast przypomniała sobie, że widziała to miejsce w kilku czasopismach poświęconych architekturze, nie wiedziała jednak, do kogo należy. Właściciel miał też wyjątkowe skarby i dzieła sztuki kupione podczas podróży. Gdy Bob prowadził je do biblioteki niczym obdartych rozbitków, Grace zastanawiała się, czy Aldrichowi nie będzie przeszkadzał pies. Jego mieszkanie było naprawdę imponujące, obie kobiety czuły się szczęśliwe, mogąc w nim przebywać. Jim Aldrich był najważniejszym agentem literackim w Nowym Jorku, a jego kolekcja sztuki była znana w środowisku artystycznym.

Bob wkroczył przed nimi do biblioteki i ruszył przez pomieszczenie w kierunku mężczyzny cicho pracującego przy biurku. Gospodarz podniósł wzrok, gdy tylko weszli. Podszedł, by przywitać ich uściskiem dłoni i uśmiechem. Wyglądał, jakby cieszył się z ich obecności, jak gdyby to była długo wyczekiwana wizyta, a nie uciążliwa sytuacja. Od razu podszedł do Grace, serdecznie podziękował jej za przybycie i pogłaskał psa.

– Przez trzynaście lat miałem ukochanego angielskiego buldoga. Zmarł dwa lata temu, a ja potwornie za nim tęsknię. Nie miałem odwagi, by kupować kolejnego. Cieszę się, że przywiozła pani swojego pieska. Trochę ożywi to miejsce. Bardzo dziękuję, że panie przyjechały.

Uśmiechnął się ciepło do Grace, która się w niego wpatrywała. One wkraczały do jego mieszkania, a on traktował je jak oczekiwanych od dawna gości, a nawet ciepło zareagował na psa. Było oczywiste, że Jim jest równie miły, jak ich wspólny znajomy. Gawędził z Ellen, prowadząc kobiety do ich sypialni. Oba pokoje były eleganckie i równie pięknie urządzone, jak reszta mieszkania. Po przejściach w schronisku i zalanym mieszkaniu Ellen miała wrażenie, jakby trafiły do bajecznej krainy. W atmosferze elegancji, wygody i dyskretnego luksusu Grace wyglądała i wypowiadała się bardziej po swojemu, przestawała już przypominać ofiarę tragedii.

– Gdy tylko będą panie głodne, w kuchni czeka jedzenie – powiedział Jim.

Gospodarz bardzo chciał zapytać Boba, jak wygląda jego mieszkanie, ale obawiał się to robić przy Grace. Jeśli sama doznała strasznych szkód, nie chciał jej o tym przypominać. Parę minut później Bob o wszystkim mu opowiedział. Wspomniał, że zniszczone są oba mieszkania i że niewiele będzie można ocalić. Powiedział, że dla Grace był to poważny cios i podziękował Jimowi za to, że przyjął kobiety pod swój dach.

– Zawsze podziwiałem ją jako architekta – wyznał szczerze Jim z pełną swobody miną. – Cieszę się, że mogę w jakiś sposób pomóc. Z tego, co widziałem w telewizji, Dolny Manhattan wygląda koszmarnie. Cieszę się, że tobie nic się nie stało. Zawsze możesz kupić kolejne mieszkanie, ale Robert Wells jest tylko jeden – dodał ciepło.

Bob się uśmiechnął.

– To mnie chyba dobiło – przyznał. – Życie tam byłoby zbyt dużą traumą, obawiałbym się, że to się powtórzy. Gdy dziś zobaczyłem mieszkanie, podjąłem decyzję. Przeprowadzam się na Górny Manhattan.

– Jeśli jesteś zainteresowany, w tym budynku jest mieszkanie na sprzedaż – rzucił niezobowiązująco Aldrich.

– To miejsce jest chyba dla mnie zbyt wystawne – stwierdził Bob z powątpiewaniem. – Lubię Tribekę za atmosferę bohemy, ale nie podoba mi się ryzyko klęski żywiołowej. Kupię jakieś małe mieszkanie, może nawet w tym budynku, ale nie tak duże i rozbudowane jak twoje. Zgubiłbym się w nim. Poza tym moje dzieci prawie nigdy nie przyjeżdżają do Nowego Jorku, więc nie potrzebuję niczego wielkiego – wyjaśnił.

– Ja też nie – przyznał Jim, który wcale nie miał dzieci ani rodziny. – Ale i tak je lubię. Chyba jestem trochę efekciarski. Zapytam, czy w budynku znajdzie się coś mniejszego. Myślę, że decyzja o przeprowadzce jest właściwa. Cieszę się, że ją podjąłeś. Głupio byłoby utonąć podczas huraganu na Dolnym Manhattanie.

Przytrafiło się to wielu osobom i mogłoby zdarzyć się także jemu. Choć wiele osób nie chciało w to wierzyć, huragan okazał się wyjątkowo niebezpieczny.

Potem Jim i Bob rozmawiali przez chwilę o pracy. Jim miał dziś dla niego ciekawą propozycję. Producenci z Los Angeles chcieli kupić prawa do adaptacji filmowej jednej z jego powieści. Bob nie byłby autorem scenariusza – nigdy się tym nie zajmował. Chodziło o to, by po prostu zezwolił na wyprodukowanie dużego filmu z udziałem sławnych aktorów. Zdaniem Jima powinien się zgodzić. Po dwudziestu latach współpracy oraz po tym, jak Jim pomógł Bobowi rozpocząć karierę, mężczyźni zostali dobrymi przyjaciółmi. Bob uważał, że jego imponujący sukces to zasługa agenta. Jim potrafił bezbłędnie oceniać sytuacje biznesowe, był doskonałym negocjatorem i świetnie reprezentował Boba, co dla obu mężczyzn było bardzo korzystne. Bob skończył niedawno czterdzieści dziewięć lat, a Jim był od niego dwadzieścia lat starszy, choć nie było tego po nim widać. Jednak w ciągu minionych dwudziestu lat agent z wdziękiem przybrał postawę i wygląd dystyngowanego starszego pana. W prowadzeniu interesów był zawsze nieustępliwy, ale w relacjach osobistych stał się nieco łagodniejszy niż dawniej – w młodości znany był jako prowokator. Bob uwielbiał także tę jego cechę i bardzo go szanował jako agenta oraz przyjaciela. Wzruszył się, gdy gospodarz zaproponował, by sąsiadka pisarza i jej córka zatrzymały się u niego po huraganie. Było to dla niego charakterystyczne – zawsze był gotów pomóc przyjaciołom, a nawet ludziom, których prawie nie znał.

Później Bob poszedł zadzwonić do dzieci. Poprzedniego wieczoru kontaktował się z nimi, by dodać im otuchy i powiedzieć, że jest u Jima. Gdy jednak zobaczył zniszczone mieszkanie, zapragnął znów z nimi porozmawiać. Oboje wyrazili smutek, gdy usłyszeli o tym, co stracił. Cieszyli się także, że ma zamiar sprzedać mieszkanie i przeprowadzić się na Górny Manhattan. Uważali, że to rozsądna decyzja.

Gdy Ellen rozpakowała swój żałośnie niewielki bagaż i pomyślała o walizce pełnej ubrań, która stała teraz przemoczona w mieszkaniu matki, chciała natychmiast zadzwonić do George'a i powiedzieć mu, gdzie jest. Domyślała się, że mąż potwornie się niepokoił, próbując się z nią skontaktować w ciągu ostatnich dwóch dni. W Londynie była już północ, ale nawet jeśli miałaby go obudzić, wiedziała, że poczułby ulgę, słysząc jej głos i byłby zdenerwowany, gdyby nie skontaktowała się z nim jak najszybciej.

Skorzystała z telefonu stacjonarnego we wspaniałej sypialni dla gości, powiedziała operatorowi, by obciążył kosztami rozmowy rachunek jej matki, i nasłuchiwała sygnału po połączeniu z Londynem. Gdy George odebrał, słychać było, że jest zaspany.

– Kochanie, przepraszam, że nie dzwoniłam od dwóch dni. Był tu straszny zamęt, a moja komórka nie działała w centrum. Musiałyśmy się ewakuować z mieszkania matki, choć z początku zdecydowała się tam zostać. Brodziłyśmy w wodzie prawie po piersi, musiałyśmy jechać do schroniska i dopiero dziś wróciłyśmy do jej mieszkania. Straciła wszystko. Właśnie dostałam się na Górny Manhattan i w końcu mogę zadzwonić. Przepraszam, jeśli się martwiłeś.

Szybko podała mu wszystkie informacje, by zrozumiał, dlaczego się nie odzywała.

– Kiedy nie miałem od ciebie wiadomości, uznałem, że nic ci nie jest – odparł sennym głosem z typowo brytyjskim spokojem. – Kilka razy próbowałem do ciebie zadzwonić, ale nie udawało się nawiązać połączenia. W wiadomościach mówili, że na obszarach dotkniętych powodzią komórki nie działają. Wiedziałem, że w końcu się odezwiesz. Jak się ma twoja matka? – spytał zaskakująco rzeczowo.

Ellen spodziewała się, że mąż będzie zamartwiał się o nią i o Grace. Po raz pierwszy słyszała w jego głosie taki spokój w sytuacji, gdy mogło grozić jej niebezpieczeństwo.

– Mama jest bardzo dzielna – odparła – ale oczywiście wstrząśnięta. Właśnie straciła niemal cały dobytek. Mieszkanie jest prawie kompletnie zniszczone.

– Po prostu będzie musiała się przeprowadzić – stwierdził bez emocji.

Z jego tonu można by wywnioskować, że dla Grace nie ma to znaczenia. Ellen wiedziała jednak, że jest inaczej, a to, co powiedział, wydało jej się nieco bezduszne. Grace była bardzo przywiązana do swojego mieszkania i uwielbiała Tribekę, a George o tym wiedział. Teraz jednak musiała być rozsądna, nawet jeśli było to dla niej bolesne. Spodziewała się, że nie będzie to łatwe, ale zamierzała zmusić matkę, by posłuchała głosu rozsądku.

– Nic ci nie jest? – spytał mąż chłodno.

Ellen wydało się to dziwne po tym, jak bardzo obawiał się huraganu, gdy wyjeżdżała. Czasem jednak tak się zachowywał – był beznamiętny jak przystało na prawdziwego Brytyjczyka. Wydawało się, że teraz właśnie przybrał tę postawę. Nie słyszała w jego głosie ani czułości, ani troski. Myślała, że będzie się o nią bardzo niepokoił, zwłaszcza wtedy, gdy nie miał od niej żadnych wieści.

– Nic mi nie jest, ale było mi bardzo ciężko. Schronisko przypominało dom wariatów.

– Nie powinnaś była lecieć do Nowego Jorku – stwierdził niemal ozięble. – Trzeba było zmienić plany i zostać tutaj. To niedorzeczne lecieć tam w trakcie huraganu, nie sądzisz?

Wydawał się zirytowany, okazywał jej o wiele mniej współczucia, niż się spodziewała.

– Oczywiście, że nie. A co z moją matką? Nie zostawiłabym jej samej na pastwę losu. Cieszę się, że tu byłam, chociaż było strasznie i nerwowo. Kiedy wyjeżdżałam, nie spodziewałam się, że będzie aż tak źle. Mimo to jestem zadowolona, że z nią byłam.

– Jest o wiele twardsza niż my oboje. Poradziłaby sobie.

Nie był ani trochę zmartwiony, nie okazywał współczucia. Zdenerwowało ją to. Zachowywał się, jakby przeżyła jakąś niegroźną burzę, podczas gdy on spędzał weekend z kolegami. Fakt, że nie przejmował się stanem Grace, również jej się nie podobał. Chociaż pasowało to do niego, wydawało jej się niezwykłe, skrajne i szczególnie niestosowne w tych okolicznościach. Wyobrażała sobie, że będzie się o nie bał, gdy sama cierpiała, że nie może się do niego dodzwonić. A teraz miała wrażenie, że wcale go to nie obchodziło.

– Gdzie teraz jesteś? – spytał ją obojętnie.

– Sąsiad mamy zabrał nas do swojego przyjaciela. Był bardzo życzliwy i przyjął nas pod swój dach. Nowojorczycy wykazują się wielkim sercem podczas kryzysów. Jesteśmy na Górnym

Manhattanie i tutaj sytuacja wygląda zupełnie normalnie, więc w końcu mogłam zadzwonić. Dotarłyśmy tu pół godziny temu.

– Mówisz o tym sławnym autorze kryminałów, który mieszka obok Grace?

George również znał jego książki, podobnie jak miliony ludzi. Czytał kilka spośród tych, które Grace podarowała Ellen. Uważał go za świetnego autora i imponowało mu, że teściowa go zna.

– Tak, to jego agent. Bob także się tu zatrzymał, a ja czuję ulgę, że mama jest w bezpiecznym miejscu. W schronisku było jej zbyt ciężko. Nie chciałam, by się rozchorowała, a w Nowym Jorku podobno nie ma już wolnych pokoi w hotelach albo jest ich niewiele. Trzeba będzie znaleźć dla niej tymczasowe mieszkanie. Obawiam się, że będę musiała zostać tu na kilka tygodni i pomóc jej z tym wszystkim oraz z ubezpieczeniem. Nie chcę, żeby została z tym sama – usprawiedliwiała się.

– Rób, co musisz – odparł praktycznie, bez niepokoju w głosie.

To było do niego niepodobne. Zazwyczaj bardzo narzekał, kiedy zbyt długo przebywała poza domem.

– Jesteś na mnie zły? – spytała wprost.

Zastanawiała się, czy jest zazdrosny, że będzie spała w mieszkaniu agenta Boba, ale nie sprawiał takiego wrażenia. Przede wszystkim wydawał jej się obojętny, a to był dla niej szok.

– Oczywiście, że nie – odpowiedział szybko. – Myślę, że i tak potrzebujemy przerwy. Kiedy jesteś w domu, wszystko kręci się wokół płodzenia dziecka. To wyczerpujące.

Od trzech miesięcy nie próbowali, ale i tak czuł się tym zmęczony. Nie mówiła mu, że planuje odwiedzić lekarza w Nowym Jorku, by uzyskać kolejną opinię co do swoich szans na potomstwo. Ostatni lekarz, u którego byli w Londynie, przedstawił im raczej ponurą wizję. Ponieważ nie brali pod uwagę adopcji, pomocy surogatki ani dawczyni komórek jajowych, musieli odnieść sukces własnymi siłami, dzięki *in vitro* i zastrzykom hormonalnym, które sobie aplikowała. Słyszała wiele dobrego o specjaliście z Nowego Jorku i znów nabrała nadziei.

– Nie podejmowaliśmy prób już od kilku miesięcy – przypomniała George'owi.

– Sam nie wiem, Ellen – odpowiedział z westchnieniem. – Już tak dłużej nie mogę. To zbyt dołujące. Musimy się z tym pogodzić i zaakceptować, że nie będziemy mieli dzieci.

Nigdy wcześniej jej tego nie mówił. Była zszokowana, do oczu napłynęły jej łzy. Z jego tonu wywnioskowała, że ma tego wszystkiego dość – zarówno starań, jak i jej samej.

– W życiu nie zawsze dostajemy to, czego chcemy – ciągnął. – Czasem nie udaje się zrealizować planów. Wydaje ci się, że możesz kontrolować każdy szczegół, ale to tak nie działa. Natura ma własny plan.

– To wielkie słowa jak na rozmowę telefoniczną – odparła, płacząc. – Kiedy doszedłeś do takiego wniosku?

I dlaczego mówił jej to teraz, po tym, jak przeżyła huragan i nie spała od poprzedniej nocy, czego mógł się domyślić?

– To dziwne, ale myślałem o tym wiele podczas tego weekendu, chociaż już od jakiegoś czasu to rozważałem. Wielu gości, którzy byli na przyjęciu, nie ma dzieci i nie chce ich mieć. Sam nie wiem, czy to takie złe. A nawet gdybyśmy je mieli, posłalibyśmy je do szkoły z internatem w wieku siedmiu czy ośmiu lat, więc właściwie niewiele stracimy. Tylko kilka lat pieluch i bajek na dobranoc, a potem by ich nie było.

Rzeczywiście tak by to wyglądało, gdyby postąpili według takiego planu i posłali synów do szkoły w Eton. W jego rodzinie nawet dziewczynki szły do szkoły z internatem, zanim skończyły dziewięć lub dziesięć lat. Był zdecydowany, by tak samo postąpić wobec własnych dzieci. W tej kwestii nie chciał słyszeć o alternatywach i od początku stawiał tę sprawę otwarcie. Jeśli chciała być jego żoną, musiała przyjąć wszystkie jego brytyjskie tradycje. Dotąd to robiła. Oczekiwała jednak, że w kwestii dzieci George zgodzi się na kompromis. Teraz wydawało się, że nie ma na to szans. Nigdy dotąd nie wyraził się równie jasno.

– Poza tym bez dzieci mamy więcej swobody – dodał. – Możemy robić, co chcemy, podróżować, rozwijać się zawodowo. Może to błogosławieństwo, że nam się nie udało.

Była to najbardziej bolesna wiadomość w jej życiu i powód największego rozgoryczenia, a nie błogosławieństwo. Faszerowała się hormonami, przechodziła nieprzyjemne zabiegi, przeżywała kolejne rozczarowania, aby mieć dziecko. Ich niepowodzenie wcale nie wydawało jej się szczęśliwym zrządzeniem losu. Była zszokowana jego słowami.

– Ja widzę to inaczej – odparła z bólem, a potem zmieniła temat. – Jak ci minął weekend?

– Świetnie się bawiłem! – odparł z entuzjazmem, rozbudzony po paru minutach rozmowy. – Było fantastycznie! Wielu wspaniałych ludzi, starzy przyjaciele i parę nowych twarzy. Byłabyś zachwycona.

Najwyraźniej przyjemnie spędzał czas, gdy ona i jej matka przechodziły piekło w Nowym Jorku. Było jej przykro, gdy słuchała, jak dalej opowiada o weekendzie.

Potem podała mu numer Jima Aldricha i powiedziała, że jej komórka będzie działała na Górnym Manhattanie, gdy ją naładuje. Podczas sprzątania mieszkania matki nie będzie miała zasięgu.

– Zadzwoń do mnie, gdy będziesz mogła rozmawiać – powiedział. – Będę w tym tygodniu zajęty, nie chcę się za tobą uganiać i trafić nie w porę.

Wydawało się, że wcale nie zależy mu na rozmowach z nią. Gdy się rozłączyli, była zrozpaczona. Czuła wyraźnie, że coś jest nie tak. Miała wrażenie, że George nie jest sobą, podczas rozmowy był oziębły. Fakt, że nagle nie chciał mieć dzieci i był gotów zaakceptować porażkę, niepokoił ją. Do tej pory trzymał się ich wspólnego planu, ale teraz sprawiał wrażenie, że ma już dość i nie przeszkadza mu brak potomstwa. Był to zwrot o sto osiemdziesiąt stopni, który zupełnie ją załamał. Nie była pewna, jak to wpłynie na ich małżeństwo.

Parę minut po rozmowie do jej pokoju weszła Grace.

– Coś się stało? – spytała, widząc jej minę.

– Właściwie nie. Po prostu George zachowuje się jak prawdziwy Anglik – odparła smutno Ellen.

– Zawsze taki był. Dotąd nigdy ci to nie przeszkadzało, ale ma tradycyjne poglądy i raczej nie jest misiem do przytulania. Kompletnie się dla niego zmieniłaś i mówiłaś, że tego właśnie chcesz. On jednak zawsze pozostanie sobą. Jeśli zadręczasz się tym, czy zdołasz go zmienić, wiedz, że ci się nie uda. Po dziesięciu latach już trochę za późno, by na to narzekać.

Ellen skinęła głową, nie chcąc wyjaśniać sytuacji. Jej mama wiedziała, jak bardzo walczyła o dziecko. Uważała, że już dawno powinna zdecydować się na adopcję lub zupełnie zrezygnować.

Jej zdaniem Ellen postępowała niewłaściwie, próbując na siłę zmienić plany natury, by zajść w ciążę. Było to zbyt stresujące zarówno dla niej, jak i dla jej męża. Wyglądało na to, że George się z nią zgadza. Ellen poczuła się nagle zupełnie osamotniona w swoim dążeniu do potomstwa. Straciła swojego ostatniego, najważniejszego sojusznika, a jeśli on nie chciał współpracować, to bitwa o dziecko była przegrana. Nie mogła zrobić tego sama.

Była zupełnie rozbita, gdy dołączyła do Boba i Jima Aldricha w kuchni. Bob widział, że jest zmartwiona, ale uznał, że to skutek ciężkich doświadczeń ostatnich dni. Jim nie znał jej na tyle dobrze, by to zauważyć. Cała czwórka zjadła kolację w swobodnej i miłej atmosferze przy dużym okrągłym kuchennym stole. Posiłek był przepyszny i elegancko podany. Ocalałe kobiety cieszyły się błogosławieństwem normalności w cudownym otoczeniu oraz spokojnym wieczorem w towarzystwie przyjaznego gospodarza. Po zamieszaniu w schronisku szczególnie dobrze czuły się w cywilizowanych warunkach.

Potem wszyscy poszli do swoich pokojów. Grace i Ellen z przyjemnością zażyły kąpieli w swoich łazienkach. Starsza kobieta wykąpała nawet Blanche, a Bob czytał swój najnowszy rękopis i nanosił poprawki. Takiego wieczoru było im wszystkim potrzeba przed stawieniem czoła dalszym wyzwaniom. Nie było wątpliwości, że kolejne dni przyniosą ich wiele. Wszyscy byli tego pewni.

Rozdział 6

We wtorek rano, zanim Peter obudził się w szpitalu, rodzice Bena, Jake i Sarah Weiss, usłyszeli sygnał telefonu. Ich młodszy syn Adam już wstał i grał w grę komputerową, więc podszedł do aparatu. Po chwili wszedł do sypialni rodziców, gdy jego mama usiadła na łóżku. Nie spali do późna, obdzwaniając szpitale i próbując znaleźć Bena. Nikt go dotąd nie widział.

– Mamo – zaczął Adam ochrypłym głosem czternastolatka – dzwoni policja.

Od wielu dni obawiali się tego telefonu i czekali na niego. Mieli nadzieję, że syn trafił do jednego z miejskich szpitali i nawet jeśli jest ranny, przeżył. Poprzedniego dnia rozmawiali z Peterem i czuli ulgę, że chłopak żyje. Wiedzieli, że ma psa Bena, i zgodzili się, by go zatrzymał, dopóki nie będą mieli wieści od syna.

Gdy Sarah odebrała, Jake już się obudził i usiadł na łóżku obok niej. Adam przyglądał się rodzicom, czekając na wieści o bracie równie niecierpliwie, jak rodzice.

– Tak, mówi Sarah Weiss – odezwała się kobieta do policjanta po drugiej stronie linii.

Mężczyzna razem z dwunastką innych funkcjonariuszy otrzymał zadanie poinformowania bliskich o tym, gdzie znajdują się osoby poszkodowane podczas huraganu i w jakim są stanie. Tylko najstarsi rangą oficerowie w jednostce wykonywali takie telefony.

Jake przyglądał się żonie, gdy słuchała słów policjanta, zacisnęła na chwilę powieki, a potem skinęła głową.

– Tak... tak... Rozumiem... gdzie on teraz jest?

Dla Jake'a i Adama niepewność, co mówi człowiek po drugiej stronie, była męczarnią. Sarah mówiła niewiele.

– Gdzie go znajdziemy?

Brzmiało to tak, jakby chłopiec był w szpitalu. Kobieta podziękowała policjantowi i rozłączyła się, po czym ogarnął ją niekontrolowany szloch. Zerkała na przemian na syna i męża.

– Znaleźli go na Henry Street, parę przecznic od mieszkania. Umarł od uderzenia w głowę. Najprawdopodobniej nurt wciągnął go pod powierzchnię, później się uderzył. Jako przyczynę śmierci podano utonięcie... O Boże... – mówiła, patrząc na nich. – On nie żyje... Ben nie żyje...

Nie mogła i nie chciała w to uwierzyć. Łkała w ramionach męża, a Adam przysiadł na łóżku obok rodziców i objął ich, próbując za wszelką cenę powstrzymać lęk, że sam mógłby utonąć jak brat.

Cała trójka leżała na łóżku przez godzinę. Płakali, przytulali się i próbowali zrozumieć, co stało się z chłopcem, którego tak bardzo kochali. Dlaczego Peterowi się udało, a Benowi nie? Jak życie mogło być takie okrutne?

Po jakimś czasie wstali i poszli do kuchni. Sarah zrobiła kawy dla siebie i Jake'a oraz tosty dla Adama. Opowiedziała mężowi, co mówił policjant. Ben był w kostnicy, mieli zidentyfikować jego ciało, a później odebrać go, by przygotować pochówek. Nie wyobrażała sobie tego. Gdy wypili kawę, Jake zadzwonił do Johna Holbrooka w Chicago, by poinformować go o tragedii. Sarah przekazała wieści matce Anny, Elizabeth. Podczas rozmowy obie kobiety długo płakały, a później Elizabeth poszła powiedzieć o wszystkim Annie. Zdecydowały, że kobieta osobiście powie o tragedii Peterowi. Mógł się u nich zatrzymać do czasu powrotu do Chicago. Była pewna, że gdy tylko wypuszczą go ze szpitala, będzie chciał zobaczyć się z rodzicami Bena, ale oni mieli dość własnych zmartwień z planowaniem pogrzebu syna. Wiedzieli, że śmierć Bena będzie okrutnym ciosem również dla Petera, że sam będzie musiał znieść ogromne cierpienie – nie tylko ze względu na utratę drogiego przyjaciela, ale też przez poczucie winy, że on przetrwał powódź, a Benowi się to nie udało.

Gdy Anna dowiedziała się o wszystkim od matki, rozpłakała się, nie mogąc w to uwierzyć. Rodzice Petera byli załamani. Czekali na uruchomienie lotnisk, by móc zabrać syna do domu, a teraz mieli jeszcze jeden powód przylotu do Nowego Jorku. Chcieli razem z Peterem wziąć udział w pogrzebie Bena.

Huragan okazał się koszmarem dla rodziny zmarłego chłopca. Adam był niepocieszony i nie mógł przestać płakać. Starszy brat był jego bohaterem, a teraz nagle zniknął z jego życia. Rodzice Bena na wpół żywi błąkali się po mieszkaniu, próbując zdecydować, co dalej robić. Ledwie mogli myśleć, gdy wchodzili do pokoju syna i siadali na jego łóżku. Nie potrafili sobie wyobrazić, że już nigdy nie wróci do domu.

*

Gdy Peter obudził się na oddziale ratunkowym, przy jego łóżku stała matka Anny. Poprzedniej nocy przenieśli go z korytarza i umieścili w małej oddzielonej części sali w głębi oddziału. Elizabeth patrzyła na niego smutno i poważnie. Ogarnęła go panika, że coś się stało Annie, ale kiedy ostatni raz rozmawiali, nic jej nie było. Obiecała, że tego ranka przyjedzie, żeby się z nim zobaczyć. Mama powiedziała jej, że Peter musi odpocząć po tym, co przeszedł poprzedniego dnia. Kiedy usłyszeli o śmierci Bena, Elizabeth postanowiła przyjechać sama. Anna, rozbita, pozostała w domu.

– Czy z Anną wszystko w porządku? – spytał, unosząc się na łóżku.

Elizabeth skinęła, patrząc na niego, a jej oczy zaszły łzami.

– Nic jej nie jest... dziś rano znaleziono Bena – powiedziała zbolałym głosem, delikatnie ujmując jego dłoń.

– W którymś szpitalu w mieście?

Ogarnęły go równocześnie panika i nadzieja.

– Parę przecznic od mieszkania. Przypuszczają, że nurt go tam pociągnął. Uderzył się w głowę i utonął.

Jego ciało znaleziono między dwoma przewróconymi samochodami na chodniku, ale kobieta to przemilczała. To, co mu powiedziała, było wystarczająco trudne.

– O Boże! – westchnął, równie przerażony i zrozpaczony.

Elizabeth przytuliła go i oboje się rozpłakali.

– Lekarz powiedział, że mogę zabrać cię do domu. Możesz u nas zostać, dopóki twoi rodzice nie przylecą z Chicago. Dziś rano rozmawiałam z twoją mamą. Przybędą tu jak najszybciej.

– Chcę się zobaczyć z jego rodzicami i Adamem – oświadczył zrozpaczony Peter.

Chciał im wyjaśnić, jak to się stało, powiedzieć, że próbował szukać przyjaciela i mówił ratownikom, by po niego wrócili. Nie chciał, by myśleli, że o nim zapomniał. Wyjaśnił to jeszcze raz Elizabeth, a ona skinęła głową. Wierzyła mu.

– Zrobiłem wszystko, co mogłem, żeby go odnaleźć.

Elizabeth miała świadomość, że być może Ben nie żył już w momencie, gdy ratownicy wyciągali Petera z wody. Prawdopodobnie umarł bardzo szybko. Powiedziała to Peterowi, gdy czekali na wypis.

– Przykro mi z powodu twojego przyjaciela – powiedziała cicho Juliette, gdy przyszła go zbadać, zmienić mu opatrunek i podpisać formularz wypisu.

Chłopak w milczeniu skinął głową, cicho płacząc.

– Mnie także – powiedział ochrypłym głosem.

Po opuszczeniu sali włożył ubrania, które przyniosła mu matka Anny, poszedł po Mike'a i spotkał się z kobietą w poczekalni. Była równie blada i wstrząśnięta. Razem wyszli i pojechali taksówką do mieszkania, gdzie czekała na nich Anna. Ben był dla niej jak brat, nie mogła uwierzyć, że nie żyje. Gdy tylko zobaczyła Petera, wyciągnęła ręce i przylgnęła do niego. Razem opłakiwali zmarłego przyjaciela. Patrząc na nich, Mike zaczął skamleć i położył się przy nich z głową między łapami.

W domu panowała ponura atmosfera. Peter zjadł coś, a potem natychmiast pojechał taksówką razem z Anną do mieszkania Weissów. Rodzina dopiero co wróciła z kostnicy, gdzie zidentyfikowali ciało Bena. W milczeniu siedzieli w kuchni z wyrazem oszołomienia na twarzach, gdy Anna i Peter weszli do środka z psem. Mike ucieszył się na ich widok. Adam miał astmę i nie mógł za bardzo się do niego zbliżać, ale i tak go kochał. Ben przygarnął Mike'a, gdy przeprowadził się do mieszkania – wcześniej nie mógł mieć psa ze względu na brata. Teraz jednak Peter chciał zwrócić im Mike'a. Uważał, że to oni powinni się nim zaopiekować, przez pamięć o synu. Adam przytulił się do zwierzaka i zaczął łkać. Na ten widok Peter również się rozpłakał.

Rodzice Bena uścisnęli Petera i wysłuchali jego wyjaśnień. Chłopak opowiedział, co się stało, dlaczego się nie ewakuowali i natychmiast przyznał, że to był błąd, ale wtedy myśleli, że nie muszą tego robić. Wytłumaczył, jak poprzedniego ranka wydostali się z budynku, obawiając się, że może się zawalić. Woda wydawała się mniejszym złem, a teraz Peter wiedział, jak bardzo się mylili.

– Nie mogłeś tego wiedzieć – powiedział ciepło Jake Weiss, obejmując chłopca. – Obaj robiliście, co się dało w tej sytuacji. Sam pewnie postąpiłbym tak samo. Poczekałbym, aż zrobiłoby się bardzo źle, a potem uciekał.

– Powinniśmy byli pojechać z Anną na Górny Manhattan i zatrzymać się w jej domu – przyznał Peter.

Po jego policzkach spływały łzy, a Anna patrzyła na niego, siedząc obok. Wiedział, że do końca życia będzie żałował tej decyzji.

– Nikt się nie spodziewał, że huragan będzie aż tak gwałtowny – stwierdził smutno Jake. – Ben miał szansę przeżyć. Tobie się to udało. Nie można było wszystkiego przewidzieć.

Próbował powiedzieć coś mądrego i okazać życzliwość chłopcu, którego zadręczały wyrzuty sumienia, że przeżył.

– Cieszymy się, że żyjesz – dodał łagodnie mężczyzna.

Anna i Sarah płakały, a potem poszły do sypialni Bena. Sarah chciała, by Anna zabrała coś, co należało do Bena. Adam ze zrozpaczoną miną głaskał psa, choć wiedział, że nie powinien go dotykać ze względu na alergię.

– Chcę zwrócić państwu Mike'a – powiedział cicho Peter do Jake'a, gdy kobiety wyszły z kuchni. – Powinien zostać tutaj. Ben by tego chciał. Kochał go.

– Wiem, że tak było, ale nie możemy go zatrzymać ze względu na Adama. Myślę, że Ben chciałby, byś ty się nim zaopiekował. Możesz go zachować jako cząstkę przyjaciela, część waszego wspólnego życia.

To życie skończyło się bezpowrotnie. Ben nigdy nie wróci na uniwersytet, nie skończy studiów, nie dorośnie, nie ożeni się i nie będzie miał dzieci. Przez cały ranek o tym myśleli. Zakończył życie w wieku dwudziestu jeden lat, gdy dopiero wkraczał w dorosłość. W ich sercach na zawsze miał pozostać młody, zdrowy i pełen życia – taki, jakim był w dniu swojej śmierci.

– Powinieneś zatrzymać Mike'a i zabrać go ze sobą do Chicago, jeśli rodzice ci na to pozwolą – dodał Jake.

Peter wiedział, że się zgodzą. Mieli w domu golden retrievera i uwielbiali psy. Ojciec był zachwycony Mikiem, gdy widział go w mieszkaniu chłopców.

– Nie będą mieli nic przeciwko – stwierdził Peter ze łzami w oczach.

Był wzruszony, że podarowano mu psa, którego ocalił i którego kochał, odkąd go poznał.

– Myślisz, że wrócisz tu z Chicago? – spytał smutno Jake.

To był koniec pewnej epoki. Uniwersytet miał być zamknięty przez wiele miesięcy, a on przypuszczał, że wspomnienia huraganu i tragedii będą dla Petera zbyt bolesne, by wrócić do Nowego Jorku.

– Nie wiem – odparł szczerze chłopiec. – Nie wiem, co teraz zrobię. – Wszystko było dla niego zbyt nowe i świeże, by podejmować decyzję. – Rodzice chcą, bym na jakiś czas pojechał do domu.

– Myślę, że to dobry pomysł – stwierdził Jake.

Peter opadł w jego ramiona i zaczął łkać.

– Tak mi przykro... Tak mi przykro, że nie mogłem go uratować... Nie wiedziałem, gdzie popłynął, nigdzie go nie widziałem. Zobaczyłem tylko przepływającego Mike'a. Gdybym znalazł Bena, też bym go uratował.

– Wiem o tym – odparł mężczyzna, również płacząc.

Po chwili do kuchni wróciły dwie kobiety – przyjaciółka Bena z dzieciństwa i jego matka.

Zostali jeszcze trochę, Peter ucałował wszystkich na pożegnanie, a potem razem z Anną i Mikiem wrócili taksówką do mieszkania dziewczyny. W samochodzie chłopak milczał wyczerpany emocjami po spotkaniu z rodzicami Bena i Adamem. Nawet Mike siedział cicho na podłodze taksówki, u jego stóp. Zachowywał się, jakby wiedział, że dzieje się coś złego i jakby sam był w żałobie po Benie. Peter nie widział dotąd, by pies był tak cichy. Kiedy wrócili do rodziców Anny, dwójka przyjaciół długo siedziała razem, rozmawiając o Benie i o wszystkim, co się wydarzyło. Podobnie jak wszyscy studenci NYU, Anna również miała przerwę do końca semestru. Nie zastanawiała się jeszcze, co będzie w tym czasie robić. Może nic.

Nagle romantyczna atmosfera między nimi prysła, choć byli razem prawie od dwóch lat. Czuli jednak, że w swojej obecności nie mogą zapomnieć o stracie Bena.

– Czy między nami wszystko skończone? – spytała go łagodnie, gdy nikogo nie było w pobliżu.

To pytanie dręczyło ją, odkąd tego ranka dowiedzieli się o śmierci Bena. Chciała teraz być z Peterem, by mogli być dla siebie nawzajem oparciem. Ich związek wydawał się jednak zbyteczny, niewłaściwy. To był czas żałoby, a nie miłości.

– Nie wiem – odparł, chcąc być wobec niej równie szczery, jak wobec rodziców Bena, gdy opowiadał im o ucieczce z mieszkania. – Teraz wydaje się to dziwne, prawda? – przyznał, patrząc na nią smutno.

Było im razem dobrze, ale teraz miał wrażenie, że ich miłość należy do dalekiej przeszłości, do czasu, który spędzili razem z Benem i który nie mógł trwać bez niego. Stracili zbyt wiele.

– Mnie też się takie wydaje – zgodziła się.

Była zdezorientowana tym, że tak nagle dla obojga wszystko się skończyło. Gdy to zrozumiała, sądziła, że tylko ona to czuje, teraz jednak wiedziała, że Peter myśli tak samo.

– Będzie ci przeszkadzało, jeśli tu zostanę? – spytał ostrożnie, czując się przy niej niezręcznie.

– Oczywiście, że nie. Gdzie indziej miałbyś pójść?

Już wcześniej sypiał w mieszkaniu jej rodziców.

– Moi rodzice przylecą tu za parę dni, kiedy zostaną uruchomione lotniska. Gdy dotrą do Nowego Jorku, mogę zatrzymać się z nimi w hotelu.

Datę pogrzebu ustalono na piątek. Chłopiec cieszył się, że nie poprosili go o przemowę. Wiedział, że nie zdołałby jej wygłosić. Samo przyjście na uroczystość było dla niego wystarczająco trudne.

Elizabeth zamówiła dla wszystkich pizzę. Peter zjadł obiad razem z Anną i jej koleżankami, a potem one obejrzały film. Chłopak wolał położyć się spać. Był wyczerpany. Nikt nie skomentował paskudnej szramy na jego ręce, kiedy zdjął bandaż. Wszyscy doskonale wiedzieli, w jaki sposób się zranił. Mike położył się obok łóżka Petera w pokoju gościnnym, a on opuścił dłoń, by dotknąć psa. Należał teraz do niego – był darem od Bena i jego rodziców. Peter wolałby, żeby tak nie było, żeby Mike wciąż należał do przyjaciela, by chłopak wrócił, by go odzyskać. Przewrócił się na bok i spojrzał na zwierzę, znów mając w oczach łzy.

– Przykro mi, piesku – powiedział łagodnie. – Ja też za nim tęsknię.

Mike zaskamlał i polizał go po ręce, a potem położył głowę na łapach. Obaj myśleli o utraconym przyjacielu, o chłopcu, którego tak bardzo kochali.

We wtorek wieczorem wszyscy poważnie chorzy lub ranni pacjenci, a także ci umiarkowanie chorzy, trafili do innych szpitali. Oddział ratunkowy nie miał wystarczającej liczby generatorów, by w pełni funkcjonować, i musieli polegać na urządzeniach na baterie. Osoby z drobnymi dolegliwościami były wypisywane do domu. Oddział wciąż był przepełniony, bo ciągle napływali nowi pacjenci, ale nie panowała już taka szalona atmosfera jak poprzednio. Wszyscy pracownicy byli na miejscu, a urlopy zostały anulowane. Juliette przybyła tu, zanim jeszcze zaczął się huragan. Spała w schowku, a na drugim łóżku polowym leżał zazwyczaj inny rezydent albo pielęgniarka. Teraz zasnęłaby nawet na podłodze dworca kolejowego. To już nie miało znaczenia, dałaby radę spać na stojąco. Wystarczało jej parę godzin odpoczynku w schowku, chociaż tęskniła za psem, odkąd Peter zabrał go ze sobą. Było jej bardzo smutno, gdy patrzyła na jego rozpacz po śmierci przyjaciela, jednak nie było to dla niej zaskoczeniem. Słyszała już zbyt wiele podobnych historii, wiedziała, że Peter długo nie będzie mógł się pozbierać. Prawdopodobnie nigdy nie otrząśnie się z tej traumy. Razem z innymi lekarzami mogła przywracać pacjentom zdrowie fizyczne, ale reakcje ocalałych na doświadczenia były trudniejsze do uleczenia i przewidzenia.

O dwudziestej drugiej miała przerwę na kolację, gdy pojawił się Sean Kelly, by sprawdzić, czy wszystko w porządku i zorientować się co do liczby pacjentów oraz przyczyn ich hospitalizacji. Musiał uwzględnić takie statystyki w raporcie dla Federalnej Agencji Zarządzania Kryzysowego. Codziennie odkrywano coraz więcej przypadków śmiertelnych. Znajdowano zwłoki w mieszkaniach, na ulicach, w piwnicach i garażach. Byli to głównie starsi ludzie i dzieci – ofiary utonięcia – ale także dorośli, którzy próbowali uciekać wpław, zostali w domach zbyt długo albo usiłowali uratować kogoś innego, nie mając takiej możliwości, umiejętności czy sprzętu. Jak zawsze wielu ludzi wykazało się bohaterstwem, a w telewizji opowiadano ich godne podziwu historie. Juliette zaczynała się czuć, jak gdyby huragan Ofelia od zawsze był częścią ich życia. Teraz rozmawiali i myśleli tylko o tym.

– Byłaś w domu po uderzeniu huraganu? – spytał Sean, gdy szli razem korytarzem, a ona podawała mu liczbę pacjentów.

– Nie. Od paru dni nie opuściłam oddziału – odparła. – To bez znaczenia. Jeśli mieszkanie jest zalane, pewnie panuje tam potworny nieład, ale już wcześniej nie było się czym chwalić.

Uśmiechnęła się do niego, a on się roześmiał. Domyślił się, że dbanie o dom nie należało do jej umiejętności. Za bardzo poświęcała się pracy i była na niej zbyt skoncentrowana, by mogło ją obchodzić coś innego, choćby mieszkanie. Rezydenci na oddziale ratunkowym mieli nieludzkie godziny pracy i ważniejsze sprawy na głowie. Wyczuł, jakim lekarzem jest Juliette.

– Sam mam podobne podejście – przyznał. – Gdyby moje mieszkanie zostało zbombardowane, chyba bym tego nie zauważył.

Roześmiała się, słysząc jego słowa – to była ich wspólna cecha.

– Gdzie mieszkasz? – spytał ciekawie.

– Parę przecznic stąd, na Dwudziestej Ulicy. Wybrałam mieszkanie ze względu na wygodę, a nie walory estetyczne. Bywam w nim tylko po to, by się przespać.

Chyba jej to odpowiadało.

– O tym właśnie mówiłem. Jesteś nałogowcem kryzysów. Tak samo jak ja i wszyscy w tej branży. To nic złego. Myślałaś kiedyś o tym, żeby zacząć życie osobiste?

Głośno się roześmiała, słysząc jego pytanie.

– Chyba zrobię to dopiero na emeryturze. W dzieciństwie nigdy nie widywaliśmy ojca. Ciągle jeździł do porodów. A oddział ratunkowy to jeszcze większe szaleństwo. Pewnie będę miała dzieci po pięćdziesiątce albo sześćdziesiątce.

Przyglądał jej się z uśmiechem. Była ładną kobietą. Wyglądałaby jeszcze lepiej w zwykłych ubraniach, umalowana i uczesana – ale tym pewnie też nigdy się nie przejmowała.

– Słyszałem, że można pogodzić jedno z drugim – stwierdził smutno. – Można mieć własne życie i pracować w służbach ratunkowych.

– Naprawdę? Daj mi znać, kiedy rozgryziesz, jak to zrobić.

Wiedziała jednak, że niektórzy z rezydentów mają małżonków – zazwyczaj byli to lekarze pracujący równie ciężko, jak oni, więc nigdy się z nimi nie widywali. Wiedziała też, że wielu lekarzy pracujących na stałe na oddziale zdradza żony z pielęgniarkami lub lekarkami. Sama nie chciała takiego życia.

– Chodzisz na randki? – spytał jeszcze bardziej zaciekawiony, kiedy dotarli do stołówki.

Najwyraźniej nie miało dla niej znaczenia, że nie ma życia osobistego – chyba się z tym pogodziła. Uważał, że jest na to za młoda, ale sam też był młody. Miał trzydzieści pięć lat i od czterech lat nie był w poważnym związku. Jego życie kręciło się wokół kolejnych klęsk żywiołowych, między którymi nie znajdował wytchnienia.

– Czasami. Przez chwilę spotykałam się z głównym rezydentem oddziału. Straszny z niego bydlak.

Nie wiedziała, czemu mówi o tym Seanowi, ale dobrze się z nim rozmawiało, a poza tym spytał ją o to.

– Aha, no tak – stwierdził z uśmiechem. – Sam mam za sobą parę takich związków. Nasza praca nie daje za wiele czasu, by się rozejrzeć.

Jego następne pytanie ją zaskoczyło.

– Kiedy już coś zjesz, może chciałabyś pojechać ze mną do swojego mieszkania, żeby się rozejrzeć i ocenić szkody? Masz na to czas? Mógłbym szybko odwieźć cię z powrotem i w razie potrzeby pomóc.

Wzruszyła ją jego życzliwość.

– Byłoby miło. Trochę się boję, co tam znajdę.

– Być może zdołasz uratować coś, co później byłoby nieodwracalnie zniszczone. Pewnie przez jakiś czas będziesz pracować na dwie zmiany.

Skinęła głową, zgadzając się. Powiedziała, że kupi w stołówce kanapkę – i tak nie mieli teraz żadnych innych posiłków. Przywieziono kolejne generatory do zasilania lodówek, by zapewnić jedzenie pracownikom i pacjentom. Juliette powiedziała, że będzie gotowa do wyjścia za pięć minut. Zaczekał na nią i po chwili wyszła za nim na zewnątrz z zapakowaną kanapką w kieszeni. Jego służbowa ciężarówka z lampą ostrzegawczą na dachu stała zaparkowana przy krawężniku. Wsiadła obok niego i podała mu adres.

– Jak to się stało, że trafiłaś tu z Detroit? – spytał, gdy przemierzali krótką drogę do jej mieszkania.

Wcześniej wspomniała mu, skąd pochodzi, i już zdążyła o tym zapomnieć.

– W Chicago nie dostałam się na wymarzony staż – odparła szczerze. – Tutaj trafiła mi się świetna praktyka, więc ją przyjęłam. Wszystko dobrze się ułożyło. Lubię Nowy Jork. A ty? Gdzie dorastałeś?

– W Nowym Jorku, w dzielnicy Queens. Jestem miejscowy, może dlatego tak bardzo mi zależy na tym mieście i jego mieszkańcach.

Wiedziała, że praca obojga wymaga zaangażowania wobec ludzi, troski o nieznajomych w niebezpieczeństwie lub ekstremalnej sytuacji.

Właśnie dotarli do jej mieszkania, więc wyjęła z portfela klucze. Sean zaparkował ciężarówkę i poszedł za nią do środka. Budynek wyglądał przygnębiająco, a jej mieszkanie było na parterze. To nie wróżyło dobrze w kwestii szkód po powodzi, chociaż mieszkała dość daleko od rzeki, więc być może los ją oszczędził.

Mężczyzna zabrał ze sobą mocną latarkę, by mogli się rozejrzeć – cały Dolny Manhattan był wciąż odcięty od prądu. Sean widział na podłodze ubrania i drewniaki, stertę książek medycznych na stole. Miała niepościelone łóżko i żadnych dekoracji na ścianach.

– Widzę, że twoje mieszkanie wykańczała Martha Stewart – rzucił żartobliwie.

Na stole stały duża misa na owoce, a w niej leżały dwa stetoskopy, i kuchenna miska pełna próbek medycznych. Juliette rozglądała się wokół, zaskoczona, że nic nie zostało zniszczone.

– Wygląda mniej więcej tak, jak je zostawiłam – stwierdziła, z zażenowaniem zgarniając stertę szpitalnej odzieży, wrzucając ją do kosza na pranie w łazience i próbując poukładać chodaki.

– Czy w ogóle tu bywasz? – spytał ją Sean.

Był zszokowany tym, w jak spartańskich warunkach mieszkała. Było gorzej, niż się spodziewał. Wyglądało na to, że kobieta tylko tutaj sypia i rzeczywiście tak było. Zajrzeli do lodówki, ale nie było w niej nic z wyjątkiem wyschniętej cytryny i dietetycznej coli.

– Jeśli nie muszę, to nie – odpowiedziała na jego pytanie ze śmiechem. – Tylko tu sypiam, a jeśli mam czas, zmieniam pościel. Gdy mam za krótkie przerwy między dyżurami, śpię w szpitalu. Nigdy nie jadam w domu.

– Jesteś jeszcze gorsza niż ja – stwierdził. – W mojej lodówce są dwie puszki coli i woda mineralna. Nie mam za to cytryny. Ale chyba w zamrażarce tkwi trzyletnia pizza. – Potem ku jeszcze większemu zaskoczeniu Juliette spytał: – Może chciałabyś czasem zjeść ze mną kolację? Taką prawdziwą, a nie moją starą pizzę. Chyba obojgu nam się to przyda.

Uśmiechał się do niej w upiornym świetle latarki.

– Bardzo chętnie – odparła łagodnie.

Mimo to nie wyobrażała sobie, by któreś z nich zdołało wytrwać w związku. To nie należało do ich obowiązków zawodowych, ale mogli zostać przyjaciółmi.

– Czy poza pracą ubierasz się dziewczęco?

– Ostatnio wystroiłam się na pierwszą komunię. Miałam białą sukienkę z organdyny. Poza tym bratowa dała mi na Boże Narodzenie komplet bielizny z Victoria's Secret – dodała, co go rozbawiło. – Do tej pory nie oderwałam metek.

– Chyba byśmy do siebie pasowali – powiedział bezpośrednio, gdy szykowali się do wyjścia.

W mieszkaniu nie mieli co robić, ale miał rację, zabierając ją tutaj – ulżyło jej, gdy zobaczyła, że nie jest zalane i że nie straciła swojego skromnego dobytku. Nie chciałaby, żeby utonęły jej książki medyczne czy nawet ulubione chodaki. Dopiero po dwóch latach były rozchodzone.

– Skąd to wiesz? Nie wolałbyś się spotykać z dziewczyną, która nosi normalne ubrania, obcasy i się maluje? Ja czekam z tym do końca stażu. Nie lubię, kiedy podczas pracy coś mnie rozprasza.

To była prawda. Poza tym związki nigdy nie wydawały jej się równie ciekawe, jak studia medyczne.

– Może oboje potrzebujemy własnego życia – powiedział, uważnie jej się przyglądając.

– To prawda – zgodziła się.

Polubiła Seana. Podobała jej się jego szczerość, zawód, który wybrał, to, że był skromny, a nie zadufany w sobie jak Will Halter z oddziału ratunkowego.

– Ale dlaczego ja? – spytała.

Co takiego w niej widział? Nie potrafiła tego zrozumieć. Nigdy nie uważała się za *femme fatale*, czy nawet za szczególnie pociągającą kobietę. Tak bardzo przywykła do pracy z mężczyznami, że już nie myślała o nich jako o potencjalnych partnerach. Byli po prostu współpracownikami i kumplami, znała wszystkie ich wady.

– Odpowiedź jest prosta – stwierdził, gdy zamykała drzwi i chowała klucze w kieszeni lekarskiego fartucha, który włożyła na szpitalną odzież. – Jesteś piękna, bystra i życzliwa. Taka mieszanka jest nie do przebicia i trudno ją znaleźć – dodał, gdy wsiedli z powrotem do jego auta.

– Trudno też znaleźć miłych i mądrych facetów – odpowiedziała z uśmiechem, gdy przekręcał kluczyk w stacyjce. – Większość lekarzy ma wybujałe ego. Nie potrafię traktować ich poważnie, nie mam też ochoty przebywać z nimi choćby przez pięć minut.

Domyślała się, że pomimo urody Sean jest inny. Jednak podobnie jak ona sama, był nieświadomy swojej atrakcyjności.

– To jak? Zjemy razem kolację, kiedy sprawy się trochę uspokoją? – spytał, gdy jechali z powrotem do szpitala.

– Pewnie, czemu nie? Daj mi znać wystarczająco wcześnie, żebym mogła pożyczyć sukienkę od którejś z pielęgniarek – zażartowała, a on potrząsnął głową.

– Nie, podobasz mi się taka, jaka jesteś. Nie musisz się trudzić. Wyglądasz świetnie w szpitalnej odzieży – dodał. – Wystarczy, że włożysz bieliznę od bratowej, gdybyśmy mieli się bliżej poznać.

Pomimo luźnych ubrań dostrzegał, że Juliette ma świetną figurę.

– Może ten komplet czekał właśnie na ciebie, a ja o tym nie wiedziałam – rzuciła figlarnie, a potem odwróciła się do niego, gdy zaparkował przed oddziałem. – Czy to nie byłoby dziwne, gdyby wydarzyło nam się coś dobrego wskutek tego potwornego huraganu, który zniszczył życie tak wielu ludziom? Może jest w tym jakieś błogosławieństwo. Od lat nie myślałam o życiu osobistym.

– Ja też nie. Gdy cię spotkałem, to było jak przebudzenie. Przypomniałem sobie, że mam trzydzieści pięć lat, a my jeszcze żyjemy. Pomagamy ludziom przetrwać katastrofy, ale sami mamy prawo do odrobiny radości. Myślisz o tym czasem?

– Nie, ale chyba oboje powinniśmy – odparła poważnie. – To cudze tragedie, nie nasze. Byłoby dobrze trochę się razem pobawić.

– To rozumiem.

Uśmiechnął się. Choć miał wielką ochotę ją pocałować, nie zrobił tego. Chciał, by to było dla nich obojga wyjątkowe i znaczące wydarzenie, a nie błahostka – a teraz tak właśnie by było.

– Jutro przyjdę cię odwiedzić – obiecał, gdy wyskoczyła z samochodu i uśmiechnęła się do niego.

– Dziękuję. Było mi bardzo miło. Dzięki, że pomogłeś mi zajrzeć do mieszkania. Postaram się pamiętać, żeby kupić świeżą cytrynę, kiedy znów mnie odwiedzisz.

– Wspaniale!

Pomachała do niego i weszła z powrotem do szpitala. Sean odprowadził ją wzrokiem. Nigdy dotąd nie umawiał się z kobietą, z którą pracował, ale zawsze mógł być ten pierwszy raz. W chwili, gdy na nią spojrzał, wiedział, że jest w niej coś wyjątkowego. Teraz był pewien, że się nie pomylił.

– Gdzie ty się podziewałaś? – spytała Michaela, kiedy Juliette weszła do szpitala.

Lekarka wróciła z przerwy dwadzieścia minut później, niż powinna, co rzadko jej się zdarzało.

– Pojechałam sprawdzić, co z moim mieszkaniem – odparła Juliette, wyciągając z kieszeni kanapkę i wgryzając się w nią przed powrotem do pracy.

– Jak wygląda? – spytała zmartwiona Michaela, gotowa okazać współczucie, gdyby było zniszczone.

– Tak samo źle, jak przed huraganem, ale nie gorzej. Było zupełnie suche. Kiedy będę miała trochę wolnego czasu, muszę w końcu zrobić pranie. Na podłodze leżało chyba piętnaście kompletów odzieży szpitalnej.

Pielęgniarka roześmiała się i potrząsnęła głową.

– Może po prostu je wyrzucisz i weźmiesz nowe? Nikomu nie zrobi to różnicy.

– Świetny pomysł! – zawołała Juliette.

Wyrzuciła resztę kanapki, sięgnęła po kartę pacjenta i ruszyła przed siebie korytarzem. Uśmiechała się do siebie, myśląc o Seanie. Cieszyła się na ich randkę, o ile kiedykolwiek uda im się znaleźć na nią czas. Miała jednak nadzieję, że się umówią. Był fajny. Zaczęła się zastanawiać, gdzie jest bielizna z Victoria's Secret i czy jej nie oddała. A może ją zachowała i teraz leży pod stertą innych rzeczy? Postanowiła na wszelki wypadek jej poszukać.

Rozdział 7

Hotel, który Charles znalazł dla Giny i dzieci, okazał się lepszy, niż się spodziewał. Był niewielki i niezbyt elegancki, nie był też tak przyjemny, jak mieszkanie wynajmowane przez Ginę na Lower East Side za jej własne pieniądze oraz te, które jej pożyczył. Teraz jednak zaspokajał ich potrzeby. Gina nie wróciła jeszcze do mieszkania, nie wiedziała też, czy policja ją tam wpuści. Wiele obszarów uznano za niebezpieczne i niedostępne. Nie była pewna, czy wśród nich jest jej okolica, a Charles i tak nie chciał, by teraz tam jechała. Na Dolnym Manhattanie wciąż panował chaos. Nie włączono jeszcze prądu, musiałaby więc oglądać szkody po ciemku, podobnie jak wiele innych osób. Powiedział, że jej pomoże, kiedy będą pewni, że jest bezpiecznie.

Hotel, w którym się zatrzymali, był położony na wschodzie, za Pięćdziesiątą Ulicą. Znajdowali się niedaleko Central Parku, więc Charles zabierał tam Ginę i dziewczynki, by się pobawiły i pospacerowały wokół zalewu, który uwielbiały. Napili się nawet herbaty w Plazie, dzieciom kupił książeczkę o Eloise. Gina nie była tym zaskoczona – zawsze był dobrym ojcem, choć dla niej był za mało interesujący. Kiedy osiem lat temu się pobrali, została zmuszona do życia, na które nie była gotowa i którego wtedy nie chciała. Jednak po roku spędzonym z Nigelem w Nowym Jorku nie była już tak bardzo zachwycona życiem w pośpiechu jak wtedy, gdy poznała Charlesa. Na ludziach z ich otoczenia nie mogła polegać – Nigel właśnie jej to udowodnił.

Wszystkie posiłki z inicjatywy Charlesa jedli w restauracjach. Mężczyzna wymyślał zabawy dla dzieci i opiekował się nimi, gdy Gina szła na zakupy. Ciągle martwiła się o Nigela, chociaż była na niego zła. Odkąd przyszedł się z nią spotkać w schronisku, nie odezwał się do niej. Trochę ją to irytowało, a trochę niepokoiło ze względu na zagrożenia w Red Hook, o których mówiono w wiadomościach. Wolałaby, żeby się z nią skontaktował. Sama próbowała się do niego dodzwonić, ale tam, gdzie przebywał, nie było zasięgu.

Charles dotrzymał słowa – spał na podłodze w pokoju hotelowym i nie narzekał na to. Zaproponowała mu, że będą się zmieniać co drugą noc, ale on przywiózł śpiwór i mówił, że jest mu wygodnie na podłodze. Kupił też dżinsy i luźne koszule na spacery z dziećmi. Nie chciał wyglądać idiotycznie w garniturach, które zabrał na biznesowe spotkania. Gina jak zwykle wyglądała zjawiskowo we wszystkim, co na siebie włożyła – teraz były to głównie T-shirty, podkoszulki na ramiączkach, minispódniczki i obcisłe dżinsy. Nawet w szmatach wyglądałaby wspaniale. Mężczyzna zaniepokoił się, kiedy zobaczył, że zrobiła sobie tatuaż na plecach. Był to kwiatek, ale Charles nie przepadał za tatuażami. Kiedy go zobaczył, nic nie powiedział. Nie była już jego żoną, o czym musiał sobie stale przypominać, gdy razem wychodzili z hotelu. Czasem, kiedy byli z dziewczynkami, czuł się tak samo jak wtedy, gdy stanowili rodzinę. Musiał znów wracać do myśli, że są po rozwodzie, a ona kocha kogoś innego.

Pomimo tego jednej nocy, gdy dziewczynki spały, spytał ją, czy nie zgodziłaby się wrócić na kilka tygodni do Anglii. Nie chodziło mu o to, by ratować małżeństwo – wiedział, że ona tego nie chce, i widział wyraźnie, że wciąż kocha Nigela, niezależnie od tego, czy był tego wart. Chciał jednak, by z nim wróciła, by razem z dziewczynkami mogła pozbierać się po traumatycznych przeżyciach i uniknąć chaosu, jaki ogarnął Nowy Jork po huraganie.

– Chodzi mi tylko o to, żebyście miały trochę wytchnienia. Ich szkoła i tak będzie zamknięta do Bożego Narodzenia.

Urządzono w niej schronisko dla ofiar huraganu, więc do stycznia dziewczynki miały przerwę.

– Nie wiem – odparła Gina zaskoczona. – Być może. Mimo wszystko chciałabym być tu z Nigelem – dodała szczerze. – Nie chcę po prostu uciekać i go porzucać.

Jednak Nigel właśnie to zrobił jej i dzieciom, nawet nie próbował sprawdzić, co się z nią dzieje. Charles podejrzewał, że Nigel myśli tylko o sobie. Gina i jej córki nie należały do jego priorytetów.

– Pomyśl o tym – powiedział niezobowiązująco Charles. – Nie mam żadnych ukrytych motywów. Po prostu myślę, że dobrze to zrobi tobie i dziewczynkom, a ja bardzo bym chciał, by były ze mną w Londynie przez parę tygodni, zanim życie w Nowym Jorku wróci do normy.

– Może mogłyby z tobą wrócić – zastanowiła się Gina. – Zobaczymy, co powie Nigel, kiedy znów się do mnie odezwie.

Charles skinął głową, chcąc być wobec niego w porządku, choć go nie znosił i nie szanował. Jego zachowanie w schronisku było żałosne, ale mężczyzna nic nie powiedział. Zaczął się zastanawiać, kiedy Nigel znów się pojawi. Chyba nie spieszyło mu się do kontaktu z Giną, uznał, że kobieta potrafi o siebie zadbać. Charles uświadomił sobie, że pewnie to prawda, ale czemu miałaby być do tego zmuszona, skoro Nigel ją kochał? Poglądy Charlesa na ten temat były o wiele bardziej tradycyjne. A jednak to mężczyźni tacy jak Nigel pociągali Ginę. Chociaż Charles widział, że jest zła na Nigela za brak kontaktu po huraganie, dostrzegał też, że nie jest gotowa spisać go na straty. Chociaż on zauważał jego wady, liczyło się tylko to, co myśli o nim Gina.

Pierwszy poranek w mieszkaniu Jima Ellen spędziła, dzwoniąc do ubezpieczyciela matki i opisując szkody. Obiecano, że gdy tylko będą w stanie, przyślą na miejsce rzeczoznawcę, by ocenił straty. Być może jednak będą musiały trochę na to poczekać. Wszyscy mieszkańcy Dolnego Manhattanu dzwonili do swoich firm ubezpieczeniowych, by oszacowano zniszczenia. Ale teraz przynajmniej już czekały w kolejce. Ellen zadzwoniła też do agenta nieruchomości, którego znała Grace. Powiedziała, że będą potrzebować na kilka miesięcy tymczasowego umeblowanego mieszkania. Grace wciąż była zdecydowana naprawić szkody – choćby miało to zająć bardzo dużo czasu – a potem wrócić do Tribeki. Ellen liczyła, że w ciągu najbliższych dni zdoła ją przekonać do zmiany zdania. Nie chciała, by matka ryzykowała, że za trzecim razem – za dwa, pięć czy dziesięć lat – huragan zmiecie ją z powierzchni ziemi. To było zbyt niebezpieczne i stresujące. Uważała, że nadszedł czas na rozsądną decyzję i wyprowadzkę z pierwszej strefy, ale wiedziała, że jest jeszcze za wcześnie, by poruszać ten temat. Na razie Grace potrzebowała miejsca, w którym mogłaby zamieszkać. Nie mogła w nieskończoność tkwić u Jima Aldricha. Choć był bardzo życzliwy i gościnny, prawie go nie znały, a Grace potrzebowała własnej przestrzeni życiowej. Była zbyt niezależna, by przez wiele miesięcy być czyimś gościem, nawet u najbardziej wielkodusznego gospodarza.

Agenci powiedzieli Ellen, że połowa Nowego Jorku szuka tymczasowych umeblowanych mieszkań, więc znalezienie lokalu będzie trudnym zadaniem. Mieli jednak przejrzeć dostępne oferty i skontaktować się z nią. Tymczasem Grace cieszyła się wygodami w mieszkaniu Jima i szykowała do ciężkiej pracy. Musiały wyrzucić z jej mieszkania to, czego nie dało się uratować, wysłać do konserwatorów wszystko, co można było ocalić, a resztę zawieźć do magazynu do czasu, aż w mieszkaniu znów będzie się dało żyć. Miało to nastąpić, dopiero gdy budynek stanie się bezpieczny dla mieszkańców, sieć elektryczna zostanie odbudowana, a Grace wyremontuje mieszkanie. Już raz przez to wszystko przechodziły. Obie kobiety wiedziały, że cały ten proces zajmie wiele miesięcy i będzie kosztował majątek. Grace jednak nie była tym przerażona i upierała się, że jako architekt przywykła do odnawiania domów, poza tym mogła wprowadzić jakieś zmiany. Matka Ellen uwielbiała swoje mieszkanie, dzielnicę i budynek. Pomimo nalegań córki nie była gotowa z tego wszystkiego zrezygnować.

Po lunchu Ellen i Grace spotkały się w mieszkaniu, by posprzątać, co się da. Bob pomógł im wyciągnąć śmieci na korytarz razem z pracownikiem obsługi budynku, który przeniósł rzeczy do śmietnika. Gdy zrobili sobie przerwę, Grace stała po kostki w wodzie, niewzruszona zapachem ścieków. Miała na sobie gumowe rękawice, w których podnosiła lub wyrzucała różne przedmioty. Bob powiedział, że na pewno sprzeda swoje mieszkanie, gdy już je oczyści. Wystarczały mu dwa huragany w ciągu pięciu lat.

– Mówisz poważnie? – spytała Grace zszokowana.

Już wcześniej o tym wspominał, ale mu nie uwierzyła.

– Tym razem wszyscy mogliśmy utonąć, Grace – stwierdził rozsądnie. – Jestem za stary, żeby co pięć lat zaczynać od zera.

Stracił też kilka pierwszych wydań książek i ukochanych pamiątek.

– Masz więcej energii niż ja – dodał z podziwem.

Poinformowała zespół w swojej pracowni, że nie będzie jej przez dwa tygodnie. Musiała oczyścić i zorganizować mieszkanie oraz załatwić sprawy z ubezpieczeniem. Była jednak gotowa zacząć od początku.

– To zbyt dołujące – mówił dalej Bob. – Jak życie na krawędzi wulkanu. Prędzej czy później sytuacja się powtórzy. Takie są warunki klimatyczne, planeta przechodzi zmiany, a miasta nie stać na wszystkie konieczne zabezpieczenia, które by nas tu ochroniły. Mówili o tym przez pięć lat i wprowadzono część z nich, ale nie wystarczyły. Te najważniejsze były za drogie. To jeszcze większe piekło niż Sandy. Nie mogę znów przez to przechodzić. Rozmawiałem już o tym z dziećmi. Uważają, że pozostanie tu po Sandy było szaleństwem. Ja mam już dość. Poszukam sobie mieszkania na Górnym Manhattanie. Ty powinnaś postąpić tak samo. Wiem, że Ellen się o ciebie martwi. Gdyby w noc powodzi jej tu nie było, być może byś tu została. Żadne z nas nie chce cię stracić – dodał łagodnie.

Grace się uśmiechnęła.

– Nie stracicie mnie. Wyszłabym, zanim byłoby za późno – oświadczyła z przekonaniem.

– Już prawie było za późno – przypomniał jej. – Gdyby coś ci się stało, to byłaby tragedia. Nie zawsze da się tak dobrze ocenić sytuację. Czy naprawdę chcesz ryzykować przechodzenie przez to po raz kolejny?

Rozejrzał się po mieszkaniu, a Grace przez chwilę milczała.

– Nie chcę przeprowadzać się na północ – powiedziała smutno. – Tam jest strasznie drętwo. Kiedyś tam mieszkałam i nie mam ochoty wracać. Uwielbiam Dolny Manhattan – wyznała tęsknie.

– Dla mnie jest tu zbyt niebezpiecznie – westchnął Bob.

Greenwich Village, Tribeca, SoHo – wszystkie miejsca, które uwielbiali – wyglądały jak strefa wojny i miało tak pozostać jeszcze przez długi czas. W żadnej z tych dzielnic nie było jeszcze prądu, taka sytuacja mogła potrwać kolejnych kilka miesięcy. Ich budynek był poważnie uszkodzony. Lokatorzy – nawet ci z wyższych pięter – musieli wyprowadzić się co najmniej na sześć miesięcy, na czas wymiany systemu zasilania i pozostałych instalacji.

Grace milczała, gdy tego popołudnia dalej wyrzucali rzeczy. Niektóre z nich były piękne i drogie, inne – niezastąpione.

Kanapy obite białym moherem były nieodwracalnie zniszczone, tak samo jak wspaniałe dywany i tapicerowane krzesła. Mieli zamiar wysłać je do konserwatorów, ale Ellen wiedziała, że wiele spośród drewnianych mebli, nawet antyków, jest zbyt uszkodzonych, by je naprawić. Wyrzucili mnóstwo rzeczy. Kiedy wrócili na Górny Manhattan, Grace wyglądała na zmęczoną i nieco przybitą. To było dla wszystkich przygnębiające popołudnie, a do końca sprzątania było jeszcze daleko. Ellen fotografowała wyrzucane przedmioty dla firmy ubezpieczeniowej. Smród ścieków bijący z przesiąkniętych tapicerowanych mebli był tak silny, że nie mogli ich zatrzymać do pokazania rzeczoznawcom i zaraz po zrobieniu zdjęć wyrzucali je.

Kiedy wrócili do mieszkania Jima, Grace poszła się położyć. Ellen zadzwoniła do Philippy, swojej asystentki w Londynie, by powiedzieć, co się stało. Potem Bob i Ellen poszli do kuchni na herbatę. Oboje byli wyczerpani, a kobieta martwiła się, że matka upiera się, by wyremontować mieszkanie i znów się do niego wprowadzić.

– To zbyt niebezpieczne – powiedziała zrozpaczona.

Bob się z nią zgadzał.

– Może jeszcze za wcześnie, by mogła się poddać – stwierdził z uśmiechem. – Jest bojowniczką. Nie poddaje się łatwo, ale nie jest lekkomyślna. Może w końcu zmieni zdanie. Teraz chce naprawić to, co straciła. Czasem trudno jest zostawić przeszłość za sobą – dodał zamyślony. – Długo nie potrafiłem pożegnać się z życiem, które prowadziłem w Kalifornii. Rozwiodłem się z żoną, miałem nadzieję, że przekonam ją, byśmy spróbowali jeszcze raz, ale zmarła. Chciałem tam zostać i żyć jak w grobowcu. Wtedy w końcu uświadomiłem sobie, że kurczowo trzymam się wspomnienia kobiety, która nie chciała ze mną być, nie była szczęśliwa jako moja żona i nie za bardzo mnie lubiła. Jej śmierć sprawiła, że na kilka lat wyidealizowałem ją i naszą wzajemną miłość. Teraz sam nie wiem, czy kiedykolwiek się kochaliśmy. Nasze małżeństwo od samego początku było nieudane. W końcu się od tego odciąłem, sprzedałem dom, pozbyłem się wszystkiego i przeniosłem tutaj. Kiedy to zrobiłem, stałem się o wiele szczęśliwszy. Niekiedy marnujemy bardzo dużo czasu, płacząc za czymś, czego nigdy nie mieliśmy. Najtrudniejsze jest to, że mieszkam daleko od dzieci. Wolą Kalifornię, ale przecież są dorosłe i mają własne życie. Oboje mieszkają w Los Angeles. Syn jest producentem filmowym, a córka prawnikiem w branży rozrywkowej. Gdybym tam mieszkał, tylko bym ich irytował, ciągle czekając na spotkanie z nimi. W Nowym Jorku mam własne życie i jest mi o wiele lepiej. Tutaj mam co robić. Gdy mieszkałem w Los Angeles, nie przepadałem za tym miastem, choć moje dzieci je lubią. Ale dzieci nie mogą nas ograniczać. Gdy dorosną, zostajemy sami. Czasem trudno jest to zaakceptować, ale tak właśnie jest. Na przykład ty mieszkasz w Londynie, a twoja matka tutaj. Nie próbuje za wszelką cenę trzymać się blisko ciebie. Ja też nie mogę postępować tak wobec moich dzieci.

Ellen zamyśliła się, słysząc jego słowa, jak gdyby powiedział jej coś, o czym nie wiedziała. Rzadko opowiadał o sobie aż tyle, jednak przy niej czuł się swobodnie. Zwykle był małomówny i nie rozmawiał z nikim o swoim życiu prywatnym.

– Z jakiegoś powodu zawsze myślałam, że dzieci ma się na zawsze – powiedziała zamyślona.

– Właściwie nie. W zasadzie to prawda, ale w rzeczywistości dorastają i zaczynają własne życie. I tak powinno być. Ja nie mogę narzekać na syna i córkę. Kiedy dorastali, rzadko byłem przy nich. Ciągle pisałem, byłem zajęty pracą. Nie mają teraz powodu, by być blisko mnie. Powinni mieć własne życie. Zatem ja żyję i pracuję tutaj, a oni mają zajęcie i są szczęśliwi w Los Angeles. Lubimy się spotykać, ale w dzisiejszych czasach wszystko jest krótkie i przelotne. Nasz czas z dziećmi nie jest długi. Szkoda, że tego nie wiedziałem, gdy byli młodsi. Być może częściej bym z nimi przebywał.

Ellen widziała w jego oczach żal i współczuła mu. Uświadomił jej jednak, że dzieci, których tak bardzo pragnęła, w końcu by dorosły i nie miałaby ich na długo – zwłaszcza gdyby George dopiął swego i wysłał je do szkoły z internatem w wieku siedmiu czy dziewięciu lat. Byłyby dziećmi przez bardzo krótki czas.

– To my musimy wypełnić swoje życie, gdy one dorosną – powiedział cicho Bob. – Nie zawsze jest to łatwe. Nasze relacje w dorosłym życiu są przez to tym ważniejsze, tak samo jak życie z partnerem czy w moim przypadku praca. Żyję w świecie fantazji. – Uśmiechnął się smutno. – Książki wypełniają mi życie. W pewnym sensie zawsze były większą jego częścią niż dzieci czy żona. Miała rację, rozwodząc się ze mną. Byłem kiepskim mężem. Obchodziła mnie tylko kariera, zdobywanie szczytów list bestsellerów. Poradziłem sobie z tym, ale spaprałem małżeństwo. Chyba nie można mieć wszystkiego.

Bez wątpienia był jednym z najbardziej uznanych pisarzy na świecie. Jednak wyglądało na to, że musiał słono za to zapłacić.

– Czasami podejmujemy niewłaściwe decyzje – stwierdził z wyraźnym żalem.

Jej matka też to powtarzała.

– Ożeniłeś się ponownie? – spytała, nalewając sobie i jemu kolejną filiżankę herbaty.

Bob zaprzeczył ruchem głowy.

– Nie. Kiedy zrezygnowałem z iluzji idealnego małżeństwa, którego nigdy nie miałem, i spojrzałem prawdzie w oczy, uświadomiłem sobie, że nie jestem w tym dobry, i skupiłem się na książkach. Chyba mi z tym dobrze.

Ellen wydawało się jednak, że to nie wystarcza. Sprawiał wrażenie samotnego. Zastanawiała się, czy taka jest natura pisarzy – czy są samotnikami, jak marynarze zakochani w morzu. Bob wydawał się zakochany w swojej pracy, ale nie był jeszcze stary. W wieku czterdziestu dziewięciu lat miał szansę kogoś poznać, nawet jeśli dotąd mu się to nie udało. Jednak to, co powiedział o dzieciach, przyciągnęło jej uwagę. Z jego słów wynikało, że to wszystko jest bardzo ulotne, tymczasowe, krótkie. Dzieci dorastają i odchodzą. W świecie George'a odesłano by je z domu, zanim weszłyby w dorosłość. Myślała, że zdoła go przekonać, by postąpili inaczej, ale być może nie była w stanie tego zrobić. Byłaby załamana, musząc wysłać dziecko do internatu w wieku siedmiu czy nawet dziesięciu lat – zwłaszcza po wieloletnich staraniach o potomstwo. Chciała mieć je przy sobie tak długo, jak się dało – z kolei dla George'a byłoby ujmą, gdyby nie posłali syna do szkoły w Eton.

Tego wieczoru znów zjedli kolację ze swoim gospodarzem. Rozmowa była ciekawa i ożywiona. Jim Aldrich wiele wiedział o architekturze i poważnie dyskutował na ten temat z Grace. Po kolacji zaprosił ją do swojej biblioteki i pokazał kilka fascynujących książek ze swojego zbioru. Był erudytą i wydawało się, że jest równie zaintrygowany Grace, jak ona nim. Wciąż rozmawiali w bibliotece, kiedy Bob i Ellen się poddali i poszli spać. Śmiali się z tego, idąc do sypialni.

– Oboje sprawiają, że czuję się jak starzec – stwierdził mężczyzna. – Prawie nie mogę się ruszać po całodziennym sprzątaniu mieszkań. Twoja mama też ciężko pracowała. Wydaje się, że razem z Jimem mogliby rozmawiać całą noc.

Ellen przyszło na myśl, że przyjemnie żyje się w grupie, z ludźmi, z którymi można było zjeść kolację i porozmawiać na ciekawe tematy. Grace wyraźnie była tym zachwycona. Ellen też się to podobało pomimo przyczyny ich pobytu. Przed wejściem do sypialni życzyła Bobowi dobrej nocy. Chciała zadzwonić do George'a, ale znów było za późno. Planowała skontaktować się z nim rano i opowiedzieć, jak im idzie.

– Do zobaczenia jutro – powiedział Bob przyjaźnie.

Parę minut później usłyszała, jak stuka w klawisze swojej starej maszyny w pokoju obok. To był przyjemny odgłos przypominający dawne czasy. Zasnęła, wsłuchując się w niego, zadziwiona, że wciąż pisze na maszynie, a nie na komputerze. Myślała o jego dzisiejszych zwierzeniach na temat małżeństwa i dzieci. Wydawało się, że ma wielką zdolność autorefleksji, i już rozumiała, dlaczego jej mama go lubi i uważa za przyjaciela. Nie otwierał się przed każdym, ale gdy to robił, był szczery i niczego nie udawał.

Ellen zadzwoniła do biura George'a następnego ranka przed wyjściem z pokoju. W Londynie była trzynasta. Powiedział, że właśnie wychodzi do klubu na lunch. W jego głosie słychać było pośpiech, był też wyjątkowo chłodny podczas rozmowy. Wciąż czuła, że jest na nią o coś zły, ale nie chciała znów zadręczać go pytaniami. Opowiedziała mu o wszystkim, co robiła dla matki. Obiecała, że po uprzątnięciu mieszkania, wysłaniu rzeczy do magazynu i znalezieniu tymczasowego lokum będzie mogła wrócić do domu. Obie były bardzo zorganizowane, miała więc nadzieję, że to nie zajmie długo.

– Nie musisz się spieszyć – rzucił zdawkowo mężczyzna. – Będziemy mieli okazję za sobą zatęsknić – dodał żartobliwie.

Po raz pierwszy powiedział coś takiego. Ellen była w szoku.

– Chyba nie usychasz z tęsknoty za mną – powiedziała, okazując zdenerwowanie bardziej, niż zamierzała.

– Nie minęło jeszcze dużo czasu od twojego wyjazdu. To dopiero niecały tydzień – przypomniał.

Wydarzyło się jednak tak wiele, że czuła się, jakby minęło dziesięć lat. Odkąd opuściła Londyn, przeszły piekło, jednak George sprawiał wrażenie, jakby samotność mu się podobała. To było dla niego nietypowe.

– Gdzie się wybierasz w ten weekend? – spytała.

Przed jej podróżą nie miał żadnych planów.

– Do Warwicków – odparł krótko.

To było kolejne małżeństwo urządzające wspaniałe przyjęcia w odziedziczonym domu. Minęło dopiero kilka dni, a Ellen już zaczynała czuć się wykluczona z jego londyńskiego życia. Powiedział jej wtedy, że spóźni się na lunch. Pożegnali się i zakończyli rozmowę. Siedząc w pokoju, rozmyślała o tym, jaki był zdystansowany. Była pewna, że coś jest nie tak, ale z rozmowy nie była w stanie wywnioskować, co się stało.

Po śniadaniu kobiety znów wybrały się na Dolny Manhattan. Sprzątały mieszkanie z pomocą pracownika obsługi budynku i odźwiernego. Ellen pomyślała, że są prawie gotowe, by za kilka dni ekipa transportowa mogła zapakować i przewieźć pozostałe rzeczy do magazynu. Firmy konserwatorskie miały również wkrótce przyjechać po zniszczone, ale być może dające się ocalić przedmioty. Miały dobre tempo. Ellen powiedziała, że po południu będzie musiała pojechać na spotkanie.

– Zobaczysz się z klientem? – spytała Grace.

Miała poczucie winy, że zajmuje córce tak dużo czasu. Wiedziała, że kobieta planowała popracować w trakcie swojego pobytu, ale Ellen potrząsnęła głową. Miała spotkanie ze specjalistą w zakresie płodności. Nie chciała przekładać wizyty, na którą umówiła się wiele miesięcy wcześniej. Jeszcze przed spotkaniem cała jej dokumentacja medyczna została do niego przesłana.

– Nie, z kimś nowym – odparła ogólnikowo.

Nie chciała mówić, co to za spotkanie. George'owi także o nim nie powiedziała. Miała świadomość, jak bardzo był zmęczony nowymi lekarzami. Chciała się najpierw przekonać, co powie specjalista. Liczyła na to, że amerykański lekarz będzie bardziej optymistyczny niż ci, którzy badali ją w Londynie. Miała nadzieję, że świeże spojrzenie na jej dokumentację pozwoli dostrzec światełko w tunelu.

Wyruszyła na Górny Manhattan półtorej godziny przed umówionym spotkaniem i dotarła na pięć minut przed wyznaczoną godziną. Gdy wypełniła już kilkanaście formularzy, zaprowadzono ją do gabinetu. Młody i pełen energii lekarz był szanowanym specjalistą znanym ze swoich innowacyjnych metod. Jednak gdy tylko usiadła, powiedział, że uważnie przeczytał jej dokumentację i jeżeli uzyskanie komórek jajowych od dawczyni nie wchodziło w grę, nie było szans, by mogła donosić ciążę. Zgodził się ze specjalistami z Londynu, że choć miała dopiero trzydzieści osiem lat, poziom jej hormonów był za niski, a komórki jajowe – za słabe, by z powodzeniem zajść w ciążę, czego dowodziły jej doświadczenia. Jej układ rozrodczy przedwcześnie się starzał. Nawet gdyby skorzystali z pomocy dawczyni komórki jajowej, nie był pewien, czy dziecko dożyłoby porodu. Zasugerował, by rozważyła pomoc surogatki lub adopcję, jeśli jedna próba z komórką jajową od dawczyni zakończyłaby się niepowodzeniem. Powiedziała mu, że razem z mężem nie brali pod uwagę tych opcji i że chcieli, by dziecko było ich biologicznym potomkiem. Spojrzał na nią otwarcie zza biurka i powiedział to, czego się obawiała.

– To się nie uda, pani Wharton. Okłamałbym panią, gdybym powiedział, że to możliwe. Ta opcja jest nieosiągalna. Myślę, że pomoc surogatki lub adopcja to pani jedyne szanse. Kolejne próby *in vitro* skazane na porażkę to dla pani tortura. Z pewnością jest to dla pani bardzo trudne pod względem emocjonalnym – powiedział ze współczuciem.

Jej oczy zaszły łzami. To, co powiedział, brzmiało jak wyrok śmierci. Nie chciała mówić mężowi, że to koniec. Nie mogli mieć dzieci, jeśli nie zdecydowaliby się na adopcję albo cudze komórki jajowe, a wtedy tylko on byłby biologicznym rodzicem dziecka. George'owi też się to nie podobało. Po czterech latach bezowocnych starań dotarli do ślepego zaułka. To była jej obsesja, którą zaraziła George'a. Kochali się według terminarza, ich życie kręciło się wokół badań sonograficznych i zastrzyków hormonalnych. Nie było wątpliwości, że choć on okazywał dużo cierpliwości, odbiło się to na obojgu. Myśl o staraniach o dziecko była dla nich teraz bardzo bolesna. Przeżyli cztery lata potwornych rozczarowań, nie kochali się spontanicznie. Każde badanie hormonalne było kwestią życia lub śmierci, każde poronienie – tragedią.

– Myślę, że musi się pani zastanowić nad przyszłymi decyzjami – powiedział lekarz. – Tak jak mówiłem, może pani raz spróbować zajść w ciążę z komórką od dawczyni, ale jeśli to się nie uda, odradzam kolejne próby. Poza tym nie sądzę, by miała pani duże szanse. Jeśli nie są państwo otwarci na adopcję, być może przyszedł czas, by pogodzić się z rzeczywistością i rozważyć przyszłość bez dzieci. Niektóre pary o zdecydowanych poglądach na ten temat wolą podjąć taką decyzję niż starać się o adopcję.

Później Ellen zadała mu kilka kolejnych pytań i zakończyli wizytę. Oślepiona łzami, prawie przewróciła się na chodniku.

Płakała przez całą drogę do mieszkania Jima Aldricha. Ulżyło jej, gdy zobaczyła, że nikogo nie ma w domu. Grace i Bob wciąż byli na Dolnym Manhattanie, a Jim – w swoim biurze. Ellen zamknęła drzwi na klucz, położyła się w łóżku w swojej gościnnej sypialni i płakała, aż zasnęła. Zgasł właśnie jej ostatni promyk nadziei na potomstwo. Obawiała się rozmowy z George'em na ten temat, ale nie chciała dawać mu fałszywej nadziei. Starania o dziecko dobiegły końca. Mieli na zawsze pozostać bezdzietni. Dla niej był to najgorszy możliwy los. Wiedziała, że tamtego popołudnia coś w niej umarło.

Rozdział 8

Gdy Gina była na Górnym Manhattanie, a jej telefon działał, znów w każdej wolnej chwili próbowała dodzwonić się do Nigela. Wysłała mu też kilka SMS-ów w nadziei, że je odczyta i odpowie. Irytował ją brak kontaktu, a poza tym martwiła się o niego. Wydawało jej się logiczne, że będzie chciał wiedzieć, gdzie są ona i dziewczynki. Żyła z nim przecież od roku, dla niego porzuciła męża i przeprowadziła się do Nowego Jorku. Uważała, że ich związek niewiele różni się od małżeństwa. W SMS-ach, które mu wysyłała, prosiła, by zadzwonił choćby po to, żeby powiedzieć, co u niego. Po burzy nie wiedziała nawet, gdzie przebywa Nigel. Ponieważ ich mieszkanie było w strefie zalewowej, a do budynku nie można było wrócić, wiedziała, że tam go nie ma. Przypuszczała, że ciągle pomaga swoim przyjaciołom na Brooklynie, ponieważ mówił, że ich mieszkania i pracownie także zostały zalane.

W końcu zadzwonił do niej w czwartek wieczorem, gdy jadła kolację w restauracji z Charlesem i dziewczynkami. Kiedy odebrała, usłyszała w jego głosie wściekłość. Wyszła na zewnątrz, by dzieci i Charles nie słyszeli rozmowy.

– Dlaczego wysyłasz mi te wszystkie pieprzone SMS-y? Nie wiesz, że jestem zajęty? Nie mam czasu ci odpowiadać – warknął.

Gina była zszokowana jego tonem.

– Po prostu się o ciebie martwię. Nie wiem nawet, gdzie jesteś, gdzie śpisz – jęknęła, co jeszcze bardziej go rozwścieczyło.

– A co to za różnica? Mówiłem ci, że jestem zajęty. Pomagam przyjaciołom, wyciągamy ich prace spod wody. Nie mam czasu się o ciebie martwić. Mieszkam w motelu na Brooklynie.

Przez chwilę zastanawiała się, czy ją zdradza, ale wydało jej się to mało prawdopodobne. Miał inne zajęcia.

– Wrócę, kiedy skończę. Przecież pomaga ci ten idiota, twój były, po co jeszcze ja mam do ciebie dzwonić?

Była urażona tym, co powiedział o Charlesie. Był niezwykle życzliwy dla niej i dziewczynek pomimo tego, co mu zrobiła. Szczerze troszczył się o ich samopoczucie i bezpieczeństwo, najwyraźniej nie mając żadnych ukrytych motywów.

– On martwi się tylko o dzieci. Nie jest za mnie odpowiedzialny. Jestem z tobą, a nie z nim.

– Ja też nie jestem za ciebie odpowiedzialny – rzucił ostro. – Nie jestem twoim rodzicem, Gina. Nie mogę ciągle się o ciebie zamartwiać, a bachory są jego, a nie moje. To on powinien się nimi opiekować. Czemu ja miałbym to robić?

Wydawał się zbulwersowany, że ona czegokolwiek od niego chce. Wszystko, co mówił, było obraźliwe w stosunku do niej, Charlesa i jej dzieci.

– Spodziewałabym się, że chcesz się mną opiekować, bo mnie kochasz.

Miała też nadzieję, że lubił jej córki bardziej, niż teraz to okazywał. Zezłościło ją, że nazwał je bachorami. Zachowywały się grzecznie i zawsze traktowały go z szacunkiem. Dzięki dyskrecji Charlesa nie dowiedziały się w tak młodym wieku, że Nigel rozbił ich małżeństwo, nie czuły do niego nienawiści z tego powodu. Były dobrze wychowanymi, kochającymi, dobrymi dziećmi.

– Nie możesz nas po prostu porzucać w środku huraganu i jechać, żeby pomóc artystom z Brooklynu, nawet o nas nie myśląc – powiedziała z wyrzutem.

Czuła narastający gniew. Nie podobał jej się jego ton ani jego słowa.

– Ale właśnie to robię, czy ci się to podoba, czy nie. A tobie nic nie jest. Czemu w ogóle narzekasz? – spytał Nigel wściekłym tonem.

– Spędziłam kilka dni w schronisku. Ewakuowano nas z mieszkania. Nawet nie możemy tam wrócić. Żyjemy na walizkach. Dziewczynki są przerażone, Nigel, zresztą tak samo jak ja. A przynajmniej byłyśmy. Nie jestem jakąś lafiryndą, którą poderwałeś w zeszłym tygodniu. Zostawiłam dla ciebie Charlesa. W pewnym sensie jesteś za nas odpowiedzialny jako człowiek, jeśli w ogóle ci na nas zależy.

– Nie myl mnie z Charlesem! – wrzasnął Nigel. – Nie jestem jakimś cieniasem, który będzie za wami chodził, żeby podetrzeć tyłek tobie albo twoim córkom. Dorośnij w końcu, Gina, i zadbaj o siebie sama. Nie jestem twoją niańką, nie mam zamiaru ciągle się o ciebie martwić. Odeszłaś od niego, bo sama tego chciałaś. Śmiertelnie cię zanudzał. To nie znaczy, że odpowiadam za ciebie czy twoje dzieci. Teraz jestem zajęty, radź sobie sama.

Podczas huraganu poważnie martwiła się o jego bezpieczeństwo, a teraz zrozumiała, że on wcale nie martwił się o nią. Być może Charles był konserwatywny i mniej żywiołowy od Nigela, ale nigdy nie zostawiłby jej na pastwę huraganu, nie udzielając pomocy. Był wspaniały od momentu, gdy przyjechał do schroniska. Nigdy nie powiedziałby czegoś takiego jak Nigel przed chwilą. Był na to zbyt porządny.

– Czy tylko tym właśnie dla ciebie jestem? Panienką do zabawy, kiedy masz na to ochotę, a kiedy coś idzie nie tak, mam sobie radzić sama? Tylko tyle dla ciebie znaczę? Martwiłam się o ciebie, Nigel. Kocham cię. Bałam się, że tam zginiesz albo utoniesz. Całą noc się zamartwiałam. A ty miałeś nas gdzieś.

– Nie jestem z Czerwonego Krzyża, do cholery! Poza tym w schronisku byłaś bezpieczna.

– Może i tak, ale w trakcie huraganu się bałyśmy.

– Nic wam się nie stało. Ja straciłem moje cholerne aparaty, sprzęt i negatywy. To o wiele ważniejsze!

Powiedział jej to wprost. Aparaty i sprzęt znaczyły dla niego więcej niż ona.

– Nie mam siły na te bzdury – dodał. – Nie będę ci usługiwał, bo wydaje ci się, że jesteś teraz jakąś gwiazdą.

– Nie jestem gwiazdą. Jestem kobietą i człowiekiem, potrzebowałyśmy twojej obecności i pomocy.

– Nie będę przyjeżdżał na białym koniu, bo ty się boisz. Mam lepsze rzeczy do roboty – powiedział obcesowo.

– A gdyby coś się stało którejś z dziewczynek? W noc powodzi utonęło wiele dzieci.

– To nie mój problem. Poza tym, kiedy widziałem je w schronisku, nic im nie było. Ja taki nie jestem, Gina. Nie jesteśmy małżeństwem. To nie moje dzieci, nie będę zgrywał rycerza w lśniącej zbroi, żeby spełnić twoje romantyczne fantazje. Pomagałem artystom ocalić ich prace. To o wiele ważniejsze niż siedzenie w schronisku i trzymanie cię za rękę.

Przedstawił sprawę bardzo jasno. Uważał, że mogła sama zająć się sobą i dziećmi, a on miał zamiar wrócić dopiero wtedy, gdy będzie na to gotowy. Nawet nie miał ochoty do niej dzwonić.

– Przyjechałem aż na Manhattan, żeby się z tobą zobaczyć. Nie musiałem tego robić.

Zrobił to tylko przy okazji, przewożąc prace swoich kolegów w bezpieczne miejsce. Sam jej to powiedział.

– Powinieneś chcieć to zrobić, bo mnie kochasz – powiedziała ze łzami w oczach.

Nigel myślał tylko o sobie, przyjaciołach i o tym, co w danej chwili uważał za istotne. Ona nie znajdowała się na liście jego ważnych spraw. Jej potrzeby nie miały dla niego znaczenia.

– Kocham cię, ale pracownia też jest dla mnie ważna. W tej chwili moi przyjaciele potrzebują mnie bardziej niż ty.

– Dobrze wiedzieć – powiedziała cicho.

Nagle straciła wolę walki. Nie chciał zrozumieć, wiedziała, że nigdy nie zrozumie. Zależało mu na niej, ale nigdy nie mogłaby stać się dla niego najważniejsza. Wyznawał inne wartości niż Charles, niż te, w których ją wychowano – przekonanie, że od mężczyzny oczekuje się wsparcia. Uświadomiła sobie, z czego zrezygnowała dla odrobiny zabawy i blasku. Kiedy zrobiło się ciężko, blask zniknął, a ona została sama. Nie oczekiwała teraz niczego od Charlesa, ale miała oczekiwania wobec Nigela. On jednak nie działał według tych samych reguł.

– Zobaczymy się kiedyś – rzucił ponuro, równie zirytowany, jak wtedy, gdy odczytał jej SMS-y z prośbami o kontakt. – Nie oczekuj, że do ciebie zadzwonię. Nie chcę o tym myśleć, kiedy tu będę dawał z siebie wszystko. Pewnie zostanę tu na parę tygodni.

– Myślę, że na jakiś czas pojadę do domu – odparła cicho. – Na Dolnym Manhattanie panuje chaos, dziewczynki nie mają lekcji, a Charles chce spędzić z nimi czas. Chcę się zobaczyć z rodzicami. Przebywanie tu teraz jest stresujące. Poza tym i tak nie ma dla mnie pracy. Agencja też jest zamknięta przez powódź. Skoro ciebie nie będzie przez parę tygodni, nie będę tu sterczeć i czekać, aż wrócisz, gdy ty będziesz się zajmował przyjaciółmi na Brooklynie, mając nas gdzieś.

Była na niego wściekła, może nawet nie była w stanie mu wybaczyć. Jeszcze nie miała co do tego pewności, ale Nigel pokazał jej oblicze, którego dotąd nigdy w pełni nie dostrzegła. Skoro miał takie podejście, wiedziała, że nie może na niego liczyć w żadnej kryzysowej sytuacji – być może z czasem zacząłby ją zawodzić nawet w codziennym życiu. Dziś sprawił, że stało się to dla niej oczywiste. Jego słowa wcale jej się nie podobały. Była głupia, że w ogóle się w nim zakochała. Oczarował ją swoim urokiem osobistym, kiedy mu to odpowiadało, ale nie reprezentował sobą nic więcej. Teraz to widziała. Było to nieprzyjemne odkrycie i ogromne rozczarowanie. Nie mogła na niego liczyć ani podczas huraganu, ani w żadnej innej sytuacji. Nigel zajmował się tylko sobą i nie był w stanie się zmienić.

– Rób, co chcesz – odparł szorstko. – Kiedy wylatujesz?

– Jeszcze nie wiem. Może w ten weekend. Muszę się dowiedzieć, jak zdobyć bilety.

Czekała z decyzją do rozmowy z nim, żeby wiedzieć, jak zareaguje. Teraz już wiedziała.

– Jeśli polecisz, baw się dobrze w Anglii – odparł beztrosko.

Gdyby postanowiła wybrać się w tę podróż, nie zrobiłaby tego dla zabawy. Chciała zapewnić trochę spokoju dziewczynkom i sobie po wstrząsie, który przeszły. Nawet nie próbowała mu tego wyjaśniać, bo wiedziała, że tego także nie zrozumie. O ile z nim było wszystko w porządku, nic więcej się dla niego nie liczyło.

Parę minut później się rozłączyli, a wcześniej Nigel znów jej przypomniał, by do niego nie dzwoniła. Miał się z nią skontaktować, kiedy będzie na to gotowy. Po rozmowie Gina się zamyśliła, próbując przyswoić wszystko, co od niego usłyszała. Kiedy wróciła do restauracji, Charles widział, że jest zdenerwowana. Nie pytał jej o to. Wiedział, że rozmawiała z Nigelem. Domyślił się natychmiast, gdy odebrała i w jednej chwili się rozpromieniła. Teraz jednak wyglądała inaczej, była nieszczęśliwa. Zrozumiał, że rozmowa poszła kiepsko, ale dalej gawędził z córkami. Kiedy wrócili do hotelu, powiedziała, że przemyślała jego propozycję i uznała, że powrót do Londynu na kilka tygodni to dobry pomysł. Dziewczynki i tak nie mogły wrócić do szkoły i na pewno ucieszyłyby się z wycieczki. Nie chciała jeszcze wracać do mieszkania. Zamknięto całą jej ulicę oraz budynek.

– Mogę zatrzymać się u rodziców – zaproponowała.

Charles wiedział jednak, że byłoby to bardzo niewygodne, bo mieszkali godzinę drogi od Londynu.

– Dziewczynki mogą spać u ciebie – dodała. – Będę przyjeżdżać i zajmować się nimi w ciągu dnia, gdy ty będziesz w pracy. Mogą też zamieszkać z moimi rodzicami, będę je przywozić wieczorami na kolację z tobą.

– Jeśli chcesz, możesz zatrzymać się w moim mieszkaniu. Mam sypialnię dla gości i rozkładaną kanapę. Ja będę spać na kanapie, a ty i dziewczynki zajmiecie sypialnie. Nie chodzi mi o to, by zaczynać coś między nami – dodał poważnie. – Po prostu byłoby miło mieć dzieci w mieszkaniu, gdy będziecie w Anglii. Będziesz mogła wychodzić i wracać, kiedy będziesz chciała. Ja mogę wieczorem zajmować się dziewczynkami, gdybyś miała ochotę wyjść.

Jego propozycja była pełna szacunku, Gina wierzyła też, że nie miał zamiaru „niczego zaczynać". Gdy mieszkali razem w hotelu, był dla niej uprzejmy i miły, zachowywał się stosownie. Minął rok od ich rozstania, odkąd przestali mieszkać razem. Zapomniała, jaki potrafi być życzliwy i uczynny. Była pewna, że w Londynie będzie taki sam. Byłoby jej łatwiej zamieszkać u niego niż zatrzymać się u rodziców na przedmieściach.

– Bardzo chętnie – powiedziała cicho. – Kiedy wracasz?

Musiała pojechać do mieszkania po parę rzeczy, o ile policja by jej na to pozwoliła. Jeśli by jej się to nie udało, mogła kupić ubrania dla siebie i dziewczynek w Londynie.

– Planowałem wylot w sobotę – odparł. – Lotniska są już otwarte. Czy to dla ciebie za wcześnie?

Nie wiedział, czy chciała spotkać się z Nigelem przed wylotem, a do soboty zostały dwa dni.

– To mi odpowiada. Zobaczę, czy uda mi się jutro dostać do mieszkania i zabrać suche rzeczy.

– Jeśli nie, jakoś sobie poradzimy w Londynie – powiedział.

– Pomyślałam o tym samym – odparła z uśmiechem. – Rodzice się ucieszą na spotkanie z dziewczynkami.

Charles nie mógł się doczekać przebywania z córkami oraz Giną przez kilka tygodni.

Szli do hotelu pod rękę. Przez chwilę poczuli się jak dawniej, a potem jak zwykle przypomniał sobie, że są po rozwodzie. Wciąż jednak była matką jego dzieci. To mu wystarczało i tylko do tego miał teraz prawo.

Kiedy wrócił do pokoju, zarezerwował dla nich bilety. Gina powiedziała, że chce zapłacić za swój lot. On mógł zapłacić za bilety dziewczynek, co i tak zamierzał zrobić.

– Chętnie zapłacę też za twój – powiedział łagodnie.

Ona jednak potrząsnęła głową.

– To nie byłoby w porządku – przypomniała mu.

Jak powiedział Nigel, była niezależną kobietą. Cieszyła się jednak, że leci z nim do domu. Dziewczynki też były szczęśliwe, gdy rodzice powiedzieli im o podróży. Charles wyjaśnił im, że spędzą w Londynie kilka tygodni, żeby nie myślały, że wracają na zawsze. Czuł jednak, że to też by im się spodobało. Chyba lubiły Nowy Jork, ale najlepiej czuły się w Anglii. Opowiedział, jak dobrze będą się razem bawić, co będą robić, a one piszczały z radości, skacząc po dużym łóżku w pokoju. Gina i Charles długo nie mogli nakłonić ich do spania. Kiedy dzieci w końcu zasnęły w małym pokoiku, Gina przewróciła się na bok na łóżku i spojrzała na leżącego w śpiworze Charlesa.

– Dziękuję – wyszeptała, by nie obudzić dziewczynek.

– Dziękuję, że się zgodziłaś – odpowiedział z uśmiechem.

Cieszyła się na wyjazd z Nowego Jorku po koszmarnych przeżyciach podczas huraganu. Po rozmowie z Nigelem wiedziała, że nie ma po co zostawać. Może nawet nie chciała do niego wracać.

– Dobranoc – powiedziała, po czym odwróciła się na drugi bok i zasnęła.

Charles uświadomił sobie, że choć huragan był przerażający, okazał się błogosławieństwem. Wracał do domu ze swoimi dziećmi. Choć miało to trwać tylko kilka tygodni, był to dar, który wiele dla niego znaczył.

Tak jak się wszyscy spodziewali, pogrzeb Bena w piątek był bardzo bolesny. Znów uruchomiono lotniska i Holbrookowie przylecieli z Chicago poprzedniego dnia wieczorem. Peter wszedł do kościoła z rodzicami. Zachowywali się poważnie i uroczyście. Peter usiadł obok Anny i jej rodziców, a obok niego usiedli jego matka i ojciec. W kościele było wielu przyjaciół i znajomych ze studiów, nauczycieli oraz ludzi, którzy znali Bena od urodzenia. Przyszli wszyscy jego przyjaciele, którzy przeczytali informację o pogrzebie w gazecie. Poproszono, by nie kupować kwiatów i zamiast tego wesprzeć fundację na rzecz pomocy ofiarom huraganu wspomagającą ludzi, którzy stracili domy. Otrzymywali oni pomoc od Federalnej Agencji Zarządzania Kryzysowego, ale kwoty nie były wystarczające. Większość osób nie była ubezpieczona na wypadek huraganu, a przynajmniej nie w dostatecznym stopniu.

Adam, młodszy brat Bena, rozpłakał się, gdy tylko usiadł. Matka zmarłego chłopca była zrozpaczona, a mąż obejmował ją przez większość uroczystości. Ben zawsze był wspaniałym chłopakiem i nikt się nie spodziewał, że stanie mu się coś złego. Rzadko ryzykował, nie zażywał narkotyków, nie pił za dużo. Był przykładnym dzieckiem i zdolnym studentem, o czym wspomniał w swojej przemowie jego ulubiony nauczyciel z liceum oraz kilkoro bliskich przyjaciół Weissów. Ojciec Bena był żydem, jednak matka była innego wyznania. Chłopiec został wychowany w religii protestanckiej. Peter, zupełnie blady, siedział sztywno przez całą uroczystość. Niemal oczekiwał, że ktoś wykrzyknie: „Dlaczego ty ciągle żyjesz, a Ben nie? Czemu go nie ocaliłeś?!". Ramiona chłopca trzęsły się, gdy zebrani śpiewali hymn na zakończenie uroczystości. Nie był w stanie spojrzeć w oczy rodzicom Bena, opuścił wzrok, gdy ustawiali się za trumną przyjaciela. Poprosili go, by uczestniczył w niesieniu trumny, wiedział jednak, że nie zdoła tego zrobić. Był za bardzo rozbity, odczuwał zbyt wielkie poczucie winy. Wyglądał, jakby miał zaraz zemdleć, gdy razem z rodzicami wyszedł z kościoła i przystanął na chodniku. Pracownicy domu pogrzebowego ułożyli trumnę w karawanie.

Po chwili zauważył, że obok niego stoi Anna, patrząc na niego z niepokojem.

– Wszystko w porządku? – spytała.

Peter skinął głową, patrząc za odjeżdżającym karawanem. Mieli pochować Bena na cmentarzu w Queens jedynie w obecności rodziny. Zaprosili także Holbrooków, Peter jednak wiedział, że nawet tego nie zdołałby znieść. Było mu słabo i miał zawroty głowy, gdy patrzył na otaczające go twarze – jak gdyby wszyscy w milczeniu go oskarżali. Wiedział, że nie ma prawa tu być, był przekonany, że nie powinien był przeżyć. Wtedy poczuł na ramieniu dłoń matki i zobaczył jej zmartwione spojrzenie. Rozmawiała z ich lekarzem rodzinnym w Chicago, a on powiedział, że Peter może przez długi czas cierpieć na zespół stresu pourazowego. Zasugerował, że mogłaby mu pomóc terapia. Polecono im terapeutkę, z którą chłopak miał się spotkać po powrocie do domu.

Po uroczystości Peter wrócił z rodzicami do hotelu Pierre, nie zamieniwszy słowa z przyjaciółmi. Nie chciał też rozmawiać z Anną, która była równie rozbita. Nigdy wcześniej nie straciła przyjaciela, a teraz nie wyobrażała sobie życia bez Bena. Przeżyli razem czasy szkolne i studia.

W hotelu Peter położył się na godzinę do łóżka. Tymczasem jego rodzice cicho rozmawiali w salonie. Później razem pojechali do Weissów, którzy zaprosili mnóstwo osób na poczęstunek. Przyjaciele i krewni byli zgromadzeni w całym mieszkaniu. Ojciec Bena nie mógł przestać płakać, a jego matka wyglądała, jakby poruszała się pod wodą. Jeszcze przed zakończeniem poczęstunku zniknęła w swoim pokoju, gdy Jake dziękował gościom za przybycie. Peter był przekonany, że wyszła, żeby nie musieć się z nim żegnać. Wychodząc, uściskał ojca i brata Bena. Kiedy wsiadał do windy, czuł się jak morderca. Nie pożegnał się nawet z Anną, chociaż następnego dnia miał wylatywać. Przebywanie razem stało się dla obojga zbyt bolesne. Wspomnienie utraconego przyjaciela sprawiało im zbyt wiele bólu, nie mieli sobie już nic do powiedzenia.

Półżywy chłopiec poszedł za rodzicami do hotelu, gdzie zdjął garnitur. Włożył dżinsy i bluzę, położył się na łóżku i włączył telewizor. Nie miał ochoty z nikim rozmawiać ani nawet myśleć.

– Dobrze się czujesz, synku? – spytał go John Holbrook, gdy przechodził przez pokój Petera do swojej sypialni.

Mike leżał obok niego na łóżku, a Peter obejmował go ramieniem. Miał na szyi tę samą obrożę co w dniu, w którym Peter go ocalił. Chłopak nie chciał, by ktokolwiek ją zdejmował. Tę obrożę zawsze zakładał psu Ben. Teraz stanowiła świętość dla Petera, który odziedziczył psa. Głowa Mike'a spoczywała na poduszce obok. Wydawało się, że pies dobrze się czuje w hotelu.

– Nic mi nie jest, tato – zapewnił Peter.

Cóż innego mógł powiedzieć? Wiedział, że nigdy nie zapomni pogrzebu ani wszystkiego, co do niego doprowadziło od chwili, w której uciekli z mieszkania. Teraz gorzko tego żałował i obwiniał się za to, że wtedy postanowili opuścić budynek. Ben nie był do końca przekonany, że chce to zrobić, Peter miał wrażenie, że go do tego namówił. Poza tym budynek w końcu się nie zawalił. Przeżyliby, gdyby tam zostali, jednak wtedy wydawało się, że stanie się inaczej.

Wcześniej pojechał do mieszkania z ojcem Bena i pomógł zapakować jego rzeczy oraz znieść je na dół. Potem wrócił, żeby spakować to, co należało do niego. Zostawił wszystko w pudłach, a jego ojciec miał wysłać je do Chicago. Zgodzili się, że wszystkie zniszczone meble oddadzą instytucji charytatywnej. Peter nie chciał ich więcej oglądać. Nie wiedział, gdzie będzie mieszkał po powrocie do Nowego Jorku, ale nie chciał więcej widzieć tego budynku. Ból był zbyt przeszywający, a wspomnienia sprzed tragedii – zbyt piękne. Ben był najlepszym przyjacielem w całym jego życiu, spędzili tam wspaniałe chwile. Anna także była częścią tych wspomnień. Teraz również była pogrążona w żałobie. Straciła nie tylko Bena, ale także Petera i ich wspólne szczęśliwe chwile.

Na kolację ojciec zamówił dla chłopca hamburgera do pokoju. Większość Peter oddał psu. W końcu zasnął w ubraniu, a u jego boku leżał Mike, którego John wyprowadził wcześniej na spacer. Peter niemal nie był w stanie funkcjonować. Był odrętwiały i poważny, gdy następnego dnia wsiadł do samochodu, by pojechać na lotnisko. Nie zauważył nawet, jak bardzo martwią się jego rodzice, gdy mocno ściskał smycz Mike'a.

Kiedy dotarli na miejsce, John odprawił wszystkich i załatwił przewóz dla Mike'a. Mieli dla niego duży plastikowy boks, a ojciec powiedział Peterowi, by go do niego wprowadził. Chłopiec natychmiast potrząsnął głową.

– Nie zrobię mu tego, tato. Jeśli będę musiał, wynajmę samochód i zawiozę go do Chicago. Nie będzie jechał w boksie. Nie zasługuje na to, za bardzo by się bał.

– Nie mamy wyboru, synu – odparł John cicho, by kobieta z obsługi go nie usłyszała. – Jest o wiele za ciężki, by zabrać go na pokład, poza tym jest za duży. Musi lecieć w luku bagażowym.

Martwiło go pełne uporu, niemal rozpaczliwe spojrzenie syna.

– Czy jest jakiś problem? – spytała nerwowo kobieta przy biurku.

Również zobaczyła minę Petera. Wyglądał, jakby miał zaraz wybuchnąć.

– Nie pozwolę wsadzić mojego psa do luku bagażowego – powiedział głośno.

– Czy to pies opiekun? – spytała.

John odpowiedział za syna. To był problem, którego nie przewidział. Było jednak jasne, że Peter się nie podda, a ojciec nie chciał się z nim kłócić i robić scen.

– Nie, to nie pies opiekun – odparł mężczyzna zawstydzony.

Właśnie ujrzał pierwsze oznaki traumy i stresu Petera. Zaczynał myśleć, że być może będą musieli jechać samochodem.

– Czy to pies zapewniający wsparcie emocjonalne? – pytała dalej kobieta, patrząc prosto na Petera.

– Co to znaczy? – zwrócił się do niej chłopak.

Pies przyglądał się im z ciekawością, przekrzywiając głowę.

– Jeśli boi się pan latać, potrzebny jest panu pies do wsparcia emocjonalnego i może pan dostarczyć zaświadczenie od lekarza, zwierzę może lecieć z panem w kabinie zamiast w luku bagażowym i leżeć pod siedzeniem.

– Nawet taki duży pies? – spytał zaskoczony John, który nigdy dotąd o czymś takim nie słyszał.

– Oczywiście – odparła, jak gdyby to zdarzało się często.

– Nie mam zaświadczenia od lekarza – powiedział ponuro Peter.

– Potrzebuje pan być blisko niego? – spytała.

Peter spojrzał na Mike'a machającego ogonem i dyszącego z radości z wystawionym językiem.

– Tak – odparł, znów patrząc jej w oczy.

– Mój syn wiele przeszedł – wtrącił się jego ojciec. – Przetrwał huragan, uratował tego psa, razem byli w szpitalu i wyszli dopiero kilka dni temu. Bylibyśmy wdzięczni, gdyby udało się to załatwić bez zaświadczenia lekarza. Nie wiedzieliśmy, że będzie potrzebne.

Bardzo się starał, a Peter spojrzał na niego z wdzięcznością. Ojciec robił dla swojego syna, co się dało. Matka Petera przyglądała się scenie z niepokojem i podziwem, mając nadzieję, że to zadziała.

– Jest pan ocalałym po huraganie Ofelia? – spytała Petera pracownica lotniska.

Chłopiec skinął głową. Sam ująłby to inaczej, ale była to prawda.

– Proszę chwileczkę zaczekać – powiedziała, nagle przybierając oficjalny ton. – Zaraz wrócę.

Zobaczyli, jak idzie prosto do przełożonego. Po dwóch minutach wróciła.

– Nie będzie problemu. W takich okolicznościach chętnie się do pana dostosujemy. Jednak w przyszłości – dodała z uśmiechem – proszę się postarać o zaświadczenie. Pies zapewniający wsparcie emocjonalne ma przelot za darmo.

Peter szeroko się uśmiechał, gdy wręczała im karty pokładowe oraz specjalną kartę dla Mike'a. Następnie bez problemu przeszli kontrolę bezpieczeństwa i ruszyli prosto do wyjścia. Mike truchtał radośnie obok Petera. Pracownicy kontroli bezpieczeństwa poklepali psa. Bez problemu wsiedli do samolotu, a Mike położył się u stóp Petera. Wyglądał, jakby czuł się zupełnie swobodnie, z ciekawością przyglądał się pasażerom przemierzającym korytarz. Kilka osób odwróciło się na jego widok, ale nikt nie narzekał. Peter pomyślał, że może niektórzy wezmą go za psa przewodnika, ale nie miał do tego specjalnych szelek. Mike właśnie oficjalnie stał się psem zapewniającym wsparcie emocjonalne. Peter wiedział, że zdobędzie od lekarza zaświadczenie, by zawsze móc z nim podróżować. Obiecał sobie, że nigdy nie rozstanie się z Mikiem.

– Dziękuję za pomoc, tato – powiedział do ojca, gdy parę minut później samolot oderwał się od ziemi.

Mike był już pogrążony w głębokim śnie, gdy stewardesy podeszły do nich z napojami. Cała rodzina podziękowała za poczęstunek ze względu na krótki lot. Mieli lądować na lotnisku O'Hare za godzinę.

Peter przez większą część lotu wyglądał przez okno, a Mike z zadowoleniem spał u jego stóp. Duży czarny labrador wstał i rozejrzał się wokół, gdy lądowali. Chłopak go poklepał.

– Wszystko dobrze, piesku, wracamy do domu.

Pies wyszedł z samolotu u boku swojego pana, a rodzice uśmiechnęli się do siebie z ulgą. Pierwszy lot Mike'a jako psa zapewniającego emocjonalne wsparcie zakończył się powodzeniem, a Peter w końcu bezpiecznie dotarł do domu.

Gdy czekali na wejście na pokład samolotu do Londynu, Charles zatelefonował z komórki. Chciał powiedzieć Ellen o wylocie i życzyć jej powodzenia. Po wspólnym locie i czasie spędzonym w schronisku czuł z nią dziwną więź, więc postanowił się pożegnać.

– Jesteśmy teraz na lotnisku – powiedział cicho, gdy odebrała. – Gina i dziewczynki lecą ze mną na parę tygodni, bo dzieci nie będą miały lekcji.

– Sytuacja wygląda inaczej, niż kiedy tu przylecieliśmy, prawda?

Uśmiechnęła się, słysząc jego słowa i przypominając sobie, jak bardzo bał się turbulencji. Tym razem nie był zdenerwowany – ku własnemu zaskoczeniu czuł spokój, tak jak dawniej, gdy podróżował z rodziną. Teraz nie miał się czego obawiać – był z nimi.

– Ja też będę niedługo wracać do domu – powiedziała.

Razem z mamą musiały najpierw dokończyć opróżnianie mieszkania i znaleźć jej nowe lokum. Miała nadzieję, że uda im się to zrobić w kolejnym tygodniu.

– Odezwij się do mnie. Może zjemy razem lunch, kiedy wrócisz? – zaproponował.

– Bardzo chętnie. Zadzwonię, gdy przylecę – obiecała.

Wiedziała jednak, że będzie zajęta z klientami. Wydawało się też, że musi naprawić związek z George'em.

– Trzymaj się, Charles. Powodzenia we wszystkich twoich planach – dodała tajemniczo.

– Po prostu cieszę się, że spędzę trochę czasu z dziewczynkami.

Znów uświadomiła sobie, że nigdy nie zazna radości spędzania czasu ze swoimi dziećmi i obserwowania, jak dorastają. Za każdym razem, gdy o tym myślała, czuła się oszukana, zwłaszcza odkąd usłyszała smutne wieści od lekarza w Nowym Jorku. Wiedziała, że teraz musi zaakceptować sytuację i przestać tęsknie zerkać na matki trzymające w ramionach niemowlęta czy kobiety spacerujące po ulicach z córkami oraz ojców z synami. Musiała zrezygnować ze swojego marzenia.

– Zadzwonię do ciebie – obiecał.

Pasażerowie zaczynali wsiadać do samolotu, a on musiał zaprowadzić na pokład Ginę i dziewczynki.

– Bezpiecznego lotu – powiedziała.

– Na pewno taki będzie – odparł i rozłączył się.

– Kto to był? – spytała go Gina, gdy podszedł do niej z kartami pokładowymi.

– Ellen. Chciałem jej powiedzieć, że wylatujemy. W trakcie lotu do Stanów była dla mnie bardzo miła. Podczas turbulencji spowodowanych huraganem miałem napad paniki.

Teraz jednak nie było widać po nim niepokoju. Wydawał się spokojny, opanowany i rozluźniony, gdy wsiedli do samolotu i znaleźli swoje miejsca. Myślał o tym, by obejrzeć film albo pograć z dziewczynkami w karty. Gina uśmiechnęła się do niego, siadając obok. Córki były tuż za nimi. Teraz patrzyła na Charlesa zupełnie inaczej. Był szczęśliwy, swobodny i pewny siebie. Zachowywał się zwyczajnie, jak zwykły biznesmen czy ojciec rodziny na pokładzie. Teraz już nie wydawało jej się to niczym złym czy nawet wadą.

Stewardesa życzyła im miłego lotu, podając obojgu po kieliszku szampana. Nie mieli właściwie czego świętować. Jednak przeżyli huragan. Tyle na razie wystarczało.

Rozdział 9

Tego samego dnia, w którym Charles wyleciał do Londynu, Jim zorganizował brunch dla swoich gości w mieszkaniu przy Central Parku. Była deszczowa niedziela, idealna pogoda, by zostać w domu. Spotkali się w południe w bibliotece jego eleganckiego mieszkania. Mieli kilka egzemplarzy niedzielnego „Timesa" i „The Wall Street Journal". Jim rozwiązywał krzyżówkę w „Timesie", gdy weszli pozostali. Z uśmiechem odłożył gazetę, widząc Grace.

– Przepraszam, to moja przypadłość. Ta nieszczęsna krzyżówka męczy mnie przez cały tydzień. Budzę się w środku nocy, próbując rozwiązać hasła, które mi zostały.

– To tak jak ja – roześmiała się kobieta. – Zawsze są podchwytliwe. Wymagają specyficznego sposobu myślenia, tak jak nauka chińskiego. Próbowałam poznać ten język w młodości. Chciałam zaimponować panu Peiemu, gdy dla niego pracowałam. W końcu się poddałam, ale wciąż zmagam się z krzyżówką z „Timesa", choć skutki są tylko odrobinę lepsze.

– Wiem, o czym mówisz – odparł, znów sięgając po gazetę. – Spójrz na przykład na to. „Znany w Paryżu dziewiętnastowieczny napoleoński architekt".

– To proste – odparła natychmiast. – Haussmann.

Spojrzał na nią z podziwem.

– Pasuje? – spytała.

Policzył litery.

– Idealnie. Może powinniśmy rozwiązywać ją razem.

Pokazał jej inne brakujące hasła, a ona z marszu odgadła dwa. Gratulowali sobie, gdy kilka minut później do pokoju weszli równocześnie Ellen i Bob.

– O co tyle krzyku? – spytał niewinnie Bob.

Już na korytarzu słyszał ich śmiechy i radosne okrzyki, a Ellen była tym rozbawiona.

– Znalazłam wspólnika do krzyżówki – odparła Grace, szeroko się uśmiechając. – To cholerstwo doprowadza mnie do szału, ale nie potrafię się przed nim powstrzymać.

– Ja się nawet nie zbliżam – powiedział Bob, sięgając po egzemplarz „The Wall Street Journal". – Mam chyba jakieś schorzenie, przez które nie potrafię rozwiązywać zagadek. Nie zdołałbym tego zrobić, choćby zależało od tego moje życie. Zrezygnowałem wiele lat temu. Kłóciłem się o to z żoną. Zazwyczaj miała rację, ja wszystko psułem i doprowadzałem ją tym do szału, bo pisałem długopisem.

Przy tych słowach Jim się zawstydził i przyznał, że sam rozwiązuje krzyżówkę długopisem. Przez to w niedzielę wieczorem cała strona była zabazgrana, bo przez cały dzień przekreślał wyrazy i pisał od nowa. Grace dobrze się bawiła, zerkając na brakujące hasła. Udało jej się zgadnąć kolejne. Stanowili dobry zespół. Wydawała się też zaskakująco wypoczęta i rozluźniona pomimo szoku i strasznych przeżyć ostatniego tygodnia. Ellen zamówiła transport i kilka razy rozmawiała z rzeczoznawcami z firmy ubezpieczeniowej. Planowała wysprzątać dla mamy mieszkanie w ciągu najbliższych kilku dni. Już wcześniej przez to przechodziły, wiedziały więc, co robić, i działały bardzo szybko.

– A teraz czeka mnie niemiłe zajęcie. Muszę znaleźć tymczasowe mieszkanie – westchnęła Grace. – Być może będę musiała go poszukać na Górnym Manhattanie. Na południu półwyspu panuje chaos, połowa budynków będzie jeszcze długo zamknięta, a ludzie, którzy będą próbowali wykorzystać ofiary huraganu, zażądają astronomicznych kwot za tymczasowy wynajem umeblowanych mieszkań. Już raz przez to wszystko przechodziłam. Być może poszukam także na północy. Będzie to łatwiejsze niż toczenie bitwy na Dolnym Manhattanie.

– Zawsze możesz zatrzymać się tutaj na tak długo, jak zechcesz – zaproponował wielkodusznie Jim.

Jednak Grace nie chciała się narzucać. Wiedziała, że Bob w razie potrzeby planuje zamieszkać tam na parę miesięcy, jednak mężczyźni byli bliskimi przyjaciółmi. Poza tym Grace lubiła własną przestrzeń, nie chciała mieć zobowiązań wobec kogoś, kogo prawie nie znała, nawet jeśli był bardzo miły, a ona dobrze się czuła w jego towarzystwie.

– Dziękuję – powiedziała, uśmiechając się do niego. – Nie chciałabym być dla ciebie ciężarem. Goście szybko robią się męczący. Poza tym Blanche woli mieć własne mieszkanie – powiedziała, poklepując psa.

Jim się roześmiał.

– Chętnie ugoszczę i ją, i ciebie.

Imponował mu spokój Grace pomimo wszystkiego, co przeszła. Była w stałym kontakcie ze swoją pracownią i denerwowało ją, że opuszcza tydzień pracy. Planowała wrócić do biura, gdy tylko obie z Ellen poradzą sobie z uporządkowaniem mieszkania. Ellen również regularnie kontaktowała się ze swoją pracownią w Londynie, odkąd przenieśli się do mieszkania Jima, a jej komórka znów zaczęła działać. Musiała się jeszcze rozejrzeć po sklepach ze starociami i antykwariatach, choć wiele z nich zamknięto na cały tydzień ze względu na huragan. Chociaż znajdowały się na nietkniętym powodzią obszarze na północ od Czterdziestej Drugiej Ulicy, wielu pracowników utknęło na przedmieściach albo nie mogło dostać się do domów przez powódź. Ponadto mosty na Manhattan otwarto dopiero przed kilkoma dniami. Nie wpuszczano jednak samochodów, w których nie było przynajmniej trzech osób. Podróżowanie w grupach stało się obowiązkowe – chodziło o to, by zmniejszyć liczbę pojazdów wjeżdżających do miasta i ograniczyć ruch na Dolnym Manhattanie, na obszarach, przez które i tak ze względu na zniszczenia trudno było przejechać.

Po chwili Jim wziął do ręki egzemplarz „Book Review" i podał go Bobowi z uśmiechem. Obaj wiedzieli, co w nim znajdą, ponieważ zawsze wcześniej podawano im listę bestsellerów – przysyłano ją w środy, dziesięć dni przed publikacją w niedzielę. Nowa książka Boba zajmowała w tym tygodniu pierwsze miejsce. Mężczyzna uśmiechnął się i oddał gazetę

Jimowi, który przekazał ją Grace. Jego wydawca zamówił reklamę książki na całą stronę. Bob prezentował się atrakcyjnie na zdjęciu z tyłu okładki – miał na sobie tweedową marynarkę i rozpiętą pod szyją koszulę. To przypomniało im, jaki jest sławny i jak wielki sukces odniósł, choć on sam nie robił wokół tego szumu.

– W tym tygodniu kupię egzemplarz – obiecała Grace.

Bob poprosił, by tego nie robiła – zaproponował, że da Ellen i Grace książki za darmo, jeśli będą chciały.

– Nigdy nie wciskam ludziom książek – dodał skromnie. – Po tylu latach ciągle mnie to zawstydza.

– Nie dawaj ich nam, kupimy je same – nalegała Grace.

Ellen zerknęła na listę bestsellerów i również się uśmiechnęła.

– Dobra robota – pogratulowała mu, chociaż dla nikogo nie było to zaskoczeniem.

Z reklamy dowiedziała się, że to jego czterdziesta piąta książka oraz bestseller według „Timesa". Zajmował też pierwsze miejsce na listach „The Wall Street Journal" i „USA Today". Bestsellerem było także wydanie elektroniczne książki.

– To dla mnie za każdym razem powód do radości. Zawsze uważam za wielkie szczęście to, że ludzie ciągle czytają moje książki – powiedział szczerze Bob.

– Czytają ciebie i Agathę Christie – pochwaliła go Grace. – Przejdziesz do historii literatury.

Pisał bardzo inteligentne powieści kryminalne, zakończenie zawsze było zaskakujące, ważny był też aspekt psychologiczny. Grace od lat uwielbiała jego książki. W przeciwieństwie do Agathy Christie, której książki były krótsze i lżejsze, jego dzieła były długie i solidne, oczarowywały i intrygowały czytelnika przez czterysta stron. Sukces tych powieści oraz ich autora nie był bezpodstawny.

– Powinniśmy dzisiaj świętować – powiedziała Grace, znów się do niego uśmiechając. – A może właśnie dlatego jemy brunch?

– Nie, ale być może powinniśmy – stwierdził Jim, uśmiechając się do swojego przyjaciela i ulubionego pisarza. – Uznałem po prostu, że wszystkim przyda się odrobina cywilizowanego wypoczynku po ciężkim tygodniu.

Wtedy gosposia zawołała ich do jadalni, gdzie znajdował się obficie zastawiony szwedzki stół. Kobieta powiedziała, że mogą zjeść naleśniki, gofry domowej roboty lub omlet.

– Właśnie dlatego nie mogę zatrzymać się tu na dłużej – westchnęła Grace, gdy siadali. – Jesteś dla nas za dobry. Zanim bym się obejrzała, rozrosłabym się do rozmiarów tego stołu.

Jim roześmiał się, słysząc jej słowa. Opuściła zajęcia jogi, a bardzo ich potrzebowała ze względu na stres. Nie miała jednak na to czasu w całym tym chaosie powstałym po powodzi, a studio jogi w jej dzielnicy było zamknięte z powodu zalania. Gdy tylko dotarli do mieszkania Jima, próbowała się do nich dodzwonić, ale nikt nie odbierał. Któregoś wieczoru przejechała obok budynku w drodze na Górny Manhattan. Osoba, która sprzątała wewnątrz, powiedziała, że będą musieli się przenieść. Grace była więc zmuszona znaleźć nowe studio jogi albo skontaktować się z ulubionym instruktorem, gdy telefony znów zaczną działać. Na razie skontaktowanie się z kimkolwiek na Dolnym Manhattanie było prawie niemożliwe. Poza tym i tak nie miała czasu na jogę ani nic innego. Musiała posprzątać mieszkanie i przewieźć rzeczy do magazynu. Uszkodzone przedmioty trafiły już do konserwatorów. Przede wszystkim jednak musiała znaleźć miejsce, w którym zatrzyma się do czasu, aż w jej domu będzie się dało mieszkać – a to mogło nastąpić dopiero za wiele miesięcy.

Rozmowa przy brunchu była swobodna i na poziomie. Bob opowiadał o swoich dzieciach w Kalifornii, Ellen – o życiu w Londynie, a Jim i Grace żywo dyskutowali na różne tematy. Bob i Jim rozmawiali o polityce, do rozmowy włączyły się również kobiety. Jim był o pięć lat młodszy od Grace, ale przy nim po raz pierwszy od dawna czuła się jak kobieta, co wydało jej się dziwne. Był bardzo atrakcyjnym, błyskotliwym mężczyzną odnoszącym sukcesy, zapewne też był związany z wieloma kobietami. Dlaczego miałoby być inaczej? Poza tym od piętnastu lat był wdowcem, więc przywykł do samotnego życia. Niewątpliwie miał też wiele okazji do spędzania czasu w towarzystwie – nie potrzebował jej. Postrzegała to w ten sposób, myśląc, że jest za stara, by mógł się nią zainteresować. Przestała się zajmować tymi sprawami wiele lat temu, gdy związki zaczęły jej się wydawać skomplikowane i wymagały zbyt dużo pracy. Nie miała już ochoty znosić cudzych obsesji, emocjonalnego bagażu i dziwactw. Miała dość swoich problemów i wolała skupić się na karierze, która wciąż kwitła, pochłaniała jej dużo czasu i dawała mnóstwo satysfakcji – na pewno więcej, niż mogłyby dać jej randki. Jednak po raz pierwszy od dawna ktoś ją zainteresował. Czuła się z tym niemal głupio, nie miała też zamiaru flirtować z Jimem i robić z siebie idiotki. Robiła, co mogła, by traktować go jak inteligentnego mężczyznę, współrozmówcę w błyskotliwych dyskusjach i potencjalnego przyjaciela. Jednak pociągał ją bardziej, niż była gotowa przyznać. Wydawało się też, że i on się nią interesuje – nie tylko jako gościem. Grace nie chciała otwierać na nowo drzwi do związków i romansów. Uważała, że jest na to za późno.

Ellen to zauważyła i skomentowała, kiedy wróciły do pokojów. Miała trochę pracy i musiała odpisać na kilka e-maili z pracowni, a Grace chciała przeczytać wiadomości ze swojego biura. Miały przed sobą pracowity tydzień. Leniwe niedzielne popołudnie było przyjemną przerwą.

– On cię lubi, mamo – powiedziała znacząco Ellen, uśmiechając się do Grace.

– Ja też go lubię. Nie patrz tak na mnie – skarciła ją matka. – Jestem od niego o wiele starsza.

Starała się zdusić sprawę w zarodku – zarówno we własnych myślach, jak i w myślach córki. Brzmiało to, jakby próbowała przekonać samą siebie.

– Wcale nie. Najwyżej kilka lat. Pasujecie do siebie, a ty świetnie się przy nim bawisz. Poza tym bardzo mu imponujesz.

– To bardzo miłe – próbowała zbagatelizować sprawę Grace – ale jestem na to wszystko za stara. Nie potrzebuję się z nikim wiązać i robić sobie problemów. To pochłania za dużo uwagi. Poza tym on na pewno nie interesuje się mną w taki sposób.

– Byłby dla ciebie dobrym towarzyszem – nalegała Ellen. – Moglibyście przynajmniej wybrać się czasem na kolację i przekonać się, co z tego wyniknie.

– Nic z tego nie wyniknie – odparła zdecydowanie Grace. – Jestem pewna, że w jego życiu są młodsze kobiety. Jest bardzo atrakcyjnym mężczyzną.

– Może nie ma innych – odparła Ellen. – A nawet jeśli są, ty jesteś wyjątkowa, mamo. Miałby szczęście, będąc z tobą.

– Dziękuję za budujące słowa, ale ja nie jestem do wzięcia – rzuciła Grace cierpko przez zaciśnięte usta. – Nawet o tym nie myśl.

Potem Ellen poszła do swojego pokoju i zadzwoniła do George'a. Myślała, że już wrócił do domu po weekendzie, ale nie odebrał. Usłyszała nagranie automatycznej sekretarki. Spróbowała jeszcze raz przed kolacją – w Londynie było już późno – i znów trafiła na pocztę głosową. Rozstali się przed dziewięcioma dniami, ale wydawało jej się, że minął rok. Czuła się dziwnie oddalona od męża. Ich rozmowy od czasu huraganu były nieprzyjemne, jak gdyby był na nią o coś zły, ale nie chciał o tym rozmawiać. Czuła niepokój i postanowiła, że zamiast znów próbować się do niego dodzwonić, odpisze na e-maile. Wkrótce miała być znów w domu. Wtedy na pewno wszystko wróci do normy. Nie zdecydowała jeszcze, czy powie mu o wizycie u lekarza w Nowym Jorku. Diagnoza po raz kolejny osłabiła jej nadzieję na dziecko. Nie wiedziała, czy chce przedstawiać sprawę tak jasno – być może on byłby gotów spróbować jeszcze raz. Może przy kolejnej próbie im się poszczęści. Osobom, które się poddały, zdarzały się zaskakujące rzeczy. Przypominało to trochę ruletkę w Las Vegas – za każdym razem miała nadzieję, że zgarnie całą pulę, przekonywała siebie, że może się udać, a potem odchodziła bez grosza. Ich starania o dziecko były prawdziwą karuzelą. Nie była pewna, czy powinna całkowicie zrezygnować, jak doradził jej lekarz, czy modlić się o cud i namówić George'a na jeszcze jedną próbę *in vitro* mimo niewielkich szans. A jeśli nigdy nie wygrają loterii o dziecko? A jeśli to naprawdę koniec? Jak będzie wyglądać ich życie, ich małżeństwo bez potomstwa do samego końca? Wciąż nie umiała sobie wyobrazić, że nigdy nie będzie mieć dzieci, choć przeżyli bez nich dziesięć lat małżeństwa. Zawsze jednak byli pewni, że w końcu potomstwo się pojawi. Teraz nadzieja gasła, a nawet zniknęła zupełnie. Grace nie wiedziała o jej wizycie u lekarza. Uważała, że Ellen już dawno powinna była się poddać i pogodzić z losem. Sama miała dziecko – nie była w stanie zrozumieć, jak to jest zaakceptować bezdzietność do końca życia. Ludzie narzekali na swoje dzieci, ale nie zrezygnowaliby z wychowywania ich za nic na świecie. Ellen też nie była gotowa się poddawać. Nie potrafiła pożegnać się ze swoim marzeniem – stało się ono jej częścią, od zbyt dawna było jej siłą napędową.

Tego wieczoru Jim i Bob poszli na obiad z grupą literatów. Ellen i Grace z radością zostały w domu. Miały dużo do zrobienia przed nadchodzącym tygodniem. Ellen przygotowała listy zadań, a Grace wysłała e-mail do biura z notką dotyczącą prezentacji opóźnionej ze względu na burzę. W pracowni odebrano kilka telefonów od ludzi, których domy zostały poważnie zniszczone – głównie z Connecticut i New Jersey. Czekał ją pracowity rok. Architekci korzystali zawodowo na huraganach, ale podobnie jak wszyscy inni – tracili pod każdym innym względem.

W poniedziałek rano dwóch pracowników obsługi budynku Grace pomogło kobietom wyrzucić z mieszkania ostatnie śmieci. „Śmieci", które kiedyś były pięknymi meblami, zamówionymi przez Ellen we Włoszech, oraz delikatnymi przedmiotami – teraz roztrzaskanymi na kawałki. Wszystko, co wyrzucały, było nie do poznania – przesiąknięte i cuchnące ściekami. Pozbycie się tego było dla nich ulgą. Potem ekipa transportowa przyjechała spakować wszystkie delikatne przedmioty: porcelanę, kryształy, to, co przetrwało. We wszystkich lampach należało wymienić kable i zreperować je u elektryka, ponieważ przemokły miejsca, w których były podpięte do prądu. Pracowały przy świetle dużych lamp na baterie, które kupił zarządca budynku – miało minąć jeszcze dużo czasu, zanim na nowo uruchomią elektryczność.

W ciągu tego dnia pracownicy firmy transportowej zapakowali na ciężarówkę pudła, skrzynie i większość mebli z górnego poziomu. Rzeczoznawca ubezpieczyciela przyjechał, by zrobić zdjęcia i film. Gdy Bob zajrzał z naprzeciwka, by sprawdzić, jak im idzie, był pod wrażeniem.

– Jesteście profesjonalistkami – uśmiechnął się z podziwem.

Grace nie wyglądała już, jakby była w szoku albo miała się zaraz przewrócić – czego można się było spodziewać, gdy była w schronisku i gdy po raz pierwszy zobaczyła mieszkanie. Ellen kierowała robotnikami. Grace była pełna energii, zrobiła już zdjęcia i notatki dotyczące ewentualnych zmian w mieszkaniu.

– Naprawdę chcesz tu wrócić? – spytał Bob, wciąż zaskoczony.

– Uwielbiam to mieszkanie – odparła po prostu.

– A jeśli sytuacja się powtórzy? To możliwe – zauważył praktycznie.

Ta świadomość sprawiła, że łatwiej było mu podjąć decyzję o przeprowadzce. Wolał zrezygnować z mieszkania, które tak lubił, niż znów przez to przechodzić. Nie wiedział, jak Grace może żyć z tą świadomością.

– Nie powtórzy się – stwierdziła zdecydowanie.

Poprzednio jednak mówiła to samo. Ellen się z nią nie zgadzała i jeszcze się nie poddała.

– Dwa huragany to niezwykły zbieg okoliczności. Niemożliwe, by to się zdarzyło po raz trzeci.

– Nie należy ufać matce naturze – odparł poważnie Bob. – Zawsze potrafi nas oszukać. Jutro będę oglądał dwa mieszkania w budynku Jima. Jego okolica podoba mi się tak samo jak Tribeca, jestem gotów przeprowadzić się na Górny Manhattan.

– Ja mieszkałam kiedyś na Górnym Manhattanie. O wiele bardziej podoba mi się tutaj. Tam jest tak drętwo i nudno.

– Ja jestem gotowy na nudę.

Bob rozejrzał się po szkodach w mieszkaniu. Na ścianach były zacieki i zasychające resztki ścieków. Nie był w stanie znów się z tym mierzyć. Jego mieszkanie wyglądało równie źle, może nawet gorzej – przede wszystkim nie było tak wytworne. Większość mebli nie była warta zachowania i musiał je wyrzucić.

– Sporo stracę na sprzedaży mieszkania, ale uważam, że warto. Nie chcę też płacić za naprawę budynku.

Właściciele mieli być do tego zmuszeni. Ellen przypomniała o tym Grace, ale ona upierała się, że jej to nie obchodzi. Była naprawdę zawzięta.

Tego dnia ekipa transportowa prawie skończyła prace w mieszkaniu Grace. Było tam niemal całkiem pusto. Bez wyrzuconych mebli nie śmierdziało już aż tak strasznie i nie wyglądało aż tak źle. Dzień był cieplejszy niż poprzednie, przez co ulice jeszcze bardziej cuchnęły ściekami. Wszyscy widzieli szczury uciekające ulicami z zalanych budynków.

Następnego dnia ekipa opróżniła szafy Grace i zawiozła jej suche ubrania do magazynu, do czasu, aż znajdzie tymczasowe mieszkanie. Przedstawiciel firmy ubezpieczeniowej wysłał już pudła z jej ubraniami do specjalnej pralni chemicznej, by spróbować je uratować. Trzeba było wyrzucić prawie wszystkie jej buty. Jednak firma ubezpieczeniowa obiecała, że pokryje straty. Była jedną z nielicznych ofiar huraganu, która miała dobre ubezpieczenie, płaciła jednak wysokie składki, na jakie większość ludzi nie mogła lub nie chciała wydawać pieniędzy. Teraz jej się to opłaciło, tak samo jak pięć lat wcześniej. Jednak niezależnie od zakresu ubezpieczenia i chęci ubezpieczyciela do wypłaty odszkodowania wielu rzeczy nie dało się zastąpić. Na szczęście przechowywała na górze wszystkie swoje albumy ze zdjęciami z dzieciństwa Ellen i ślubu, z historią własnego życia i życia jej rodziców. Te pamiątki nie zostały zniszczone. Inni nie mieli tyle szczęścia – stracili wiele pamiątek i cennych przedmiotów. Wiele smutnych historii o straconym dobytku można było przeczytać w gazetach czy usłyszeć w wiadomościach, pokazywano rozdzierające serce zdjęcia płaczących ludzi. Ci, którzy zginęli podczas huraganu, byli chowani w tym tygodniu. Ben był jedną z pierwszych takich osób.

We wtorek po południu mieszkanie było zupełnie puste. Ellen oddała matce klucze, gdy wracała do mieszkania przy Central Parku. Czuła się zmęczona, smutna i wyczerpana. Bardzo cierpiała, widząc tak wielkie zniszczenia czegoś dawniej pięknego, zdewastowane miasto, ludzi płaczących na chodnikach nad swoimi stratami. Przygnębiało ją to za każdym razem, gdy jechała na Dolny Manhattan. Całe miasto było dotknięte tragedią, mimo że na Górnym Manhattanie nie było szkód. Ludzie jednak brali się w garść i wiele osób podobnych do Grace obiecało sobie, że odbuduje zniszczenia i wróci do domu. Ellen nie chciała, by matka to robiła, jednak trudno jest kontrolować ludzką duszę, przewidywać jej działania czy dyskutować z nią. Większość kobiet nie upierałaby się, by zajść w ciążę, równie mocno jak ona. Każdy miał swoje słabe punkty i obsesje. W przypadku jej matki było to mieszkanie w Tribece. Wbrew rozsądkowi uwielbiała ten budynek, swój apartament i położenie przy rzece.

Tego wieczoru Ellen znów zadzwoniła do George'a i po raz kolejny się nie dodzwoniła. Wysłał jej SMS, że jest na spotkaniu, a potem wybiera się na przyjęcie. Miał do niej oddzwonić po powrocie do domu, ale tego nie zrobił.

Kolejnego ranka, gdy Grace poszła do pracy, Ellen spotkała się z agentką nieruchomości, którą jej polecono, i zaczęła oglądanie umeblowanych mieszkań. To pozwoliło jej wiele się dowiedzieć. Lista lokali do zobaczenia była długa, a lista osób uciekających z Dolnego Manhattanu – jeszcze dłuższa. Dotyczyło to zwłaszcza ludzi z droższych okolic, jak dzielnica jej matki. Takie osoby były gotowe zapłacić każdą cenę i brały mieszkania, gdy tylko je obejrzały. Agentka ostrzegła ją, że będą musiały podjąć szybką decyzję, jeśli zobaczą coś, co im się spodoba. Ellen powiedziała mamie, że będzie musiała przyjechać z biura, jeśli pojawi się coś wspaniałego albo przynajmniej przyzwoitego. Nie musiało być idealne – to było tymczasowe miejsce zamieszkania do czasu odremontowania tego w Tribece.

Agentka wydała się Ellen nieco ekscentryczna, ale jeśli miała dobre oferty, było to bez znaczenia. Poza tym pracowała dla znanej, godnej zaufania firmy. Zresztą to, które mieszkania będą dostępne, było kwestią szczęścia. To Grace musiała podjąć ostateczną decyzję, ponieważ miała tam mieszkać przez kilka miesięcy. Oczywiście właściciele musieli także zgodzić się na psa – większość wynajmujących umeblowane mieszkania nie wyrażała zgody na zwierzęta. Tego rodzaju mieszkania zostały już wykluczone, ponieważ Grace nie wzięłaby ich pod uwagę. Agentka rozpoznała nazwisko Grace i była pod wrażeniem, co zawsze było miłe. Zapewniła Ellen, że na pewno zdołają uzyskać dla matki zgodę zarządu mieszkańców każdego budynku w mieście, co nie było oczywiste w przypadku każdego najemcy. Teoretycznie gdyby znalazły właściwe mieszkanie, powinno być łatwo. Ellen opisała potrzeby matki oraz jej szczegółowe oczekiwania. Chciała, by w mieszkaniu był portier i pełna obsługa. Wymagała ładnego widoku i nasłonecznionych pomieszczeń, co najmniej dwóch sypialni, a najlepiej trzech, by móc używać jednej jako gabinetu. Najbardziej odpowiadałoby jej mieszkanie na Dolnym Manhattanie – w nietkniętych powodzią częściach SoHo, na West Village, w południowej części Piątej Alei lub Tribece – co było raczej trudne do spełnienia – albo na Upper East Side, na północ od Sześćdziesiątej i na południe od Siedemdziesiątej Dziewiątej Ulicy. Gdyby znalazły wspaniałe mieszkanie przy zachodniej granicy Central Parku, wzięłaby je pod uwagę, ale żadna inna lokalizacja po wschodniej stronie Manhattanu nie wchodziła w grę. Te wymagania były dla Ellen jasne, a agentka również je znała.

Zaczęły od Dolnego Manhattanu, bo ten obszar wolała Grace. Niewiele budynków uniknęło zniszczeń podczas huraganu, Ellen obejrzała jednak nowoczesne mieszkanie na jednym z wyższych pięter – jej matka powiedziała, że nie chce również takiego miejsca. Nie lubiła wyższych pięter, bo obawiała się, że nie będzie mogła się wydostać, gdyby wybuchł pożar. Sufity były tak niskie, że Ellen czuła się, jakby miały spaść jej na głowę. Mieszkanie wyglądało na tandetne i tanie. Ściany i sufit były pomalowane farbą z brokatem, co sprawiło, że kobieta się skrzywiła. Wiedziała, że Grace wcale by się to nie spodobało. Meble były okropne, głównie wiklinowe, kupione w Meksyku. Mieszkali tam studenci, co było widać.

Kolejne mieszkanie znajdowało się w kamienicy z ciemnego piaskowca przy Washington Square. Było piękne i wspaniale urządzone, ale w budynku nie było portiera. Agentka dodała je, „tylko, żeby obejrzeć", w razie gdyby Ellen się w nim zakochała. Kobieta przypomniała jej, że ma trzymać się ich wymagań – inaczej będą marnować czas. Agentka przeprosiła, a potem udały się do loftu na SoHo. Kuchnia znajdowała się na środku salonu, co nie spodobałoby się Grace. W Tribece były trzy mieszkania bez portierów, więc nawet ich nie oglądały, choć agentka zarzekała się, że są wspaniałe. Było też kolejne piękne mieszkanie, które podobno miało wszystko, czego chciały. Kosztowało jednak czterdzieści tysięcy dolarów za miesiąc, a to wykraczało poza budżet Grace, więc je pominęły. Obejrzały także urocze mieszkanko w West Village – było małe, ale bardzo ładne. Znajdowała się w nim jedna sypialnia i salon, było więc nieco ciasne. Potem kobiety pojechały na Górny Manhattan. Ellen zaczynała się zniechęcać, bo agentka bez przerwy rozmawiała przez komórkę, przerzucając się ofertami z innymi agentami i negocjując ceny. Sprawiała wrażenie bukmachera albo dilera narkotyków. Ellen rozbolała przez to głowa, gdy wsiadły do taksówki i pojechały na północ. Ustaliły, że zaczną od położonego najbardziej na północ mieszkania w strefie wyznaczonej przez Grace, na Siedemdziesiątej Dziewiątej Ulicy, i będą stopniowo przesuwać się na południe.

Dwa lokale na Siedemdziesiątej Dziewiątej były ładnie urządzone, ale ponure i ciemne – prawie wcale nie było w nich światła słonecznego. Naprzeciw muzeum Frick Collection obejrzały mieszkanie w kamienicy bez portiera. Ellen prawie straciła nadzieję i zaczęła wątpić, czy cokolwiek znajdzie. Były wtedy przy skrzyżowaniu Siedemdziesiątej Ósmej z Piątą Aleją, niedaleko pracowni Grace i Central Parku – w ładny dzień mogłaby tam spacerować. Budynek znajdował się naprzeciw Central Parku, podobno miał ogród na dachu, a właścicielom nie przeszkadzał pies. Ellen spodziewała się, że coś będzie z nim nie tak, kiedy portier wpuścił je do środka. Agent właścicielki miał się spóźnić i wyraził na to zgodę. Przez chwilę Ellen czuła się, jakby weszła nieproszona do czyjegoś domu. Salon był urządzony bardzo stylowo w odcieniach beżu, umeblowany sprzętami stworzonymi przez znanego włoskiego projektanta, które Ellen natychmiast rozpoznała. Gabinet był wypełniony książkami, ogromna główna sypialnia była wykończona bladym odcieniem błękitu, a przyzwoita druga sypialnia – udekorowana granatowymi i białymi francuskimi tkaninami. Była też mała jadalnia i osobna kuchnia, a za nią – pomieszczenie dla gosposi. Hol był wyłożony białym i czarnym marmurem, widok na park zapierał dech w piersiach, mieszkanie wyglądało na czyste i zadbane. Mały ogród na dachu był przyjemny, stały tam markowe meble Brown Jordan – Ellen kupowała takie same dla swoich klientów. Nie rozumiała, czemu ktoś chciałby z niego zrezygnować. Mieszkanie nie było ogromne, więc wystarczyłaby jedna osoba do sprzątania, a zarazem było dość duże dla Grace, choć nieco mniejsze niż to w Tribece. Poza tym wszystko było na jednym poziomie, więc nie musiałaby się martwić schodami. Jeśli lokator sobie tego życzył, wynajmujący mógł zapewnić sprzęty kuchenne i pościel.

– Dlaczego je wynajmują? – spytała Ellen, zszokowana, że ktoś chce wpuścić obcych do takiego mieszkania.

– Właścicielka rozważa przeprowadzkę do Palm Beach. Nie chciała podejmować pochopnej decyzji, zanim się nie przekona, czy jej się tam podoba. W zeszłym roku kupiła tam duży dom, ale boi się, że zacznie tęsknić za Nowym Jorkiem, jeśli zrezygnuje z tego mieszkania. Zawsze mogłaby się zatrzymać w hotelu, ale jeszcze nie jest pewna. Wynajmuje to mieszkanie na sześć miesięcy. Możliwy byłby wynajem na kolejne sześć, jeśli zdecyduje, że nie wraca.

To dawało Grace mnóstwo czasu na uporządkowanie mieszkania w Tribece, jeśli upierałaby się, by do niego wrócić. Ellen była zachwycona mieszkaniem i z chęcią sama by się do niego wprowadziła.

– Jeśli właścicielka zdecyduje się na sprzedaż, będzie można je kupić za pół roku lub rok. Lokator będzie musiał się zgodzić na wpuszczenie do niego potencjalnych kupujących.

– Ile wynosi czynsz? – spytała Ellen ostrożnie, obawiając się, że będzie przekraczał budżet.

Nie pamiętała podanej wcześniej kwoty i była nią zaskoczona – wynosiła o wiele mniej niż czynsz mieszkań, które oglądały w Tribece. Jednak Upper East Side była teraz znacznie tańsza od modnych dzielnic na Dolnym Manhattanie, które stały się tak popularne i pożądane, nawet po huraganie.

– Kiedy można się wprowadzić?

To była ostatnia informacja, której potrzebowała Ellen.

– Od razu. Oferta pojawiła się na początku września. Mieszkanie jest gotowe do wynajmu od ponad dwóch tygodni, ale ze względu na huragan nikt nie oglądał go przez ostatnie dziesięć dni. Jutro i w piątek pokazujemy je kolejnym potencjalnym najemcom.

Ellen sięgnęła wtedy po komórkę i zadzwoniła do matki. Weszła do czystej białej kuchni, by móc swobodnie rozmawiać.

– Cześć, mamo. Jesteś zajęta?

– Mam spotkanie. Mogę do ciebie oddzwonić? Skończę za dziesięć minut.

– Świetnie. Gdy tylko skończysz, wsiadaj w taksówkę. Chyba właśnie trafiłam w dziesiątkę. Znalazłam świetne mieszkanie przy skrzyżowaniu Sześćdziesiątej Ósmej z Piątą Aleją. Na Dolnym Manhattanie nie było niczego porządnego, a to miejsce jest trochę tradycyjne jak na ciebie, ale myślę, że nie znajdziesz lepszego tymczasowego umeblowanego mieszkania. No chyba że spodoba ci się to, które oglądałam, z kondygnacją na dwa i pół metra i brokatem na ścianach. Musisz przyjechać i je zobaczyć, inaczej ktoś je szybko zajmie.

– Jesteś wspaniała – odparła Grace ze szczerym podziwem. – Będę tam nie później niż za dwadzieścia minut. Zgodzą się na psa?

– Agentka mówi, że właścicielka ma dwa pudle i nie przeszkadza jej twój pies. To idealne miejsce, mamo. Sama mogłabym tu zamieszkać.

Grace wiedziała, że Ellen ma nieco bardziej tradycyjny i mniej radykalny gust od niej, ale lubi też współczesny design i zdobienia architektoniczne, była więc przekonana, że córka potrafi coś dla niej wybrać. Zawsze dokładnie wiedziała, co się spodoba jej klientom. Matka wiedziała też, że jeśli istniała oferta, która by jej odpowiadała, jej córka ją znajdzie.

– Przyjadę najszybciej, jak to możliwe – obiecała.

Była na miejscu piętnaście minut później. Agentka czekała razem z Ellen, odbierając serię telefonów. Gdy Grace zobaczyła mieszkanie, była pod takim samym wrażeniem jak Ellen. Cena także ją zachwyciła.

– Myślę, że wolałabym używać własnej pościeli – zastanowiła się kobieta.

Jej pościel i ręczniki przemokły podczas powodzi i były poplamione ściekami, więc je wyrzuciły. I tak musiała kupić nowe. Ucałowała Ellen i szeroko się uśmiechnęła.

– Biorę je – powiedziała do agentki i córki.

Potem usiadły przy kuchennym stole, by wypełnić formularze dla agentki, właścicielki i zarządu mieszkańców. To było jak podpisywanie konstytucji albo traktatu wersalskiego, ale zarówno matka, jak i córka były zadziwione tym, jak łatwo przebiegł cały proces. W jeden dzień udało im się znaleźć to, czego potrzebowała Grace.

– Trzeba będzie czekać mniej więcej tydzień na zgodę zarządu – wyjaśniła agentka.

Obie wiedziały, że ten proces wymaga czasu. Grace potrzebowała trzech listów polecających od współpracowników zawodowych oraz czterech od osób prywatnych, a także potwierdzenia statusu finansowego, które również nie stanowiło problemu. Mogła to załatwić jej sekretarka.

Godzinę później wyszły z mieszkania. Grace przedtem coś zanotowała i zrobiła kilka zdjęć. Powiedziała, że podoba jej się także ogród na dachu.

– Poproszę, by anulowali spotkania z pozostałymi klientami – zapewniła agentka.

Kobiety rozstały się z nią pod budynkiem. Grace znów podziękowała córce, że tak świetnie się spisała. Było to ważne zwycięstwo po nieszczęściach poprzedniego tygodnia. Grace przyznała, że nie chciałaby mieszkać tam wiecznie – mieszkanie nie było w jej stylu. Wiedziała, że będzie tęsknić za Tribeką, i nie mogła się doczekać powrotu. Jednak na sześć miesięcy to miejsce było idealne, mogłaby też wygodnie docierać do pracy. Ellen z ulgą pomyślała, że może już wrócić do Londynu, pewna, że jej mama ma gdzie mieszkać i sama poradzi sobie z przeprowadzką. Mogła zostawić swoje rzeczy w magazynie i zabrać tylko ubrania. Mieszkanie miało nawet garderoby. Po zakończeniu zadania Ellen miała dwa dni na zakupy dla klientów, a w sobotę mogła wrócić do Londynu, dwa tygodnie po wylocie. Czuła się, jakby podczas swojego pobytu tutaj poruszyła góry, jednak sprawy w Nowym Jorku zaczynały wyglądać coraz lepiej – zaledwie dziesięć dni od momentu, gdy huragan zniszczył mieszkanie Grace i południe Nowego Jorku.

Matka pojechała taksówką do biura, a Ellen wróciła do mieszkania Jima Aldricha przy zachodniej granicy Central Parku. Była wtedy szesnasta, a w Londynie – dwudziesta pierwsza. Chciała powiedzieć George'owi, że wraca do domu. Zadzwoniła do niego, gdy tylko weszła do swojej sypialni u Jima.

Uśmiechała się. Była bardzo zadowolona z mieszkania, które znalazła dla mamy. Było dla niej pod każdym względem idealne, przynajmniej na jakiś czas.

Tym razem George odebrał niemal natychmiast. W jego głosie słychać było zmęczenie i rozkojarzenie. Ellen jednak tak bardzo cieszyła się swoim zwycięstwem, że nie zwracała na to uwagi. Pomyślała, że pewnie miał po prostu ciężki dzień w biurze.

– Wracam do domu – oświadczyła radośnie.

Cieszyła się, że zobaczy go po rozłące, która wydawała się nie mieć końca, oraz po wszystkim, przez co obie z matką przeszły.

– Kiedy? – W jego głosie nie było słychać tego samego entuzjazmu.

– Chyba najlepsza będzie sobota. Muszę popracować przez dwa dni. Do tej pory zajmowałam się tylko skutkami huraganu. Właśnie znalazłam piękne umeblowane mieszkanie dla mamy. Może się do niego wprowadzić w przyszłym tygodniu, gdy uzyska zgodę zarządu. Zatem moje zadanie skończone, a ona będzie miała gdzie mieszkać przez pół roku, dopóki nie odnowi swojego mieszkania.

– Chyba zwariowała, jeśli chce tam wracać – stwierdził z irytacją George.

– Zgadzam się. Nawet jej sąsiad przeprowadza się na Górny Manhattan i sprzedaje swoje mieszkanie. Spróbuję ją przekonać, ale jeszcze nie jest gotowa, by się poddać. Mam nadzieję, że zmądrzeje.

Po tych słowach nastała długa cisza. Ellen zastanawiała się, co robi George. Wydawało się, że myśli o czymś innym albo czyta przy biurku. Po chwili milczenia w końcu znów się odezwał.

– Kiedy wrócisz, musimy porozmawiać – oświadczył poważnie.

– O czym? – nie miała pojęcia i nie chciała zgadywać.

– O wielu rzeczach – westchnął. – Cztery lata bezowocnych starań o dziecko naprawdę mnie wyczerpały. Już dłużej tak nie mogę.

Przez chwilę milczała, a potem postanowiła porozmawiać z nim szczerze. Już wcześniej to mówił, ale tym razem czuła, że jest do tego przekonany.

– W zeszłym tygodniu byłam u lekarza. Nie miał dla mnie dobrych wiadomości. Zgodził się z tym, co powiedzieli nam ostatnio specjaliści w Londynie. Moje komórki jajowe są za stare. Powiedział, że potrzebowalibyśmy dawczyni – dodała, wiedząc, że żadne z nich tego nie chce.

– Już dłużej tak nie mogę – oświadczył wprost.

Przez chwilę wydawało jej się, że to nie w porządku. To ona, a nie George, dostawała zastrzyki hormonalne, przechodziła leczenie, bolesne pobieranie komórek i zapłodnienia *in vitro*. Jednak on przeżywał z nią każde badanie, rozczarowanie i poronienie, co również dla niego było trudne.

– Przykro mi, że się nie udało.

Chciała go zapytać, czy wciąż jest równie mocno przeciwny adopcji i udziałowi surogatki, jednak nie miała odwagi. Wydawał się zdenerwowany i najwyraźniej myślał o tym pod jej nieobecność. W jego głosie słychać było zdecydowanie, a to ją zasmuciło. Cały ten proces zbyt długo sprawiał im ból.

– Ja także – dodał posępnie. – Bardzo na tym ucierpieliśmy.

Nie zgadzała się z nim, uważała, że ich małżeństwo zniosło to zaskakująco dobrze. Słyszała od innych gorsze historie.

– Ellen – ciągnął George – przykro mi, że mówię ci to teraz, ale to koniec. Chciałem ci o tym powiedzieć, gdy wrócisz, ale nie chcę cię zwodzić. Od miesięcy o tym myślałem.

– Rozumiem – odparła cicho ze łzami w oczach.

Miał jednak prawo podjąć taką decyzję, zrezygnować z dalszego leczenia niepłodności. Żeby znieść taki wysiłek, oboje powinni być na niego gotowi.

– Chyba nie rozumiesz – odpowiedział trzeźwo. – To naprawdę koniec. Naszego małżeństwa. To wszystko je zniszczyło. Ostatni rok czy dwa to było dla mnie za wiele. Powinniśmy byli już dawno przerwać. Nie ma już między nami magii, ekscytacji, nadziei. Kochaliśmy się na komendę prawie przez połowę małżeństwa. Już dłużej tego nie zniosę. Jestem pewien, że czujesz to samo.

– Wcale nie – odparła z rosnącą paniką, czując, jak jej serce zaczyna bić coraz szybciej. – Wciąż uwielbiam się z tobą kochać, nawet gdy nie jest to spontaniczne.

Zamilkła, gdy przypomniała sobie, jak wyglądało ich małżeństwo. Może gorzej, niż była gotowa przyznać. Była tak skupiona na swoim celu, że nie pomyślała, jak go tym krzywdzi.

– Nie znosiłem robić zastrzyków i sprawiać ci ból, przechodzić przez to za każdym razem, nie mogłem znieść twojego smutku, płaczu przy każdym objawie poronień, wszystkiego, co się wiązało z twoimi jajeczkami. Czułem się jak student medycyny. Poza tym nigdy nie pragnąłem dzieci aż tak bardzo jak ty. Byłoby mi dobrze, gdybym wcale ich nie miał, ale ich poczęcie w taki sposób jest nie do wytrzymania. To cud, że nie stałem się impotentem. Przez cztery lata kochałem się z probówką, trzymając w dłoni „Playboya". Każda minuta była męczarnią.

Wydawało się, że teraz czuł też nienawiść do niej. Po raz pierwszy był z nią tak szczery. Nagle pożałowała, że przez nią znalazł się na granicy wytrzymałości. To wszystko było jedną wielką pomyłką. Zniszczyła ich małżeństwo, nie mając takiego zamiaru. Nie wiedziała, jak go odzyskać.

– Możemy to teraz zakończyć – powiedziała cicho.

Było jej żal rezygnować z nadziei na dziecko, którego tak bardzo pragnęła, ale nie chciała też tracić George'a. Był dla niej jeszcze ważniejszy.

– Ja zakończyłem – potwierdził. – Mówiłem poważnie. To koniec. W tym związku już nic dla mnie nie zostało. Chcę rozwodu. To nie w porządku wobec ciebie, byśmy przedłużali coś, co dla mnie skończyło się wiele lat temu. Oboje musimy zacząć nowe życie. Teraz zrozumiałem, że nigdy do siebie nie pasowaliśmy. Wiem, jak bardzo starałaś się zaspokoić wszystkie moje pragnienia i dopasować do brytyjskiego życia, ale to ułuda. To wszystko jest ci obce, zawsze będzie. Teraz to wiem.

Z jego słów wyczytała coś jeszcze. Poczuła, że jej serce na chwilę przestało bić.

– Masz kogoś? – wypaliła wbrew sobie.

Milczenie przed jego odpowiedzią ciągnęło się w nieskończoność. Nie chciał robić tego przez telefon, ale nie mógł już znieść kłamstw i udawania, że ich małżeństwo ma jeszcze sens. Wciąż mu na niej zależało i martwił się o nią jak o siostrę. Wiedział jednak, że już nie jest w niej zakochany. Staranie o dziecko, jak gdyby to była sprawa życia lub śmierci, wszystko dla niego zniszczyło.

– Tak – odparł w końcu. – Mam.

– O mój Boże, od kiedy? – spytała zduszonym głosem.

– Od jakiegoś czasu. Od roku – powiedział w końcu szczerze, z ulgą. – Myślałem, że to minie, że to tylko zabawa. Ale to coś poważnego. – Znów zawahał się przez dłuższą chwilę, po czym dokończył: – Kocham ją, chcę się z nią ożenić.

Słysząc to, Ellen myślała, że zemdleje. Czuła się, jakby w jej sercu właśnie wybuchła bomba i rozerwała je na drobne kawałki.

– Przez rok nic mi nie powiedziałeś? Pewnie jest Brytyjką. – W jej słowach słychać było gorycz, nie rozpacz, którą tak naprawdę czuła.

– Tak. To kuzynka starego przyjaciela. Znam ją całe życie. Niedawno się rozwiodła, wpadłem na nią rok temu. Byłaś gdzieś na spotkaniach z klientami, chyba w Hiszpanii albo na południu Francji.

– Jak to miło – stwierdziła, a potem przyszło jej do głowy coś jeszcze: – Czy przez ostatnie dwa weekendy była z tobą na przyjęciach?

Zawahał się tylko przez chwilę. Gdy już zaczął, łatwiej było mówić prawdę.

– Tak, była ze mną.

– Nasi przyjaciele uważali, że nie ma w tym nic złego? Nie przeszkadzało im to? Czy oni wszyscy też ją znają?

– Wiele osób ją zna. To kuzynka Freddy'ego Harpera.

– Idealnie. Jest jedną z was. Żadne z nich nie chciało być lojalne wobec mnie, gdy patrzyli, jak mnie zdradzasz i sprowadzasz swoją kochankę na przyjęcia, na które chodzimy razem? Przykro mi, ale to dla mnie trochę zbyt europejskie. Ja nigdy bym ci tego nie zrobiła, za bardzo cię szanuję.

– Ona nie jest moją kochanką. Chcę się z nią ożenić.

– Teraz nią jest. Ciągle jesteś moim mężem.

Oznaczało to także, że jej przyjaciółka Mireille o wszystkim wiedziała i nic jej nie powiedziała. Była lojalna wobec pozostałych, nie wobec Ellen. George zrobił z niej idiotkę.

– A co by było, gdybym w ciągu ostatniego roku zaszła w końcu w ciążę, gdy ty z nią sypiałeś?

– To byłby poważny problem – przyznał. – To by było bardzo niezręczne.

– I bardzo obłudne – dodała ze złością. – Przez rok mnie okłamywałeś.

Gdy pomyślała o tym, że nigdy niczego nie podejrzewała, poczuła się jak kretynka. Miała wrażenie, że jej serce rozpadło się na tysiące kawałków. Tak bardzo starała się spełnić jego oczekiwania, robić wszystko według jego wymagań, ale po prostu nie była „jedną z nich".

– Ellen, przez ostatni rok czy dwa było oczywiste, że nam nie wyjdzie. Tylko ty nie potrafiłaś tego dostrzec. Gdybym uważał, że naprawdę masz szansę zajść w ciążę, nie zaangażowałbym się tak bardzo w związek z Annabelle. Nasze małżeństwo skończyło się, zanim ona się pojawiła. Przynajmniej dla mnie.

– To wcale nie znaczy, że byłeś wolny. Oczywiście ja dowiaduję się ostatnia – stwierdziła tragicznym tonem, czując się idiotycznie z tym, że nie dostrzegła, co się dzieje.

– Może nie byłaś dość czujna. Pragnęłaś dziecka bardziej niż mnie.

Nie była pewna, czy to prawda, ale przyznała w duchu, że to możliwe.

– Będziesz miał z nią dzieci?

Jeśli tak, na pewno okazałoby się to prostsze niż z Ellen, która robiła, co mogła, sztucznie i z pomocą lekarzy.

– Nie mam pojęcia – odparł szczerze. – Nie rozmawialiśmy o tym. Nie ma takiej obsesji na tym punkcie jak ty. Poza tym ma dwójkę dzieci. Nie wiem, czy chce mieć więcej, nie wiem też, czy ja chcę mieć własne dzieci po tym, co przeszliśmy. Byłbym zadowolony z małżeństwa bez dzieci i z żoną, która kocha mnie za to, kim jestem, a nie za nasienie.

– Jesteś niesprawiedliwy – powiedziała Ellen, a po jej policzkach i podbródku stoczyły się łzy. – Chciałam mieć dziecko, bo cię kocham.

– Wszystko wymknęło się spod kontroli, zmieniło się w pogoń za sukcesem na przekór szansom.

– Czy jest dla nas nadzieja? – dopytywała rozpaczliwie Ellen.

Odpowiedział jej szybko, bez cienia wątpliwości.

– Nie. Nigdy nie wskrzeszę tego, co czułem do ciebie dziesięć lat temu. To koniec. Kiedy wrócisz, chcę sprzedać dom. Kupowanie go było absurdem, jest za duży dla każdego z nas. Chyba że chcesz go zachować, ale jest i zawsze był za wielki.

Skinęła głową. Nie miała w tej chwili siły myśleć o domach. Wiedziała tylko, że straciła męża, który kochał inną kobietę, że jej małżeństwo jest skończone. Miała spędzić resztę życia bez dziecka i bez George'a. Nie docierało to do niej.

– Kiedy wracasz? – spytał oficjalnym tonem.

– Jeszcze nie mam rezerwacji. Dopiero dzisiaj znalazłam mieszkanie dla matki. Planowałam powrót w sobotę.

– Twoja mama ma szczęście, że z nią jesteś. Wyprowadzę się, zanim wrócisz. Możemy porozmawiać o szczegółach, kiedy będziesz w domu.

Zawahał się wtedy i zadał jej pytanie, nad którym nawet się nie zastanawiała, zszokowana jego słowami.

– Zostaniesz w Londynie czy wrócisz do Nowego Jorku? – spytał.

Ellen czuła, że chciałby, żeby wyjechała. Nigdy nie słyszała u niego równie chłodnego tonu. Dla niego wszystko było skończone, chciał, by zniknęła. Czuła się jak nieudana transakcja biznesowa, a nie kobieta, którą kiedyś kochał.

– Nie mam pojęcia. Czemu pytasz?

Jej firma dekoratorska znajdowała się w Londynie, chociaż mogła pracować w dowolnym miejscu, mając przy sobie komputer i podróżując do europejskich klientów. Jednak od jedenastu lat nie mieszkała w Nowym Jorku. Nie miała siły teraz o tym myśleć.

– Po prostu się zastanawiam. Być może byłabyś tam szczęśliwsza.

W ten sposób chciał jej powiedzieć, że nigdy nie będzie naprawdę pasować do jego świata, a bez niego nie było tam dla niej miejsca. Związek z Annabelle dobitnie o tym świadczył.

– Przepraszam, Ellen. Wiem, że teraz to przykra wiadomość, ale tak będzie lepiej dla nas obojga.

Była pewna, że on na tym skorzysta. Sama już nie wiedziała, co jest dla niej lepsze. Nie potrafiła tego ocenić. Czuła się, jakby burza wyniszczyła ją samą od środka. W pewnym sensie huragan Ofelia zrujnował również jej życie. A może był to huragan Annabelle?

Kiedy zakończyli rozmowę, położyła się na łóżku w gościnnej sypialni i łkała przez wiele godzin. Gdy wróciła matka, powiedziała jej, że ma migrenę, i została w łóżku. Nie mówiła o rozmowie z George'em. Nie była w stanie. Było to dla niej zbyt bolesne i zbyt szokujące, by o tym rozmawiać. Leżała w ciemnościach i płakała przez całą noc, pragnąc go znienawidzić, ale nie czuła niechęci. Poza tym być może miał rację. Może pragnęła dziecka bardziej niż jego. Jednak niezależnie od tego, co się stało, a co nie, to był koniec. Dziesięć lat jej życia właśnie zniknęło bez śladu. Nie miała dziecka ani męża. Będzie musiała zacząć od nowa, odbudować swoje życie. Zastanawiała się, czy ma na to siłę i czy w ogóle tego chce. Czuła się, jakby miała umrzeć albo jakby już umarła. Tego popołudnia słowa George'a coś w niej zabiły. Sama nie wiedziała, co jeszcze w niej zostało.

Rozdział 10

Następnego dnia Grace wyszła do pracowni, zanim jej córka wstała. Po przebudzeniu Ellen zwlokła się z łóżka, czując się, jakby wróciła z dwutygodniowej imprezy. Przypomniała sobie wszystko, co powiedział jej poprzedniego wieczoru George. Nie miała od niego kolejnych wiadomości. Nie wysłał jej SMS-a ani e-maila z przeprosinami czy wyznaniem miłości, nie napisał, że zmienił zdanie, choć na to liczyła. Dla niego to był koniec, chciał tylko uwolnić się od małżeństwa, które dla niego już nie istniało. Wyraźnie oczekiwał od niej, że zachowa zimną krew i biznesowe podejście.

Nie miała zamiaru robić mu problemów, ale czuła się zdradzona przez wszystkich – przez George'a, przez kobietę, z którą sypiał, przez przyjaciół, którzy od miesięcy wiedzieli o romansie, nawet przez swoją przyjaciółkę Mireille. Nagle sama zapragnęła odciąć się od tego wszystkiego. Nie chciała już nigdy widzieć żadnego z nich, nawet George'a. Musieli jednak razem opróżnić dom i zdecydować o podziale wyposażenia. Teraz była przerażona powrotem do Londynu, miała do podjęcia wiele ważnych decyzji co do tego, gdzie będzie mieszkać i skąd poprowadzi swoją firmę. Czuła się przytłoczona, gdy usiadła w kuchni Jima z kubkiem kawy, wpatrzona w przestrzeń.

Słyszała stukanie maszyny Boba z jego pokoju w głębi korytarza, ale nie zauważyła, gdy ustało. Gdy wszedł do kuchni, by napić się kawy, zobaczył ją przy stole. Podskoczyła z zaskoczenia, gdy go zobaczyła.

– Przepraszam, nie chciałem cię wystraszyć. Wszystko w porządku? Twoja mama mówiła, że miałaś wczoraj migrenę.

– Nic mi nie jest – odparła.

Była zawstydzona tym spotkaniem. Czuła się fatalnie i wiedziała, że wygląda równie źle. Nie wiedziała, co powiedzieć. „Moje życie się wczoraj skończyło"? Przyszło jej tylko do głowy: „To były ciężkie dwa tygodnie". O wiele cięższe, niż zdawał sobie sprawę, o czym nie chciała mu mówić. Na razie nie chciała mówić nikomu, nawet matce. Czuła się porzucona i słaba, zawstydzona i niekochana. Nie wiedziała nawet, gdzie będzie mieszkać.

– Wszyscy potrzebujemy chwili przerwy, a wdychanie oparów ze ścieków przez ostatnie dziesięć dni na pewno nie pomogło. Podobno znalazłaś Grace świetne mieszkanie. Będzie nam smutno, gdy nas opuści.

Uśmiechnął się do Ellen, a ona odwzajemniła uśmiech.

– To dla niej wspaniałe miejsce. Jak ci poszło z tymi dwoma, które wczoraj tutaj oglądałeś?

Słysząc to, Bob uśmiechnął się szeroko.

– Mnie też się poszczęściło. Jedno z nich jest dla mnie idealne. Złożę na nie ofertę. Jest obszerniejsze, niż planowałem, jakieś pięćdziesiąt metrów kwadratowych większe od tego w Tribece, ale podoba mi się. Ma taki sam widok jak mieszkanie Jima. Miło będzie mieszkać w tym samym budynku co on. Będę mógł zanosić mu rękopisy po każdym rozdziale – zażartował zadowolony. – Mieszkanie wymaga trochę pracy, przez czterdzieści lat żyła tam matka obecnego właściciela. Trzeba się nim porządnie zająć, żeby je odnowić. Pomyślałem, że poproszę twoją mamę o radę albo zatrudnię ją jako architekta. Nowa kuchnia, nowe łazienki. Chyba zburzę kilka ścian, żeby mieć większe sypialnie i piękny gabinet z widokiem na park.

Był wyraźnie podekscytowany. Ellen się uśmiechnęła.

– To coś w jej stylu. Będzie zachwycona.

– Twoja mama mówiła, że wylatujesz pod koniec tygodnia. Kiedy wracasz?

Było mu żal, że Ellen wyjeżdża, a teraz także ona tego żałowała. W Londynie czekał na nią jej osobisty huragan.

– Chyba w sobotę. Gdy wrócę do domu, będę miała wiele do zrobienia.

Nie powiedziała mu, co takiego, a on nie pytał. Zauważył, że jest zdenerwowana. Siedzieli naprzeciw siebie, popijając kawę, a potem ona spojrzała na niego smutno. Był życzliwym człowiekiem i lubiła go, poza tym nie mogłaby bez końca trzymać tego w sekrecie.

– Jeszcze nie mówiłam o tym matce, ale wczoraj mąż powiedział mi przez telefon, że nasze małżeństwo jest skończone. Jego zdaniem skończyło się już parę lat temu. Chce się rozwieść i ożenić z inną kobietą.

Bob wpatrywał się w nią z konsternacją, która szybko przerodziła się we współczucie.

– Cholera! Przykro mi. To potworne, a dowiedzenie się o tym przez telefon jest jeszcze gorsze. To takie bezosobowe.

Nie mógł uwierzyć, że można zrobić coś takiego. Ellen jednak już w to wierzyła. Mąż rozmawiał z nią lodowatym tonem. Uświadomiła sobie teraz, że taki był naprawdę. Gdy dla niego wszystko się skończyło, stał się bezduszny. Poza tym okłamywał ją przez długi czas, cały rok, gdy ją zdradzał.

– Może tak jest lepiej. Nie mogłam krzyczeć i łkać u jego stóp – stwierdziła żałośnie.

Tak naprawdę jednak nie zrobiłaby czegoś takiego. Była zbyt dumna, podobnie jak jej matka.

– Co masz zamiar zrobić? Zostać tutaj? Wrócić do Anglii?

– Nie mam pojęcia. Też mnie o to spytał chwilę po tym, jak mi powiedział. Muszę się nad tym wszystkim zastanowić, gdy wrócę. On chce sprzedać dom, co jest chyba mądrą decyzją. I tak był dla nas za duży – westchnęła. – Przez ostatnie cztery lata przechodziłam leczenie niepłodności i próby *in vitro*, starałam się zajść w ciążę. Mówi, że jego zdaniem to zniszczyło nasze małżeństwo. Być może ma rację. To stało się moją obsesją. A ja w końcu zaakceptowałam, że to się nie uda. Więc teraz nie będę miała ani męża, ani dziecka, czeka mnie nowe życie. Muszę się zastanowić nad wieloma sprawami. Łatwiej było sobie poradzić z huraganem.

Westchnął, współczując jej. Ellen zaś zaskoczyła samą siebie tym, jak wiele mu wyznała. Nie była tym nawet zażenowana.

– Rozwód zawsze jest nieprzyjemny dla wszystkich. Za każdym razem jest to wstrząs, nawet jeśli samemu się tego chciało. Zawsze jest gorzej, niż się spodziewaliśmy. Ja też nie chciałem rozwodu. Moja żona po prostu przestała mnie kochać i zapragnęła się rozstać. Chyba na to zasługiwałem, ale i tak mnie zraniła. Większość z nas głupio zachowuje się w związkach, nie dostrzegamy tego, co czuje druga osoba.

Bob zaczął martwić się o Ellen. Była zupełnie rozbita.

– Nie miałam świadomości, jak bardzo jest zmęczony staraniami o dziecko i leczeniem niepłodności. Mówił, że ostanie cztery lata były koszmarem, a od dwóch nasze małżeństwo nie ma dla niego sensu.

– Powinien był ci to powiedzieć, zamiast cię zdradzać – stwierdził Bob.

Ellen skinęła głową. Siedziała przez kilka minut, wpatrując się w swoją kawę. On poklepał ją po ramieniu, a potem wrócił do pracy, myśląc o niej i o tym, co ją czeka. Głęboko jej współczuł. Choć popełniła błędy w małżeństwie, miała dobre serce. Był pewien, że starała się z całych sił. Jej mąż wydawał mu się draniem, ale nie chciał tego mówić, by nie pogarszać sytuacji.

Grace zadzwoniła do niej parę minut później, by spytać, czy minął jej ból głowy. Ellen wciąż czuła się rozbita, ale upierała się, że nic jej nie jest. Tego popołudnia zamierzała pójść na zakupy dla klientów. Gdy skończyły rozmowę, zarezerwowała powrotny lot do Londynu na sobotę wieczór. Miała tam dotrzeć w niedzielę rano.

Potem wyszła poszukać czegoś dla klientów, ale niczego nie znalazła. Była zbyt rozkojarzona, żeby oglądać przedmioty w sklepach. Myślała tylko o tym, co poprzedniego wieczoru powiedział jej George. Tamtego wieczoru nie zwierzyła się matce. Pracowała przy komputerze, by jej uniknąć. W końcu w piątek, gdy się pakowała, Grace spytała ją, czy coś się stało. Ellen już chciała ją okłamać, ale po chwili uznała, że to nie ma sensu.

Usiadła na łóżku, patrząc na mamę. Jej oczy wyrażały głęboki ból i tak się czuła.

– George chce się rozstać, mamo. Chce rozwodu. Kocha inną kobietę.

Matka była równie zaskoczona jak Ellen, gdy usłyszała to od niego. Grace nigdy by się tego po nim nie spodziewała. Sądziła, że jest lepszy, że jest przyzwoitym człowiekiem.

– To koniec? Powiedział ci to, gdy jesteś tutaj?

Ellen skinęła głową.

– Podejrzewałaś coś? – dopytywała się dalej matka. – Dużo się ostatnio kłóciliście?

George nigdy nie wyglądał jej na typ niewiernego męża.

– Nie, myślałam, że wszystko jest w porządku. Gdy tu dotarłam, trudno było się z nim skontaktować, ale mój telefon nie działał przez większość czasu, gdy byłyśmy na Dolnym Manhattanie. Mówi, że to trwa od roku. Powiedział, że nie wytrzymał leczenia niepłodności i prób *in vitro*.

– Ostrzegł cię, powiedział coś na ten temat?

Ellen potrząsnęła głową.

– Może powinnam była się domyślić. Dla nas obojga było to bardzo przygnębiające i stresujące. Ona jest krewną jednego z przyjaciół George'a. Chyba częściowo chodzi też o to. Chce być z jedną ze swoich.

Słysząc to, Grace była wzburzona.

– Robiłaś wszystko na jego sposób. Może to był błąd.

Tylko to mogła zarzucić córce.

– Pozwoliłaś mu ustalić wszystkie zasady – ciągnęła. – Wszystko musiało być zgodne z jego staromodnymi brytyjskimi regułami. Czy to ci odpowiadało?

Grace zawsze się nad tym zastanawiała, ale nie chciała pytać.

– Czasami tak – odparła cicho Ellen. – To było dla niego ważne, więc starałam się szanować jego tradycje. Byłoby trudniej, gdybyśmy mieli dzieci. Gdy wrócę, George chce jak najszybciej sprzedać dom. Wydawało się wręcz, że mu się spieszy. Zdecydował, że już po wszystkim, więc chce to zakończyć.

– A ty? Czego ty chcesz? – spytała ją matka.

Ellen nigdy nie zastanawiała się nad tym wystarczająco głęboko. Była zbyt uległa, a George w pełni to wykorzystał. Ufała mu. Nigdy nie przyszło jej do głowy, że ją zdradza.

– Nie wiem, czego chcę. Nie miałam czasu się nad tym zastanowić – wyznała z rozpaczą w głosie.

Grace czuła wielki ból, widząc, jak załamana jest jej córka.

– Chcesz zostać w Londynie?

Dla matki to był także szok, bardzo współczuła Ellen.

– Tego też nie wiem. Myślałam, że tam jest moje życie i przyjaciele. Ale okazało się, że wszyscy wiedzieli o tej kobiecie i się na to godzili. Nikt mi nic nie powiedział. Jest czyjąś kuzynką, George znał ją już wcześniej. To jedna z nich. Ja nigdy nie byłam częścią grupy. Teraz to rozumiem. Nie wiem, czy tam jest moje miejsce, czy chcę tam zostać. Może powinnam wrócić do Nowego Jorku i stąd prowadzić firmę. Mogłabym spróbować. Latałabym do Europy na spotkania z klientami. Na jakiś czas mogłabym zamieszkać z tobą.

Słysząc to, Grace zamyśliła się, zanim odpowiedziała.

– Mogłabyś tak zrobić. Ale nie możesz teraz zacząć się tułać. Przez wszystkie te lata żyłaś zgodnie z zasadami George'a i robiłaś to, czego chciał. Możesz u mnie zamieszkać, ale potrzebujesz własnej przestrzeni, własnego życia, własnych reguł.

Musisz zdecydować, czego chcesz, a nie tkwić w mojej gościnnej sypialni.

Ellen w duchu przyznała jej rację.

– Możesz spróbować żyć tutaj przez jakiś czas, a w razie potrzeby podróżować.

Słuchając jej, Ellen zrozumiała, że żadne z miast nie jest już jej domem. Nie czuła się jednak wolna, jedynie zagubiona. Matka miała rację. Powinna sama wszystko przemyśleć i zdecydować, czego chce. Już nie wiedziała, jakie są jej pragnienia, kim właściwie jest.

– Zastanowię się nad tym, gdy wrócę. Może powinnam otworzyć pracownię tutaj.

Wszystko było dla niej zupełnie nowe, była zdezorientowana i przytłoczona.

– Przykro mi, że do tego doszło – powiedziała ze współczuciem Grace, przytulając ją. – Podejmiesz właściwe decyzje, gdy przyjdzie na to czas.

Ellen skinęła głową, ale nie była tego pewna. Najwyraźniej od dłuższego czasu podejmowała złe decyzje dotyczące George'a. Czuła się teraz zdradzona przez wszystkich, myśl o podróży do Londynu i rozbiórce całego życia była dla niej okropna. Jednak musiała to zrobić. Później, niezależnie od tego, gdzie postanowiłaby zamieszkać, musiałaby zacząć wszystko od nowa.

Następnego dnia Ellen zjadła z matką lunch przed wylotem. Zanim wyszła z mieszkania, ponownie podziękowała Jimowi za gościnność. Bardzo dobrze czuła się w jego mieszkaniu. Mężczyzna zapewnił ją, że z wielką przyjemnością gościł u siebie ją i jej matkę. Zarząd mieszkańców zaakceptował kandydaturę Grace. Kobieta miała wprowadzić się do tymczasowego mieszkania w kolejny weekend. Ellen zostawiła Jimowi dużą butelkę szampana i hojny napiwek za pomoc. Wychodząc na lotnisko, wpadła na Boba.

– Powodzenia – powiedział życzliwie, martwiąc się o nią. – Uważaj na siebie w Londynie.

To były mądre i szczere słowa.

– Ja też życzę ci powodzenia z kupnem nowego mieszkania.

Chciała wypaść bardziej bohatersko, niż się czuła. To, że wszyscy wiedzieli, że mąż ją zostawił, było dla niej poniżające. Przypuszczała, że w Londynie będzie jeszcze gorzej. Czuła się jak kompletna ofiara losu, gdy przytuliła się do matki ze łzami w oczach, i wyszła. To były dziwne dwa tygodnie, które nagle wydały się jej wiecznością. Wszystko się rozpadło, a jeszcze nic nie zostało naprawione. Czuła się, jakby nigdy nie miała odzyskać swojego życia.

*

Lot do Londynu ciągnął się w nieskończoność. Przez większość czasu nie mogła zasnąć, była zupełnie wyczerpana, gdy wylądowała na lotnisku Heathrow. Pojechała do miasta taksówką i otworzyła drzwi do pustego domu. George stamtąd zniknął, tak jak zapowiedział przez telefon. Domyśliła się, że pewnie wyjechał na weekend z Annabelle. Byli na kolejnym przyjęciu u znajomych, wśród ludzi, którzy udawali przyjaciół Ellen. Teraz wiedziała, że nigdy nimi nie byli.

Zajrzała do szaf w ich sypialni i jego garderobie. Jego ubrań tam nie było. Gdy rozejrzała się po pomieszczeniu, zauważając brak drobnych przedmiotów oraz ich wspólne zdjęcia, które zostawił, usiadła na łóżku i się rozpłakała. Powrót doprowadził ją do niewiarygodnej rozpaczy. Po tym, co się stało, nie było nikogo, z kim chciałaby się zobaczyć albo skontaktować.

Tego wieczoru zadzwonił George. Gdy odebrała, usłyszała już znajomy chłodny, oficjalny ton.

– Wróciłaś?

Chyba był w dobrym humorze, pewnie przyjemnie spędził weekend. Nie pytała go o to, nie chciała wiedzieć.

– Tak – odparła beznamiętnym tonem. – Widzę, że zabrałeś swoje ubrania.

– Myślę, że w tym tygodniu powinniśmy się spotkać i podzielić to, co zostało w domu.

Zapłaciła za wiele spośród mebli i dekoracji, a on opłacił resztę. Niektóre rzeczy były prezentami ślubnymi albo podarunkami od jej matki. On sprowadził do domu antyki, które należały do jego przodków. Myśl o rozbieraniu i dzieleniu tego wszystkiego jeszcze bardziej ją przygnębiała. Gdzie miałaby posłać swoje rzeczy? Nie miała pojęcia.

– Czemu się tak spieszysz? – spytała go obojętnie, starając się zamaskować dezorientację.

– Myślę, że powinniśmy mieć to jak najszybciej za sobą, żeby móc zacząć nowe życie. Nie ma sensu z tym zwlekać – powiedział.

Stało się to jasne, gdy cztery dni wcześniej przez telefon poinformował ją o rozstaniu.

– Powinniśmy jak najszybciej wystawić dom na sprzedaż – dodał. – A może chcesz w nim zostać?

Teraz jednak tego nie chciała. To byłoby dla niej tylko bolesne wspomnienie. Kupili ten dom, by wychować w nim dzieci.

Wyobrażali sobie, że spędzą w nim resztę życia. Była zadowolona, że nigdy nie kupili domku na wsi – to byłaby kolejna rzecz, którą musieliby dzielić i sprzedawać.

– Powiedziałeś wszystkim naszym znajomym? – spytała z ciekawością.

– Wiedzą – odparł po prostu.

Zupełnie tak, jak w kiepskich filmach i książkach, ona dowiadywała się o wszystkim na końcu. Przez rok robił z niej idiotkę, a to jeszcze pogarszało sytuację.

– Jak wyglądał Nowy Jork, gdy wylatywałaś?

– Na Dolnym Manhattanie panuje chaos, a północ jest nietknięta.

To i tak nie miało znaczenia przy tym, co działo się między nimi. Naprawdę nie wiedziała, co ma teraz zrobić. Gdyby zostawiła Londyn i wyjechała do Nowego Jorku, miałaby wrażenie, że tchórzy. Jednak gdyby miała tu zostać, czułaby się poniżona, słysząc o ślubie George'a i Annabelle, a poza tym byłaby samotna bez przyjaciół. Nie miała tu znajomych, tylko ludzi z otoczenia George'a. Teraz nie było już nikogo, komu mogłaby zaufać – wszyscy wiedzieli o romansie.

Umówiła się z George'em na spotkanie w domu we wtorek wieczorem, po pracy. W poniedziałek wczesnym rankiem pojechała do pracowni. Odpisała na wszystkie e-maile i spotkała się z asystentkami, by uzyskać bieżące informacje o klientach i sprawach firmy. Wszyscy pytali o huragan. Asystentki, widząc, jaka jest załamana, zrozumiały, jaki musiał być straszny. Żadna z nich nie wiedziała, że z prawdziwym huraganem musiała zmierzyć się w Londynie i nie była nim Ofelia, ale George.

Philippa, starsza asystentka, została w jej gabinecie, by przejrzeć dla niej zdjęcia mebli i próbki tkanin. Kiedy pozostali wyszli, Ellen powiedziała jej, co się stało.

– Rozwodzimy się.

Philippa była zaskoczona jej słowami. Na początku myślała, że się przesłyszała.

– Ty i George?

Ellen skinęła głową.

– Co się stało? – dopytywała asystentka w osłupieniu.

Ellen i George byli parą, której wróżyło się wieczną miłość.

– Chyba wiele – odparła Ellen. – Cztery lata *in vitro*. Poza tym on kocha inną.

– Boże, nie mogę w to uwierzyć. Nigdy bym się tego po nim nie spodziewała.

Zawsze uważała, że jest snobistyczny i nieco arogancki. Jednak był czasem tak przyzwoity, a nawet nudny, że nigdy nie przypuszczała, by mógł zdradzić żonę. Gdy Philippa się o tym dowiedziała, była wzburzona. Ellen sama nie wiedziała, czy jest zła, czy po prostu smutna. Teraz czuła przede wszystkim przygnębienie. Być może gniew miał nastąpić później.

– Ja też nie – stwierdziła żałośnie.

– Jak mogę pomóc? – spytała uczynnie Philippa.

Była piękną dziewczyną pochodzenia europejsko-azjatyckiego. Pracowała z Ellen od pięciu lat.

– Kiedy podzielimy rzeczy i zdecyduję, co chcę zrobić, będziemy miały sporo zajęć.

Gdyby przeprowadziła się do Nowego Jorku, byłoby ich jeszcze więcej.

– Jutro się z nim spotykam – dodała.– Sprzedajemy dom.

– Wydajesz się bardzo spokojna – stwierdziła Philippa, równocześnie pełna podziwu i zmartwiona.

– A jaki mam wybór? On już zdecydował. Najwyraźniej dokonał wyboru już rok temu, a przynajmniej przed paroma miesiącami. Teraz chce po prostu zakończyć małżeństwo, żeby się z nią ożenić.

– To idiota – stwierdziła lojalnie Philippa.

Ellen zastanawiała się, czy rzeczywiście tak jest, czy dla niego była to właściwa decyzja. Nie miała co do tego pewności. Wydawało jej się, że to błąd i nie wyobrażała sobie, by kiedykolwiek mogło być inaczej.

– Daj mi znać, jeśli będę mogła coś dla ciebie zrobić. Pomogę ci spakować rzeczy z domu, kiedy już będziesz się tym zajmować. Co zamierzasz? Spróbujesz kupić coś nowego?

– W końcu tak – odparła, a potem postanowiła być z nią szczera: – Zastanawiam się nad powrotem do Nowego Jorku, przynajmniej na jakiś czas. Pracownia zostałaby tutaj. Zawsze mogłabym wrócić, przylatywać na spotkania z klientami i pracować ze swojego mieszkania w Nowym Jorku.

Potrzebowała tam przynajmniej jednej asystentki, ale znalezienie jej nie byłoby trudne. Wiedziała też, że Philippa mogłaby prowadzić pracownię w Londynie i skutecznie dbać o zadowolenie klientów. Miała e-mail i telefon, więc mogłaby regularnie kontaktować się z klientami i pracownikami w Londynie.

– Jeśli się na to zdecydujesz, będzie mi brakowało codziennej pracy z tobą – stwierdziła ze smutkiem Philippa, jednak rozumiała, dlaczego Ellen tego chce.

W tej chwili kobieta miała w Londynie tylko pracę. Philippa pomyślała, że na jej miejscu też chciałaby stąd uciec.

– Chyba przeszłaś swój własny huragan – dodała ze współczuciem.

Ellen skinęła głową.

– Tak było. Przynajmniej przed wyjazdem pomogłam mamie się zorganizować. Znalazłam jej wspaniałe mieszkanie. Szkoda, że nie namówiłam jej na sprzedaż apartamentu w Tribece, ale uparła się, że tam wróci.

– To durne po dwóch huraganach – stwierdziła Philippa typowo brytyjskim tonem. – Może zmieni zdanie.

Jednak Ellen nie spodziewała się, by to zrobiła. Grace nie należała do ludzi, którzy się poddają.

Spędziły dzień, pracując nad stertą projektów. Następnego dnia Ellen zobaczyła się z dwójką klientów, a o szóstej niechętnie wyszła z pracy, by spotkać się z George'em w domu. Bezceremonialnie otworzył drzwi, gdy Ellen nalewała sobie kieliszek wina, by nabrać odwagi przed spotkaniem. Kiedy odwróciła się, by na niego spojrzeć, wydawało jej się, że stał się już innym człowiekiem. Wyglądał na szczęśliwszego, miał jaśniejszy krawat niż kiedykolwiek wcześniej, nową fryzurę i wyglądał młodziej. Jednak prawdziwą zmianę dostrzegła w jego oczach. Wydawał się podekscytowany i pełen życia, zupełnie obojętny na nią. Miała wrażenie, że mężczyzna, którego znała, zniknął i został zastąpiony przez kogoś obcego. W pewnym sensie było to prostsze. Teraz nie było w nim nic znajomego. Patrzenie na niego i rozmowa z nim były dla niej jak policzek. Dla George'a ona nie stanowiła już części jego życia. Pozbył się jej w okrutny, bezduszny sposób. Nigdy dotąd nie czuła się równie nieważna. Była już tylko historią. Przekreślił ich małżeństwo, nic jej nie mówiąc. Nawet nie dał jej szansy, by coś zmienić, spróbować naprawić błędy. Poddał się w milczeniu, bez ostrzeżenia i zapomniał o niej. Ellen zastanawiała się, czy kiedykolwiek komuś zaufa. Gdyby wyjechała z Londynu, straciłaby ostatnie dziesięć lat i zaczęła od nowa. Nie miałaby mężczyzny, dzieci ani przyjaciół. Zostawiała mu wspólnych znajomych – bardzo ją zraniło to, co zrobili. Zdradzili ją wszyscy, których oboje znali.

Przechodzili od pokoju do pokoju. Każde z nich mówiło, co chce zabrać, a Ellen robiła dokładną listę. Nie kłócili się o rzeczy. Nie zniżyłaby się do takiego poziomu. Chciała zatrzymać tylko to, za co zapłaciła albo co wniosła do małżeństwa. Wszystko, co dostał od swojej rodziny, pozostawiała jemu. Była to większość dzieł sztuki, niektóre antyki z wiejskiego domku jego dziadków, które odziedziczył po ich śmierci. Przechodzenie z nim przez dom było potwornie smutne. Dla niego były to tylko meble, nic więcej. Dla niej stanowiły relikty straconego życia. Czuła się, jakby ktoś umarł, a oni dzielili majątek zmarłego – i naprawdę to robili. Umarło ich małżeństwo, które dla niej było czymś żywym, niemal osobą.

George powiedział jej, że chce usunąć swoje rzeczy jak najszybciej. Planował wynająć mieszkanie i już go szukał. Domyśliła się, że pod jej nieobecność nie próżnował. Jej podróż do Nowego Jorku była dla niego bardzo wygodna. Zastanawiała się, czy był na tyle pozbawiony dobrego smaku, by wpuścić swoją dziewczynę do tego domu, do jej łóżka. Nie chciała jednak o to pytać.

– Zdecydowałaś już, co zrobisz i gdzie będziesz mieszkać? – spytał, wyczekując odpowiedzi, co wydało jej się okrutne.

– Powiedziałeś mi o rozstaniu dopiero sześć dni temu. Potrzebuję czasu, żeby się zastanowić.

Powiedziała mu jednak, że może wystawić dom na sprzedaż. Zrozumiała, że chce odzyskać zainwestowane w niego pieniądze. Miała wrażenie, że George chce się pozbyć wszystkich wspomnień po małżeństwie. Widziała, jak inni mężczyźni robią coś podobnego, ale nigdy nie sądziła, że on jest do tego zdolny. Boleśnie ją tym zaskoczył. Po tym, jak wyszedł, chodziła po domu z bólem żołądka, ale przynajmniej nie płakała. Spędziła resztę tygodnia, zastanawiając się, co chce zrobić. Przypomniała sobie, co powiedziała jej matka. Tym razem musiała zrobić właśnie to, czego chciała, zamiast przeżywać cudze życie. Jednak jeszcze nie podjęła decyzji.

W weekend Grace wprowadziła się do umeblowanego mieszkania. W niedzielę wieczorem zadzwoniła do Ellen, by znów jej podziękować i powiedzieć, że Bob i Jim wpadają do niej na obiad, co chyba bardzo ją cieszyło.

– Pozdrów ich ode mnie – odezwała się cicho Ellen.

To był dla niej długi, wyczerpujący tydzień. Musiała rozmawiać z klientami po dwóch tygodniach przerwy. W piątek poleciała na jeden dzień do Nicei, by zobaczyć postępy w pracach nad domem w Saint-Jean-Cap-Ferrat, który urządzała. Wróciła do domu tego samego wieczoru. Wykonując wszystkie swoje zajęcia, uporczywie zastanawiała się nad tym, co powinna zrobić ze swoim życiem, gdzie chce zamieszkać.

Nie spodziewała się, by szybko sprzedali dom, jednak chciała się wyprowadzić, gdy George zabierze swoje rzeczy. Wszystko działo się bardzo szybko i być może tak było lepiej. Był wobec niej tak nieżyczliwy, tak chłodny, że nie miała już żadnych złudzeń co do niego ani co do tego, ile znaczyło dla niego ich małżeństwo. Najwyraźniej już dawno przestało być dla niego ważne. Grace powiedziała, że straciła cały szacunek, jakim go darzyła. Ellen przyznała, że czuje to samo. Stał się dla niej kimś zupełnie obcym.

Przebywała w domu w Londynie od dwóch tygodni, gdy w weekend spotkała na ulicy parę ich dobrych znajomych. Była zszokowana ich chłodnym powitaniem – zachowywali się, jakby prawie jej nie znali. Zrozumiała, że nigdy nie byli lojalni wobec niej, a jedynie wobec George'a. Dostrzegła, że przywiązali się już do nowej kobiety i uważali ich za parę. Teraz otwarcie traktowali Ellen jak kogoś z zewnątrz. To ułatwiło jej decyzję o tym, co ma dalej robić. Gdy tylko wróciła do domu, zadzwoniła do Philippy.

– No dobra, mam dość – powiedziała cicho.

Asystentka nie była zdziwiona. Spodziewała się, że w końcu do tego dojdzie. Mężczyźni tacy jak George oraz ludzie z wyższych sfer, skąd się wywodził, stanowili zbyt zamkniętą grupkę, by ktokolwiek mógł być lojalny wobec niej. Philippa cieszyła się decyzją Ellen o wyjeździe, przynajmniej na jakiś czas.

– Na razie wyślę wszystkie swoje rzeczy do magazynu. Kiedy znajdę mieszkanie, mogę je przesłać do Nowego Jorku albo ty możesz to za mnie zrobić. Chyba że znajdę coś umeblowanego, jak mieszkanie mojej matki.

Chciała jednak znaleźć miejsce zamieszkania na stałe. Potrzebowała własnego domu. Właśnie wyrwano ją z korzeniami z Londynu, musiała gdzieś je zapuścić – póki co miała to zrobić w Nowym Jorku.

– W ciągu następnych kilku tygodni chcę się spotkać ze wszystkimi obecnymi klientami i zapewnić ich, że mogę się pojawić, gdy tylko będą mnie potrzebować, a ty będziesz stać na straży. Mogą wysyłać mi e-maile, kontaktować się przez Skype'a albo przez komórkę. Teraz z większością z nich kontaktuję się mailowo, więc to nie będzie dla nich duża zmiana.

Philippa się z nią zgodziła i umówiła spotkania na kolejny tydzień. Gdy Ellen się z nimi zobaczyła, żaden z klientów nie wydawał się zmartwiony czy zdenerwowany. Cieszyli się, że będzie kupowała dla nich tkaniny, meble i akcesoria w Nowym Jorku. Mogła przylatywać do Wielkiej Brytanii, by doglądać wykończeń albo rozwiązywać problemy. Nikt nie sprzeciwiał się tej zmianie. Przejście na nowy tryb pracy okazało się łatwe.

Dla Ellen, która od jedenastu lat mieszkała w Londynie, sytuacja miała być o wiele trudniejsza. Wiedziała, że będzie tęsknić za tym miastem, ale po tak nagłym rozstaniu z George'em nie czuła wystarczającej nostalgii, by tu zostać. Poinformowała go, kiedy jej rzeczy zostaną usunięte z domu, ale nie powiedziała, gdzie się przenosi. Teraz to nie była jego sprawa. Nie mieli powodu, by ze sobą rozmawiać. Wszystkie decyzje dotyczące nieruchomości zostały podjęte dość szybko, ponieważ jedyną rzeczą, którą posiadali wspólnie, był dom. Resztą mogli zająć się prawnicy. „Możesz skontaktować się ze mną za pośrednictwem pracowni lub adwokata" – napisała mu w SMS-ie.

Razem w Philippą przyglądały się, gdy jej meble i niektóre ubrania spakowano i przewożono do magazynu. Przez ostatnie kilka dni mieszkała w małym hotelu niedaleko biura. Przed wyjazdem postanowiła zadzwonić do Charlesa Williamsa. On i Gina byli w Londynie już od miesiąca. Ellen zastanawiała się, czy Gina została. Mężczyzna ucieszył się, słysząc jej głos.

– Kiedy wróciłaś? – spytał radosnym, swobodnym tonem.

– Jakieś trzy tygodnie temu. Czy Gina i dziewczynki ciągle są z tobą?

– Tak. Znów miała spięcie z Nigelem. Właściciel mieszkania w Nowym Jorku powiedział, że nie będzie mogła do niego wrócić przez kolejne trzy miesiące, więc zapisaliśmy dziewczynki do szkoły w Londynie. Cieszą się, ich dziadkowie są zachwyceni, a dla mnie to radość, że je tu mam.

– A co z Giną? – spytała ostrożnie, nie chcąc, by poczuł się skrępowany.

– Sam nie wiem. Nie pytałem. Nie chcę jej odstraszyć, ale chyba też jest szczęśliwa. Cokolwiek się wydarzy, ich pobyt tutaj jest wspaniały. Sprawy wyglądają spokojniej niż dawniej. Może oboje dojrzeliśmy.

Był pełen nadziei i ciekaw, co słychać u Ellen.

– A co u ciebie? Wszystko wróciło do normy?

W odpowiedzi Ellen się roześmiała. Teraz, gdy ktoś ją o to pytał, przynajmniej mogła się z tego śmiać, a nie płakać.

– Niezupełnie. Zanim wyleciałam z Nowego Jorku, mąż powiedział mi, że chce rozwodu. Okazało się, że od roku ma romans. Byłam głupia, że się nie domyśliłam. Chcą wziąć ślub. Niedawno wysłałam swoje meble do magazynu, nasz dom jest wystawiony na sprzedaż. Czyli sporo się zmieniło. Za kilka dni wracam do Nowego Jorku. Spróbuję tam zamieszkać na jakiś czas. Byłoby mi zbyt trudno żyć tutaj.

Brzmiało to, jakby uciekała, ale nie wiedziała, co innego ma zrobić. Przez dziesięć lat żyła w świecie George'a, chciała odejść z godnością. Póki co oznaczało to dla niej życie w Nowym Jorku, chociaż nie miała tam żadnych ustalonych planów. Będzie musiała zamieszkać z matką, dopóki nie znajdzie mieszkania. Czuła się głupio z tym, że całe jej życie się rozpadło. Tak się jednak stało, a ona musiała się z tym zmierzyć i zacząć od nowa.

– Tak mi przykro, nie miałem o niczym pojęcia – powiedział ze współczuciem.

– Ja też nie. To było spore zaskoczenie.

– Może kiedyś okaże się, że to błogosławieństwo – stwierdził optymistycznie Charles.

– Być może.

Nie liczyła na to, ale starała się udawać, że tak jest.

– Odezwij się do mnie i daj mi znać, kiedy znów odwiedzisz Londyn albo przylecisz tu do pracy. Chętnie się z tobą zobaczę – powiedział ciepło.

– Zgoda – odparła krótko.

Wydało jej się dziwne, że jej jedynym przyjacielem w Londynie był ktoś, kogo poznała miesiąc wcześniej w samolocie podczas huraganu.

Pytania, które zadała Charlesowi Ellen podczas rozmowy, skłoniły go do zastanowienia. Przez kilka ostatnich tygodni miał dobre relacje z Giną, a dziewczynki były szczęśliwe. Mieszkała u niego, spała w jednej sypialni z córkami. Nie próbował z nią flirtować – nie śmiałby tego robić. Jednak chciał tego. Nie okazała mu w żaden sposób, że byłoby to mile widziane, jednak był niemal pewien, że jej związek z Nigelem się skończył. Po raz kolejny poważnie pokłócili się przez telefon. Oskarżała go o to, że nie dba o nią ani o dziewczynki. Charles nigdy jej o to nie wypytywał – uznał, że tak będzie lepiej. Chciał, by sama wyciągnęła wnioski, bez jego uwag.

Tego popołudnia, gdy przyprowadziła dziewczynki ze szkoły i dzieci poszły odrobić lekcje w swoim pokoju, opowiedział jej o rozmowie z Ellen.

– To takie przykre – stwierdziła ze współczuciem.

Charles nie przypomniał jej, że prawie dwa lata temu zrobiła mu to samo z Nigelem.

– Przeprowadza się do Nowego Jorku. To musi być dla niej trudne po tylu latach spędzonych tutaj. Pewnie czuje się, jakby straciła swój kraj, a nie tylko męża. Czasami łatwiej jest wrócić do domu, kiedy wszystko idzie źle – stwierdził, patrząc na kobietę, którą kochał od dawna, nie tylko dlatego, że była matką jego dzieci.

Po rozmowie z Ellen w końcu zebrał się na odwagę, by zapytać ją o coś, nad czym zastanawiał się od wielu tygodni. Do tej pory bał się robić zamieszanie, ale chciał wiedzieć, a nie łudzić się co do czegoś, czego ona być może nie czuła.

– Co z nami, Gina? – spytał łagodnie, ostrożnie badając grunt. – Myślisz czasem o tym, żeby spróbować jeszcze raz?

Z uśmiechem skinęła głową.

– Bez przerwy – przyznała. – Nie wiedziałam, co o tym pomyślisz... po sytuacji z Nigelem... Nie chciałam cię denerwować pytaniami...

Gdy Charles to usłyszał, serce niemal wyrwało mu się z piersi.

– Naprawdę?

Znów skinęła głową. Pochylił się i pocałował ją długo w usta. Od tygodni marzył, by to zrobić.

– Myślałam, że jeśli będziesz zainteresowany, zrobisz pierwszy krok, ale nic nie zrobiłeś, więc milczałam – wyjaśniła nieśmiało.

Wydała mu się jeszcze piękniejsza niż kiedykolwiek wcześniej.

– Starałem się traktować cię z szacunkiem – powiedział szczerze.

– Ja też, zwłaszcza po wszystkich błędach, które popełniłam.

Pochyliła się i znów go pocałowała.

– To dla nas coś nowego – stwierdził z szerokim uśmiechem. – Może po wszystkim, co się wydarzyło, czegoś się nauczyliśmy.

– W Nowym Jorku chyba w końcu dorosłam, a podczas huraganu zrozumiałam, jaki jesteś – powiedziała poważnie. – Jesteś świetnym ojcem, dobrym mężem i wspaniałym człowiekiem. Chyba dotąd nigdy tego nie dostrzegałam. Byłam taka głupia.

– Ja chyba też byłem głupi. Nigdy nie rozumiałem, jak bardzo może ci brakować życia sprzed małżeństwa oraz że potrzebujesz więcej atrakcji, niż bycie żoną i matką.

Potem znów go pocałowała i uśmiechnęła się.

– Teraz jestem na to gotowa. Wtedy nie byłam.

Gdy to powiedziała, objął ją.

– W takim razie zostaniesz? – wyszeptał, a ona skinęła głową. – Przeniesiesz się do mojej sypialni? – spytał znów szeptem.

– Dziś wieczorem – szepnęła w odpowiedzi.

Nie mógł się doczekać, gdy ona szła wykąpać dziewczynki, a on zaczynał przygotowywać kolację. Do tej pory co wieczór gotowali razem.

Niczym nastolatek w szkole wysłał do Ellen SMS, żeby dać jej znać, co się stało. „Właśnie ją spytałem. Zostaje. Powodzenia w Nowym Jorku. Charles". Parę minut później odpisała: „Brawo! Dobrze zrobiłeś, ona dobrze zdecydowała. Uściski, Ellen".

Tego wieczoru Gina dotrzymała słowa i przeniosła się z powrotem do jego sypialni. Znów było między nimi dobrze – nawet lepiej niż przedtem.

Rozdział 11

Kiedy Ellen wylądowała w Nowym Jorku, pojechała prosto do nowego wynajętego mieszkania swojej mamy. Odprawa celna zajęła jej dłużej, niż się spodziewała i dojechała na miejsce później, niż przewidywała. Grace wydawała się zajęta, ubierała się na kolację z przyjaciółmi.

Już się zadomowiła, a nowe miejsce ogromnie jej odpowiadało. Położenie podobało się jej nawet bardziej, niż się spodziewała. Mieszkanie na Górnym Manhattanie było przyjemne – bardziej wyrafinowane i „dorosłe".

– Nie martw się, obiecuję, że nie zamieszkam tu na zawsze – zażartowała Ellen.

Przypomniała sobie, co powiedziała jej wcześniej Grace: obie potrzebowały własnego życia, a Ellen musiała mieć swój dom. Wiedziała, że matka już zaczęła odbudowę mieszkania w Tribece, chociaż budynek wciąż był w kiepskim stanie. Zainstalowano generatory, by można było zacząć naprawy, ale w okolicy ciągle nie było prądu. Dolnego Manhattanu nie dało się odbudować w jeden dzień. Grace nie zmieniła zdania co do przeprowadzki po remoncie, mimo że tymczasowe mieszkanie na północy jej się podobało.

– Mam w tym tygodniu spotkanie z agentem nieruchomości. Chcę znaleźć jakieś mieszkanie bez wyposażenia i przewieźć swoje meble z Londynu – powiedziała jej Ellen.

– To poważna decyzja – pochwaliła ją Grace, patrząc, jak córka się rozpakowuje.

Blanche skakała im pod nogami.

– Tak – przyznała młoda kobieta, myśląc o tym, że było to również trudne postanowienie. – Czy Blanche się tu podoba? – spytała, by rozluźnić atmosferę.

Matka się roześmiała.

– Myśli, że jest teraz psem z Upper East Side. W budynku mieszkają trzy pudle i inny maltańczyk. Czuje się jak w domu. Już nigdy nie przystosuje się do atmosfery bohemy w Tribece.

Grace z miłością uśmiechnęła się do córki, ciesząc się z jej przybycia. Tęskniła za nią podczas trzytygodniowej rozłąki. Po spędzonym wspólnie czasie w trakcie huraganu czuła z nią jeszcze większą więź niż do tej pory. Cieszyła się, że córka zamieszka w Nowym Jorku i będą mogły widywać się częściej niż kilka razy w roku. Chociaż obie miały sporo zajęć, dobrze było wiedzieć, że są w tym samym mieście i mogą spotkać się na lunch czy spędzić razem spokojny wieczór.

– Z kim jesz dzisiaj kolację? – spytała Ellen.

Po locie cieszyła się na widok mamy. Grace wymieniła nazwiska dwóch par, których córka nie znała, a na końcu wspomniała o Jimie Aldrichu. Ellen spojrzała na nią zaskoczona.

– Jim Aldrich, czyli ten agent literacki, u którego mieszkałyśmy po huraganie?

– Tak – powiedziała powściągliwie matka. – Parę razy poszłam z nim na kolację. Jest bardzo miły. Kilka dni temu byliśmy na balu dobroczynnym w Metropolitan Museum.

Wydawała się tym nieco zażenowana. Ellen się roześmiała.

– Brawo, mamo! Pewnie dobrze się bawiliście.

– Tak. W moim wieku wydaje się to trochę głupie, ale on ciągle mnie zaprasza.

– Jest niewiele młodszy od ciebie. Poza tym jest bystry i dowcipny, a w niedzielę możecie rozwiązywać razem krzyżówkę w „Timesie".

Ellen była zachwycona myślą, że po tylu latach w życiu jej matki może znów pojawić się mężczyzna. Była bardzo zajęta, pełna życia i ciekawa. Ellen zawsze wydawało się smutne, że jest sama. Poza tym wciąż była piękną kobietą.

– Zaproponował, żebym w grudniu poleciała z nim na targi Art Basel do Miami. Nie jestem pewna, czy tego chcę.

Najwyraźniej się wahała, a Ellen natychmiast zaczęła ją zachęcać.

– Czemu nie? Będziesz się wspaniale bawić. To jedne z najlepszych targów sztuki na świecie. Powinnaś z nim pojechać.

Grace się skrzywiła.

– Jestem za stara na romanse.

Podobała jej się jednak myśl o posiadaniu towarzysza. Cieszyła się, że miała kogoś, z kim mogła ciekawie spędzać czas, mieli też dużo wspólnych zainteresowań. Wiele spośród jej przyjaciółek bardzo się postarzało. Dwie niedawno zmarły. Grace była bardziej aktywna niż większość z nich – wciąż pracowała i miała sporo zajęć, przyjaźniła się z ludźmi młodszymi od siebie, nie opowiadała o swoich dolegliwościach i operacjach tak jak osoby w jej wieku. Nie znosiła tego.

– Ma sześćdziesiąt dziewięć lat, mamo. Nie trzydzieści, na litość boską! Poza tym nie jesteś za stara. Jesteś młodsza niż wszyscy ludzie, których znam.

– Miesiąc temu czułam się inaczej. Huragan naprawdę mnie wyczerpał.

– Mnie też.

George także odebrał jej prawie całą energię. Matka spytała ją o to, gdy Ellen poszła za nią do jej sypialni, a ona kończyła się ubierać. Zrobiła już makijaż, wyglądała bardzo ładnie w czarnej jedwabnej spódnicy i białej satynowej bluzce. Zaczesała włosy w elegancki francuski kok.

– Wyprowadzka poszła gładko – odpowiedziała cicho Ellen. Było jej ciężko i smutno, ale spodziewała się tego.

– Widziałaś się z George'em przed wylotem?

– Nie, nie chciałam. Nie odezwał się do mnie, ale to bez różnicy.

Była zaskoczona tym, jak szybko zniknął z jej życia. Teraz uświadomiła sobie, że biorąc pod uwagę to, co miało znaczenie, już dawno z niego zniknął i należał do kogoś innego. Wciąż był to dla niej zaskakujący cios, ale cieszyła się, że wyjechała z Londynu i wróciła do Nowego Jorku. Musiała znaleźć mieszkanie i asystenta, który mógłby dla niej pracować. Miała nadzieję, że załatwi obie sprawy w ciągu najbliższych dni.

Portier zadzwonił do nich z dołu, gdy o tym rozmawiały. Blanche podbiegła do drzwi wejściowych, szczekając i machając ogonem. Przyszedł Jim Aldrich. Grace powiedziała portierowi, by wpuścił go na górę. Po minucie otworzyła mu drzwi. Ellen wyszła ze swojego pokoju, żeby się przywitać. Ucieszył się na jej widok i powitał ją w Nowym Jorku. Słyszał od Grace, że jej małżeństwo się rozpadło, ale nie wspomniał o tym. Miał na sobie ładny granatowy garnitur, krawat od Hermèsa w tym samym kolorze oraz wspaniale skrojoną białą koszulę. Był bardzo elegancki, zadbany, a jego śnieżnobiałe włosy były idealnie ostrzyżone. Ładnie razem wyglądali. Grace ubrała się w czarną futrzaną kurtkę i sięgnęła po małą wieczorową torebkę z zamszu. Włożyła też dzisiaj nowe buty na wysokim obcasie – większość obuwia straciła podczas powodzi.

– Wyglądasz jak mieszkanka Górnego Manhattanu, mamo – stwierdziła Ellen, drocząc się z nią.

Wszyscy się roześmiali. Grace była radosna, gdy wychodziła z Jimem, ale Blanche stała teraz smutna w holu.

– Zostałyśmy same, mała – powiedziała do niej Ellen.

Drobna kulka białego futra pobiegła za nią do sypialni i wskoczyła na jej łóżko. Ellen cieszyła się, widząc Jima Aldricha z mamą. Miała nadzieję, że Grace dalej będzie przyjmować jego zaproszenia oraz że poleci z nim za sześć tygodni do Miami.

Grace wróciła o północy. Powiedziała, że świetnie się bawiła z Jimem i jego przyjaciółmi. Ellen zauważyła, że matka prowadzi teraz inne życie niż to, do którego przywykła przez ostatnich kilka lat. Nie przypominała sobie, kiedy ostatnio widziała, by wychodziła elegancko ubrana w sobotni wieczór. Nagle ich role się odwróciły. Ellen zostawała w domu i czuła się jak staruszka, a matka stroiła się i miała przyjaciela.

Następnego dnia Jim znów do nich wpadł, by zaprosić ją na brunch. Zabrał ze sobą krzyżówkę. Przed wyjściem sprzeczali się nad nią przez pół godziny. Ellen nie wiedziała dotąd, jak często matka się z nim widuje. Grace nie wspominała o tym przez telefon. Jednak Ellen cieszyła się jej szczęściem. To był nowy wymiar jej życia – nie była to już tylko praca dniami i nocami, tak jak wcześniej. Teraz w jej życiu był także mężczyzna, a nie tylko pracownia i pies. Ponieważ Ellen mieszkała w Nowym Jorku, mogły też wspólnie spędzać czas.

Kobieta cały dzień rozpakowywała się i organizowała swoje sprawy. Odpowiedziała na e-maile od Philippy i klientów, zaplanowała rzeczy do zrobienia, a następnego ranka spotkała się z agentem nieruchomości w pierwszym mieszkaniu spośród kilku, które mieli obejrzeć. To zadanie do złudzenia przypominało dzień, w którym szukała mieszkania dla matki. Pierwszego dnia, a nawet do końca tygodnia nic jednak nie znaleźli. Mieszkania bez wyposażenia były o wiele mniej atrakcyjne niż to umeblowane, które znalazła dla matki. Była zniechęcona, gdy w sobotę odezwał się do niej Bob Wells.

– Właśnie dowiedziałem się od Jima, że tu jesteś – powiedział z wyraźną radością. – Ciągle pracuję nad nową książką, przez cały tydzień z nim nie rozmawiałem. Może masz ochotę przejść się ze mną po parku dziś po południu? Tkwię w mieszkaniu od tygodnia i muszę się przewietrzyć.

– Z przyjemnością.

Tym razem nie było żadnych mieszkań, które mogłaby obejrzeć. Spotkała się z nim pod hotelem Pierre. Weszli do Central Parku wśród rowerzystów, biegaczy, ludzi z dziećmi w wózkach, par trzymających się za ręce, sprzedawców lodów i stałych bywalców parku. Oboje mieli na sobie sportowe buty i dżinsy. Ellen włożyła obszerny, dziergany sweter, by ochronić się przed październikowym chłodem. W mieście było o wiele chłodniej niż cztery tygodnie wcześniej, gdy wyjeżdżała.

– Co się działo, gdy byłaś w Londynie? – spytał, idąc obok niej.

Wiele o niej myślał po tym, jak powiedziała mu, że George chce rozwodu. Wspominał, jaka była załamana i zszokowana.

– Mniej więcej to, czego się spodziewałam. Zabrał swoje rzeczy. Ja zabrałam moje i przewiozłam do magazynu. Zadzwoniliśmy do prawników. Jest po wszystkim. Zachowuje się, jakby nasze małżeństwo skończyło się wiele lat temu. Dla niego chyba rzeczywiście tak było. Gdy już powiedział mi o tej drugiej kobiecie, zupełnie wymazał mnie ze swojego życia. Na początku byłam w szoku. To wielka zmiana. Wyjechałam z Londynu przekonana, że moje małżeństwo jest szczęśliwe, a po dwóch tygodniach okazało się, że tak nie jest i że będę się rozwodzić.

Podejrzewał, że wciąż jest to dla niej zaskoczeniem. Trudno jest zaakceptować, że jedno z małżonków postanowiło zamknąć drzwi przed drugim. Gdy przydarzyło się to jemu, przez długi czas nie mógł się pozbierać. Miał jednak wrażenie, że ona znosi to zaskakująco dobrze.

– Cieszę się, że się tu przeniosłam. Gdybym została w Londynie, byłoby trudniej. Wszyscy nasi znajomi są po jego stronie. Tak naprawdę to byli jego przyjaciele, ale ta sytuacja uświadomiła mi, że nigdy nie uważali mnie za jedną z nich.

Kiwał głową, słuchając jej i reagując współczuciem na jej słowa oraz na to, jak wiele straciła. Musiała zostawić za sobą cały swój świat.

– Jak idzie poszukiwanie mieszkania? – zapytał, by zmienić temat.

– Na razie niczego nie znalazłam – odparła zniechęcona. – A jak twoje nowe mieszkanie? Czy moja mama już je zaczarowała? – spytała z uśmiechem.

– Czekam na jej ofertę i projekty. Chyba chce je wybebeszyć, ale pewnie tego mu trzeba. Minie trochę czasu, zanim się przeprowadzę, o ile Jim ze mną wytrzyma. Byłoby jednak wygodnie mieszkać w tym budynku podczas remontu, żebym mógł tam zaglądać, kiedy będę chciał.

Ona też uważała, że to dobry układ.

– Podobno moja mama i Jim często się ostatnio widują – zaczęła ostrożnie.

– Na to wygląda. – Uśmiechnął się. – Stanowią uroczą parę. Oboje są bardzo ciekawymi ludźmi. Nigdy nie przyszłoby mi to do głowy, ale pasują do siebie. Już wcześniej powinienem był ich sobie przedstawić.

Choć Bob nie powiedział tego głośno, Jim od dawna miał skłonność do młodszych kobiet. Grace była dla niego odmianą, ale jego zdaniem pozytywną.

– Świetnie się z nim bawi – potwierdziła Ellen.

– On także. Bez przerwy o niej mówi.

– Chyba nie jest przekonana, czy powinna się z kimś „umawiać", ale ja nie widzę przeszkód. Mają tyle wspólnych zainteresowań. Być może kluczem do dobrego związku jest przyjaźń, a nie namiętność.

Myślała, że na tym się opierało jej małżeństwo z George'em, ale najwyraźniej się pomyliła. Nie łączyło ich nic trwałego. Nawet dzieci. Gdy minął ich wózek z bliźniętami, odwróciła wzrok jak zawsze. Był to dla niej zbyt bolesny widok, przypomnienie tego, czego nigdy nie miała zaznać. Teraz musiała się poddać, ale jeszcze nie wiedziała, jak to zrobić. Prawda ciągle za bardzo ją bolała.

– Związki zawsze są tajemnicą – stwierdził w zamyśleniu Bob. – Działają dzięki jakiemuś sekretnemu składnikowi. Kiedy wydaje się, że jakiś związek nie ma szans na przetrwanie, zazwyczaj jest na odwrót. Z kolei taki, który wydaje się najtrwalszy, ostatecznie się rozpada. Nigdy nie potrafię tego przewidzieć – rzucił swobodnie, gdy szli obok siebie. – Dlatego piszę thrillery, a nie romanse.

Po tych słowach oboje się roześmiali.

– Najwyraźniej ja też nie potrafię tego przewidzieć – stwierdziła smutno, a Bob się do niej uśmiechnął. – Właśnie dziesięć lat mojego życia poszło z dymem.

– Nie był z tobą szczery – przypomniał jej mężczyzna.

Mówił jej to już wcześniej, w dniu, gdy George poprosił ją o rozwód, a ona opowiedziała mu o tym w kuchni Jima.

– Powinien był ci powiedzieć, gdy zaczął czuć się źle w związku, i dać ci szansę, by to naprawić, zrobić coś inaczej – ciągnął. – To nie było wobec ciebie w porządku.

– Pewnie masz rację, ale myślę, że w końcu znalazł właściwą kobietę. Ja próbowałam nią być, ale nigdy nie byłam. Więc zwolnił mnie z tej posady – dodała, próbując powiedzieć coś mądrego, ciągle jednak była na niego zła i zastanawiała się, czy kiedyś się to zmieni.

– Jest idiotą – stwierdził łagodnie Bob.

Potem zaproponował jej lody na pocieszenie, a ona się zgodziła. Sam też zjadł porcję.

Zatrzymali się przy stawie z modelami jachtów i poszli dalej w głąb parku. Później wrócili i zatrzymali się pod domem jej matki. Nie zaprosiła go na górę, bo nie chciała sprowadzać gościa, nie zapowiedziawszy tego wcześniej mamie. Dlatego potrzebowała własnego mieszkania. Grace miała rację.

– Zadzwonię do ciebie, kiedy już ogarnę tę książkę – obiecał Bob. – Ciągle się z nią męczę. Może moglibyśmy czasem zjeść razem kolację.

Skinęła głową i podziękowała mu za lody. Po chwili zniknęła w drzwiach budynku, machając mu. Bob przeszedł przez park z powrotem do mieszkania Jima po zachodniej stronie Central Parku. Przyjemnie spędził czas z Ellen. Sprawiała, że działo się z nim coś, czego nie doświadczał przy nikim innym, czuł się przy niej swobodnie. Miał wrażenie, że mógłby jej powiedzieć wszystko. Liczył, że wkrótce znów ją zobaczy. Teraz wiele się u niej działo – wciąż była zaskoczona rozpadem małżeństwa, próbowała stworzyć sobie nowe życie i przeprowadziła się z powrotem do Nowego Jorku. On natomiast był zajęty książką. Zamierzał jednak do niej zadzwonić, gdy kobieta już się zadomowi. Nie był pewien, do czego to doprowadzi ani czy cokolwiek się między nimi wydarzy, ale przynajmniej mogli być przyjaciółmi. Podobała mu się ta myśl. Pisanie było o wiele łatwiejsze niż związki. Było prościej poradzić sobie z fikcyjnymi postaciami i tworzyć historie kryminalne. Jednak zdobycie się na odwagę wobec drugiej osoby przerażało go, odkąd się rozwiódł. Ellen była pierwszą kobietą od wielu lat, która wydawała mu się warta ryzyka. Gdy z nią był, czuł się zaskakująco bezpiecznie. Wszystko mu się w niej podobało – z wyjątkiem możliwości, że jedno z nich mogłoby zranić drugie. Już przez to przechodził, ona zresztą też. Jednak teraz, gdy wracał do mieszkania Jima, chciał tylko znowu się z nią zobaczyć.

Poczuł ulgę, gdy dotarł do swojej maszyny do pisania i wrócił do pracy nad książką. To była jego jedyna umiejętność, której był pewien. Był w tym mistrzem. Kiedy zaczął stukać w klawisze, łagodnie odepchnął od siebie myśl o Ellen i na nowo zagłębił się w fikcyjny świat, który tak wspaniale zbudował, gdzie mógł wszystko kontrolować i wiedział, jak potoczą się losy bohaterów. W prawdziwym świecie nigdy nie można być tego pewnym.

W poniedziałek i wtorek Ellen obejrzała osiem kolejnych mieszkań. Wszystkie miały korzystne lokalizacje po wschodniej stronie Manhattanu – tam właśnie chciała zamieszkać. Dolny Manhattan nie pociągał jej aż tak bardzo jak Grace. Chciała mieć mieszkanie na Upper East Side, w budynku z portierem, wystarczająco duże, by mieć w nim biuro. Nie potrzebowała widoku czy dodatkowych atrakcji, jednak znalezienie miejsca, w którym mogłaby się poczuć jak w domu, zaczęło jej się wydawać niemożliwe. W końcu we wtorek po południu weszła do jednego z mieszkań i gdy tylko je zobaczyła, wiedziała, że to jest to. Było duże i pełne słońca, znajdowało się w starym budynku na wschodzie półwyspu, za Siedemdziesiątą Ulicą, zwróconym na południe. Miało duże okna wychodzące na wysadzaną drzewami ulicę. Sprawiało raczej wrażenie domu. Pokój dla gosposi w głębi był idealnym miejscem na biuro dla niej i asystenta. Całość przypominała jej trochę dom w Londynie, z którym właśnie się pożegnała. Miało staromodny, europejski styl, jej meble by tu pasowały. W salonie był kominek, drugi znajdował się w sypialni. Była też niewielka jadalnia ze ścianami pomalowanymi na ciemnoczerwono i przytulna kuchnia. Mogła wyobrazić sobie, że tu mieszka, słucha muzyki i czyta przy kominku w zimowe wieczory. Odwróciła się do agenta z wyrazem ulgi na twarzy.

– To jest to.

Była w domu i od razu to poczuła. Mieszkania były jak miłość – albo się ją czuło, albo nie, a ona właśnie ją poczuła. Agent nie spodziewał się, że Ellen spodoba się właśnie to miejsce. Odkąd przyjechała, szukali mieszkań w nowoczesnych budynkach. Kobieta wyobraziła już sobie salon udekorowany tkaninami w ciepłych barwach oraz wygodną kanapę. Musiała ją kupić, ponieważ George zabrał tę z ich domu do mieszkania, które miał dzielić z Annabelle. Nie chciała teraz o tym myśleć. Wolała zostawić za sobą przeszłość i zacząć od nowa.

Wypełniła wniosek, zanim wyszła z budynku, i wypisała czek pokrywający zaliczkę. Wynajem kosztował mniej, niż zakładała. Do tej pory nikt nie miał dość wyobraźni, by dostrzec, co można zrobić z tym miejscem. Jego główną zaletą była przytulna atmosfera. Poza tym było dostępne od zaraz. Mogła wprowadzić się, gdy tylko zaakceptuje to właściciel. W tym budynku większość mieszkań wynajmowano, więc nie musiała czekać na zatwierdzenie rady mieszkańców. Musieli tylko sprawdzić jej zdolność kredytową. W formularzu wpisała, że przez pięć lat była właścicielką domu w Londynie. W miejscu, gdzie pytano o jej stan cywilny, z bólem zakreśliła opcję „rozwiedziona". Nie mogła już napisać, że jest mężatką, ponieważ wkrótce miała przestać nią być. Czuła się dziwnie, podając tę informację. Ze smutną miną oddała agentowi wniosek. Cieszyła się jednak, gdy wróciła do mieszkania matki, a po powrocie Grace przekazała jej radosne wieści.

– Pozbędziesz się mnie, gdy dotrą tu moje meble – powiedziała – o ile dostanę zgodę.

– Nie chcę się ciebie pozbywać. Bardzo się cieszę, że tu jesteś – zapewniła ją Grace.

Była zadowolona, że córka znalazła coś, co jej się podobało. Zaczynała nowe życie.

Tego wieczoru zjadły spokojną kolację i wcześnie poszły spać. Dwa dni później zadzwonił agent, by przekazać, że jej wniosek został przyjęty. Napisała do Philippy e-mail, by załatwiła wysyłkę jej mebli. Następnego dnia zadzwoniła do agencji pracy, by zatrudnić asystenta. Wszystko układało się lepiej, niż się spodziewała. Gdy o tym myślała, czuła zawrót głowy. Czasami przypominało jej to górską wspinaczkę. Musiała tylko dotrzeć do bezpiecznego miejsca, by móc się rozluźnić i złapać oddech, ale to jeszcze nie był ten moment.

W kolejnym tygodniu otrzymała klucze do mieszkania. Gdy Grace przyjechała je zobaczyć, również jej się spodobało. Meble płynęły właśnie statkiem do Nowego Jorku, a Ellen zaczęła szukać tkaniny na zasłony. Zamówiła też kanapę z obiciem w ciepłym brązowo-beżowym kolorze, podobną do tej, którą miała w Londynie. Jej adwokat w Anglii otrzymał już wiadomość od George'a, a procedury rozwodowe posuwały się naprzód. Nie była zaskoczona, nie spodziewała się, że zmieni zdanie, ale i tak czuła ból. Wszystko działo się tak szybko. W jednej chwili była mężatką, w następnej było już po wszystkim. Wciąż trudno jej było zrozumieć, co się stało, jakie sygnały przegapiła i dlaczego jej nie ostrzegł, zanim się poddał. Starała się tym nie zadręczać, ale te pytania wracały do niej w środku nocy. Leżała w łóżku, rozważając to, i zastanawiała się, czy jest teraz szczęśliwy z Annabelle i jej dziećmi. Cieszyła się, że nie ma nikogo, kto mógłby jej o tym powiedzieć. Uświadomiła sobie, że tak naprawdę nie chce wiedzieć niczego o jego nowym życiu.

Pewnego wieczoru Ellen jadła kolację ze swoją mamą i Jimem. Rozmawiali o Bobie oraz o książce, którą pisał. Jim powiedział, że Bob powinien częściej wychodzić i za ciężko pracuje, choć rezultaty są wspaniałe. Ellen nie miała z nim kontaktu, odkąd byli na spacerze parę tygodni wcześniej. Zakładała, że pracuje nad książką.

Szczęśliwym zbiegiem okoliczności tydzień przed dotarciem mebli Ellen zatrudniła asystentkę. Alice Maguire pracowała dla znanej pracowni dekoratorskiej prowadzonej przez giganta w branży. Chciała łatwiejszej, przyjemniejszej pracy niż poprzednia, która wiązała się ze sporym stresem. Philippa polubiła ją, gdy rozmawiała z nią przez Skype'a, a jej referencje były świetne. Pierwszego dnia Ellen dała jej do posortowania wielką stertę papierów, wysłała ją do Ikei po dwa biurka i szafki na dokumenty, których potrzebowały, oraz poleciła zwrócić próbki tkanin odrzucone przez klientów. Potem pojechała na spotkanie z klientem w Palm Beach. To był mocny start. Gdy Ellen wróciła dwa dni później, Alice najwyraźniej miała wszystko pod kontrolą. Powiedziała szefowej, że jej meble przeszły przez odprawę celną i czekają w porcie w Nowym Jorku. Miały być dostarczone do mieszkania następnego dnia.

– To dobrze.

Ellen uśmiechnęła się, gdy Alice podała jej filiżankę herbaty, dokładnie takiej, jaką szefowa lubiła.

– Czyli działamy – dodała.

Wniesienie jej rzeczy przebiegło bezproblemowo z pomocą Alice. Pod koniec dnia meble były na swoim miejscu, firma transportowa rozpakowała porcelanę i kryształy, a Ellen rozpakowywała swoje książki. Z początku patrzenie na znajome przedmioty przypominające jej o małżeństwie było bolesne, jednak w nowojorskim mieszkaniu wyglądały nieco inaczej. Przypuszczała, że w końcu się do nich przyzwyczai i przestaną przypominać jej o George'u. Próbowała robić, co się dało, by wymazać go ze swojego życia. Rozglądając się wokół, zrozumiała, że decyzja o przeprowadzce do Nowego Jorku była właściwa. Okazało się, że to nie był krok wstecz, ale naprzód – miała nowych klientów, nową asystentkę i nowy dom.

– Wow! – powiedziała Grace, gdy przyszła do niej tego wieczoru.

Na stoliku kawowym stały kwiaty, Ellen ustawiła meble według własnego gustu. Całość była przytulna i ciepła, jak przewidziała, gdy po raz pierwszy zobaczyła mieszkanie. Sypialnia była ładna i kobieca. Stała w niej zabytkowa toaletka z lustrem, którą Ellen znalazła tydzień wcześniej.

– Wygląda wspaniale – stwierdziła Grace z uśmiechem, dumna z tego, jak odważnie córka wkracza w nowe życie. – Gdy już się zadomowisz, powinnaś urządzić tu kolację – zasugerowała.

Ellen potrzebowała życia towarzyskiego w Nowym Jorku, choć sama nie czuła się jeszcze na to gotowa.

– Nie wiedziałabym, kogo zaprosić – powiedziała szczerze.

Wiele lat wcześniej straciła kontakt z przyjaciółmi z Nowego Jorku. Całkowicie pochłonęło ją londyńskie życie George'a, które teraz również straciła. Uświadomiła sobie, że rezygnacja z własnej tożsamości była wielkim błędem.

– Ja i Blanche z chęcią wpadniemy na kolację – powiedziała łagodnie Grace.

Ellen uśmiechnęła się, myśląc, że mogłaby zaprosić Boba i Jima. Jim niedawno zaprosił je na kolację z okazji Święta Dziękczynienia. Ellen nie była pewna, czy chce się na nią wybrać. W tym roku nie miała ochoty świętować, nie była w uroczystym nastroju. Powiedziała matce, że chyba odrzuci zaproszenie. Zgłosiła się jako wolontariuszka do podawania kolacji w Święto Dziękczynienia w jednym ze schronisk dla ofiar huraganu na Dolnym Manhattanie. Grace była tym tak wzruszona, że sama zapragnęła pójść. Po przeprowadzce przekazała już mnóstwo ciepłych ubrań kilku schroniskom.

Kiedy powiedziały o tym Jimowi, zaproponował, że przesunie godzinę kolacji, by obie kobiety mogły na nią przyjść. Gdy Jim powiedział Bobowi, co planują panie, mężczyzna zadzwonił do Ellen i oświadczył, że chce pójść do schroniska razem z nimi. Czuł, że to jest właściwy sposób spędzenia Święta Dziękczynienia w tym roku.

Grace wciąż nie podjęła decyzji co do targów sztuki w Miami. Jim i tak planował na nie polecieć – co roku się tam wybierał. Wspólna podróż do Miami wciąż wydawała się Grace dość śmiała. Powiedziała mu, że gdyby się wybrała, chciała, by mieszkali w osobnych pokojach. Jim się na to zgodził. Był spokojnym człowiekiem gotowym zaakceptować dowolne warunki, dzięki którym czułaby się komfortowo, byle tylko z nim pojechała.

– Powinnaś to zrobić, mamo – zachęcała ją Ellen, gdy znów o tym rozmawiały.

Grace powiedziała, że nie jest pewna i ma za dużo pracy. Chętnie jednak obejrzałaby dzieła sztuki dla swoich klientów. Kilku z nich miało pokaźne kolekcje. Myśl o tym, że byłaby tam razem z Jimem, była dla niej bardziej pociągająca, niż chciała przyznać.

Gdy Grace wyszła z nowego mieszkania Ellen, kobieta wróciła do rozpakowywania książek i znalazła kilka tomów należących do George'a. Zastanawiała się, czy powinna mu je odesłać. Potem zdecydowała, że nie będzie tego robić, i ułożyła je na półce. Do diabła z tym. Złamał jej serce, nie musiała odsyłać mu książek. Kiedy skończyła, rozejrzała się po mieszkaniu, zadowolona z efektu. Jej mama miała rację. Chciała pokazać komuś swoje mieszkanie. Poczuła przypływ odwagi i wysłała Bobowi SMS. Była prawie północ, ale Ellen wiedziała, że mężczyzna pracuje do późna.

„Ciągle piszesz? Właśnie wprowadziłam się do nowego mieszkania. Jest przyjemne, bardzo mi się podoba. Wpadnij kiedyś, żeby je zobaczyć". Podpisała się: „Ellen", a potem wysłała wiadomość. Po pięciu minutach oddzwonił. Nie rozmawiali, odkąd tydzień wcześniej skontaktował się z nią w sprawie podawania kolacji w schronisku.

– Nie wiedziałem, że już się przeprowadzasz. Szybko ci poszło.

– Nie bardzo. Prawie od miesiąca jestem w Nowym Jorku.

Uśmiechnęła się do siebie, popijając herbatę. Cieszyła się, że zadzwonił.

– Kiedy piszę, tracę poczucie czasu – usprawiedliwił się. – Twoje rzeczy dotarły już z Londynu?

– Dostałam je dzisiaj. Ciągle mam tu całe sterty pudeł. A jak tobie idzie z mieszkaniem?

– W tym tygodniu zaczęli wyburzanie ścian. Panuje tam kompletny chaos – roześmiał się. – Twoja matka jest bezlitosna, ale dobra. Mówi, że będę zachwycony efektami. Wierzę jej.

– Nie zawiedziesz się – obiecała Ellen.

– Na pewno nie. Z chęcią zobaczyłbym twoje nowe mieszkanie – powiedział ostrożnie, nie chcąc się narzucać.

– Zaproszę cię, kiedy już się zorganizuję – odparła, przypominając sobie sugestię mamy.

– Kiedy skończę książkę, bardzo chciałbym, żebyśmy poszli razem na kolację. Chciałem do ciebie zadzwonić, ale ciągle jestem tu uwięziony. Dopóki nie skończę, jestem do niczego. Zgubię wątek, jeśli podczas pracy wyjdę z domu. Dlatego zaszywam się, aż będzie po wszystkim.

Jim powiedział to samo, gdy jedli razem kolację. Tak właśnie pracował Bob, ale trudno było zaprzeczyć jego sukcesowi.

– Została mi ostatnia prosta – dodał. – Dobrze się miewasz? – spytał z troską w głosie.

Ellen była tym wzruszona.

– Chyba tak. Niedługo będę musiała polecieć do Londynu na spotkania z klientami, ale zadomawiam się tutaj. Zatrudniłam wspaniałą asystentkę.

Jednak jeszcze nie czuła się jak w domu. Wszystko było nowe, inne, nawet powrót do Nowego Jorku, chociaż tutaj dorastała. Jednak po jedenastu latach spędzonych w Londynie nawet rodzinne miasto było jej obce.

– Cieszę się, że do mnie napisałaś – powiedział ciepło.

Lubił z nią rozmawiać. Podobało mu się to, szczególnie gdy przebywała w mieszkaniu Jima, i wiedział, że jest w pokoju obok. Mógł na nią wpadać w kuchni i rozmawiać o dowolnej porze.

Pomyślał, że jej mąż postąpił głupio, zostawiając ją. Często jednak trudno określić, co psuje się w związkach.

– Wkrótce do ciebie zadzwonię, obiecuję – powiedział.

Miał poczucie winy, że po ich ostatniej rozmowie ją zaniedbał. Gdy pisał, zapominał o całym świecie i wszystkich ludziach.

– Nie musisz obiecywać. Nigdzie się nie wybieram – powiedziała.

Miło było z nim porozmawiać późną nocą.

– Niedługo pójdziemy na kolację – powiedział znowu – ale najpierw muszę zabić parę osób – zachichotał, a ona też się roześmiała.

Podziękowała mu za telefon, a potem spacerowała po mieszkaniu zadowolona z siebie. Zdobyła się na odwagę, by się z nim skontaktować, choć on już od jakiegoś czasu do niej nie dzwonił. Podobało jej się też, że mieszkanie nabiera kształtu, że tworzy się przytulna atmosfera. Teraz widziała, czego potrzebuje: większego biurka, dwóch dużych, wygodnych foteli, może nowego stolika kawowego. Stoliki stojące po bokach nowej kanapy idealnie do niej pasowały. Lampy były piękne, ale należało zmienić w nich kable na pasujące do amerykańskiej sieci elektrycznej. Na kominku ustawiła świeczniki i zabytkową chińską rzeźbę, którą uwielbiała. Jej angielskie obrazy przedstawiające sceny z polowań będą świetnie wyglądać na czerwonych ścianach w jadalni. Już zaczynała czuć, że to jej własny dom, a nie kompromis, na który musiała przystać, żeby zadowolić kogoś innego – czy to klienta, czy męża. Wiedziała, że gdy skończy, całość będzie wyglądać dokładnie tak, jak to sobie wymarzyła. Tej nocy poszła spać z uśmiechem na twarzy. Nie płakała za utraconym domem, za George'em, ani nawet za dziećmi, których nie mieli. Po raz pierwszy od momentu, gdy George przekazał jej bolesną wiadomość o rozstaniu, uświadomiła sobie, że ma to, czego najbardziej potrzebuje, by je przetrwać, i czego tak długo jej brakowało. Samą siebie.

Rozdział 12

Juliette przyjechała na oddział ratunkowy punktualnie o szesnastej, gdy zaczynała się jej zmiana. W większej części szpitala mieli znów zasilanie, jednak dwa miesiące po huraganie niektóre systemy ciągle jeszcze nie działały i prawdopodobnie przez jakiś czas miało tak pozostać. Jednak oddział znów funkcjonował normalnie. Juliette wróciła właśnie po dwudniowej przerwie. Gdy weszła, uśmiechnęła się do Willa Haltera stojącego przy biurku pielęgniarek.

– Jak się masz? – spytała, zerkając na tablicę na ścianie, by sprawdzić, ilu mają dzisiaj pacjentów.

Poprzedniej nocy ulice były oblodzone. Pacjent ze złamanym biodrem czekał na operację, a ktoś ze złamaną ręką – na rezydenta ortopedii. Poza tym mieli trzy przypadki grypy, pacjenta z atakiem serca czekającego na angioplastykę i kobietę, u której zaczął się przedwczesny poród. Wysłali ją na porodówkę.

– Dzień jest chyba dość łatwy – powiedziała do Willa.

Skinął głową i odszedł, by porozmawiać z jedną z pielęgniarek.

– Co jest? Teraz się kumplujecie? – wymamrotała Michaela.

– To oferma, jest żałosny. Ale co z tego? – Juliette wzruszyła ramionami, uśmiechając się do niej.

Odkąd Will przeprosił ją w noc huraganu, nie czuła już wobec niego tak gwałtownej złości. Nie obchodziło jej już, że jest takim narcyzem.

– Jesteś w dobrym nastroju – stwierdziła Michaela, przyglądając się jej.

Było tak od wielu tygodni, zwłaszcza gdy wracała do szpitala po dniach wolnych.

– Czy w pani życiu pojawił się nowy mężczyzna, pani doktor? – dopytywała się.

Kobiety się lubiły, ale Juliette nie zwierzała się pielęgniarce z życia prywatnego.

– Być może – odparła z uśmiechem.

– Od razu to po tobie widać – droczyła się z nią Michaela.

– Dziewczyna musi się zabawić w wolny dzień – powiedziała Juliette, sięgając po kartę pacjenta i idąc do sali.

– Czyżby? To u ciebie coś nowego! – zawołała za nią Michaela.

Zachowywała się tak od dwóch miesięcy. Od huraganu spotykała się z Seanem Kellym i chyba wszystko dobrze się układało, choć oboje mieli nieludzkie godziny pracy oraz – jak mówił Sean – kariery oparte na katastrofach. Musiał zająć się poważnym wyciekiem gazu, który spowodował wybuch i zabił troje ludzi, alarmem bombowym w innym szpitalu, gdzie konieczna była błyskawiczna ewakuacja budynku, oraz niekończącymi się skutkami huraganu, ponieważ jeszcze nie wszystko po nim uporządkowano. Niektóre budynki na Dolnym Manhattanie wciąż były zalane. Na ulicach roiło się od pomp, usiłowano opróżnić piwnice, a jedna linia metra wciąż nie działała. Kiedy on zajmował się nagłymi kryzysami, ona była zajęta codzienną pracą na oddziale ratunkowym. W jakiś sposób pośród tego wszystkiego udawało im się spędzać razem czas i dobrze się bawić. Po huraganie Sean dostał awans, miał nowe stanowisko, wyższą pensję i większy samochód. Starał się do niej wpadać zawsze, gdy tylko miał czas. W pośpiechu pili razem kawę, a czasem nawet jedli lunch.

Kiedy oboje mieli wolne, szli do kina, na kolację albo on gotował coś dla niej w swoim mieszkaniu. Było większe i przyjemniejsze niż to zajmowane przez nią, a on lepiej radził sobie w kuchni.

– Miejmy nadzieję, że nigdy nie każą ci podać własnych dań na oddziale. Mogłabyś kogoś zabić – żartował.

Powiedział to po pierwszym posiłku, który dla niego ugotowała i niewiarygodnie przypaliła. Uruchomiły się wszystkie alarmy przeciwpożarowe. Od tamtej pory to on przejął obowiązki w kuchni. Jednak pomimo jej braku zdolności zajęcia się domem nigdy dotąd nie cieszył się tak bardzo obecnością kobiety w swoim życiu. Jak dotąd stresująca praca nie miała wpływu na ich życie prywatne.

Kiedy byli razem i od żadnego z nich nie wymagano gotowości do pracy, wyłączali telefony i skupiali się na sobie. A gdy pracowali, poświęcali się pracy. Pasowali do siebie bardziej, niż oboje się spodziewali. Uwielbiali też chodzić na kręgle i grać w bilard w barze niedaleko jej mieszkania. Ona grała lepiej, niż on gotował, prawie za każdym razem wygrywała.

Dała mu parę wskazówek, dzięki którym zabłysnął wśród kolegów z biura zarządzania kryzysowego podczas męskich wieczorów.

– Czego się spodziewałeś? Przecież mam braci – powiedziała z dumą, gdy po raz pierwszy zobaczył, jak gra.

W ciągu dwóch miesięcy od huraganu wiele się o sobie dowiedzieli. Jak dotąd podobało im się wszystko, co odkryli.

– Miałeś rację – powiedziała mu któregoś razu, gdy przygotowywał jej śniadanie przed wyjściem obojga do pracy.

– W jakiej kwestii?

– Naprawdę można mieć własne życie i dobrze wykonywać swoją pracę. Nigdy nie sądziłam, że to możliwe – powiedziała, zabierając się do jedzenia jajek z bekonem, które przygotował Sean. – Trzeba po prostu wystarczająco mocno tego chcieć – powiedział, siadając obok niej przy stole.

Częściej przebywali u niego, bo jej mieszkanie ciągle wyglądało tak, jakby uderzyła w nie bomba. Wiedział już, że zawsze tak będzie. Z jakiegoś powodu nigdy nie udawało jej się go posprzątać i wyglądało jak wysypisko śmieci.

– To pewnie klucz do większości spraw w życiu. Jeśli się czegoś wystarczająco mocno pragnie, to się udaje – dodał.

– A ty pragniesz mnie aż tak mocno? – spytała z uśmiechem, wgryzając się w tost.

– Rozpaczliwie, ale nie na tyle, by jeść to, co ugotujesz.

– To dobrze. W takim razie ty zawsze będziesz gotował.

– Nie ma sprawy. Ty możesz myć mój samochód.

– Chyba śnisz – powiedziała, gdy ją ucałował. – Jestem lekarzem. Nie muszę myć samochodów ani gotować.

– Gdzie jest tak napisane?

– W przysiędze Hipokratesa. Na pewno gdzieś się to pojawia. Żadnego gotowania – powiedziała zadowolona z siebie.

– Chyba raczej coś o tym, żeby nie szkodzić – poprawił ją, a potem się zastanowił. – W twoim przypadku to chyba to samo.

Znów ją pocałował i zerknął na zegarek, zastanawiając się, czy mają przed pracą czas, żeby wrócić do łóżka.

– Nie – powiedziała. – Nie mogę. Jeśli spóźnię się do pracy, Halter mnie zabije.

– Pieprzyć go, jest dupkiem.

– To prawda, ale i tak jest moim szefem i umie korzystać z zegarka.

– Psujesz zabawę.

Pocałował ją tęsknie, a potem razem zebrali naczynia, przepłukali je i wstawili do zmywarki. Bardziej się wysilała w jego mieszkaniu niż we własnym.

– Zobaczymy się wieczorem? – spytał ją, znając już odpowiedź, zanim potwierdziła.

Spędzali razem każdą chwilę poza pracą. Zawiesili swoje grafiki obok siebie na jego korkowej tablicy, by móc zsynchronizować czas wolny.

Nie lubili się rozstawać, gdy szli do pracy, a potem na nowo się w niej pogrążali. Uwielbiali to, co robili, i uwielbiali być razem. Teraz, gdy szła na swoje zmiany na oddziale ratunkowym, promieniała szczęściem. Zauważyła to Michaela i pozostali.

Zaproponował, że przygotuje dla niej kolację z okazji Święta Dziękczynienia – prawdziwą, z nadzieniem domowej roboty, indykiem i batatami, ze słodkimi piankami, szpinakiem ze śmietaną oraz ciastem dyniowym. Ona jednak musiała pracować, więc obiecał, że zje z nią kolację w stołówce i ugotuje dla niej prawdziwą podczas najbliższych wolnych dni.

Spotkali się w stołówce o północy, podczas jej przerwy obiadowej, by zjeść kanapki z indykiem. Cicho rozmawiali przy stole w rogu, gdy na jego komórce wyświetlił się numer alarmowy wraz z numerem identyfikacyjnym. Dzwonił jego szef. Sean słuchał uważnie, powiedział, że przyjedzie za trzy minuty, a potem wstał.

– Jadę – powiedział do Juliette. – Pożar w elektrowni na Czternastej Ulicy. Alarm piątego stopnia. Obawiają się, że nastąpi wybuch.

Przeszedł już pół stołówki, a ona szła za nim z kanapką w dłoni.

– Uważaj na siebie, dobrze...? Proszę, Sean...

Odwrócił się zaledwie na ułamek sekundy i pocałował ją.

– Kocham cię... Zadzwonię później... Szczęśliwego Święta Dziękczynienia.

Wybiegł bez tchu ze szpitala, uruchomił sygnał alarmowy na samochodzie i ruszył na północ, na Czternastą Ulicę. Gdy tam dotarł, wszędzie stały wozy strażackie, pojazdy biura zarządzania kryzysowego i policji. Narzucił swój gruby płaszcz, wyskakując z samochodu, i zaczął przeciskać się przez tłum w kierunku innych pracowników biura zarządzania kryzysowego, którzy rozmawiali z komendantem straży pożarnej na miejscu zdarzenia. Wciąż jeszcze nie opanowali pożaru, a prawdopodobieństwo wybuchu rosło z każdą minutą.

Juliette poszła do poczekalni, by zobaczyć, czy w telewizji pojawiają się jakieś informacje o pożarze. Zobaczyła płonącą kulę ognia otoczoną liczną grupą strażaków. Miała nadzieję, że Seanowi nic się nie stało, poczuła, jak wali jej serce. To była jedyna rzecz, której nie znosiła w jego pracy – wciąż się o niego martwiła, zawsze był w najbardziej niebezpiecznych miejscach. Nie podobało jej się to, ale wiedziała, jak bardzo on to lubi. Przez całą noc między wizytami u pacjentów zaglądała do poczekalni, by zobaczyć, co się dzieje. Starała się nie panikować, widząc, jak pożar staje się coraz groźniejszy. Oczyszczono duży obszar i ewakuowano setki budynków na wypadek wybuchu. Poczuła zawroty głowy, gdy zobaczyła to w telewizji.

Pożar dalej trwał o piątej i o szóstej rano, w końcu doszło do wybuchu, którego się obawiali. Niedługo potem prezenter poinformował, że kilku strażaków doznało obrażeń wskutek eksplozji. Nie powiedziano niczego o pracownikach biura zarządzania kryzysowego. Nigdy o nich nie wspominano. Przy każdej katastrofie w mieście byli cichymi bohaterami. Ogarnęła ją panika, gdy zobaczyła tę informację. W szpitalu wszyscy usłyszeli i odczuli wybuch. Do oczu napływały jej łzy za każdym razem, gdy wślizgiwała się do poczekalni, by zerknąć na telewizor. A jeśli zginął lub był ranny? Nigdy wcześniej nie była tak szczęśliwa, nie kochała żadnego mężczyzny tak bardzo jak jego. Każdy aspekt jego osobowości idealnie do niej pasował – z wyjątkiem tego, że codziennie ryzykował życie. Czuła mdłości, aż w końcu zadzwonił do niej tego ranka po dziewiątej. Dwóch strażaków trafiło już na jej oddział z poważnymi oparzeniami. Czekali na przeniesienie do jednostki oparzeniowej. Kiedy odebrała telefon, brakowało jej tchu.

– Nic ci nie jest? – spytała, gdy usłyszała jego głos po godzinach lęku i modlitw o niego. – Całą noc się o ciebie martwiłam. Widziałam to w telewizji.

– Wszystko w porządku. Było paskudnie, wielu chłopaków jest rannych. Teraz wszystko jest pod kontrolą, ale pewnie zostanę tu na cały dzień.

– Ja jestem dziś w pracy do dwudziestej drugiej – powiedziała.

Czuła się spokojniejsza niż w ciągu ostatnich godzin. Nie chciała mu się przyznać, jak bardzo się bała.

– Spotkajmy się u mnie, gdy wrócę do domu.

Miała klucz do jego mieszkania i spędzała tam wszystkie wolne noce.

– Do zobaczenia. Kocham cię – powiedział, a potem się rozłączył.

Po rozmowie z nim poczuła ulgę i wróciła do pracy z lekkim sercem. Jego tryb życia to był obłęd.

Kiedy tego wieczoru wrócił do domu, był brudny i wyczerpany, ale starczyło mu sił, by wziąć prysznic i się z nią kochać. Potem zasnął w jej ramionach. Czasem zastanawiała się, jak długo wytrzyma, ciągle się o niego martwiąc. A jeśli znalazłby się wśród rannych albo zabitych? Mimo to nie wyobrażała sobie, by mógł robić coś innego, przynajmniej teraz. On też nie widział innej możliwości. Chciał czuć się potrzebny, wiedzieć, że ratuje ludzkie życie. Ona robiła to samo, ale jej życie nigdy nie było zagrożone, on zaś zawsze był w niebezpieczeństwie. Przynajmniej teraz był bezpieczny – spał obok niej w swoim łóżku, a ona nie oczekiwała więcej. Huragan cisnął ich ku sobie. Juliette nie zamierzała z tego rezygnować. Był najlepszym, co kiedykolwiek jej się przydarzyło.

W południe w Święto Dziękczynienia Ellen i Grace w dżinsach i starych swetrach przybyły do schroniska dla ofiar huraganu. Bob spotkał się tam z nimi. Przypisano ich do różnych stołów, by podawali obiad setkom ludzi, którzy wciąż tam mieszkali. Boba przydzielono do grupy krojącej podarowane schronisku indyki. Kobiety nakładały jedzenie na talerze, a mieszkańcy z wdzięcznością je przyjmowali. Tego ranka o szóstej Bob skończył pisać książkę. Wyglądał na wyczerpanego, ale rozemocjonowanego.

Cała trójka pracowała bez przerwy przez siedmiogodzinną zmianę. Dotarli do Jima tuż przed dwudziestą. Byli brudni i zmęczeni, czuć było od nich jedzeniem, ale wyglądali na zadowolonych. Jim był pełen podziwu dla nich, a kelnerzy podali w jego domu wspaniale przygotowany posiłek. Gotował u niego jeden z najsłynniejszych szefów kuchni w mieście.

Przy kolacji Jim wspomniał o balu charytatywnym organizowanym na rzecz ofiar huraganu. Gala miała się odbyć w ciągu najbliższych miesięcy. Ellen i Grace powiedziały, że chętnie zapisałyby się do komitetu organizacyjnego jako wolontariuszki. Bob i Jim stwierdzili, że również mogliby to zrobić.

Potem Grace powiedziała, że prace w jej mieszkaniu postępują powoli. Na Dolnym Manhattanie prowadzono tyle robót, że trudno było zatrzymać ekipę budowlaną na dłużej.

Pracowników było zbyt mało. Zaczynała myśleć, że być może ukończenie prac zajmie nawet rok. Bob powiedział, że jeszcze nie sprzedał mieszkania, Nikt nie chciał mieszkać przy rzece w pierwszej strefie. Z wyjątkiem Grace.

Przygotowana przez szefa kuchni kolacja z okazji Święta Dziękczynienia była przepyszna. Wznieśli toast za ukończoną książkę Boba. Jego ostatnia publikacja wciąż znajdowała się na listach bestsellerów, byli przekonani, że kolejna też tam trafi, gdy już się ukaże. W jego przypadku zawsze można było mieć w tej kwestii pewność, choć sam podchodził do tego skromnie.

Potem wspomniał, że wybiera się w kolejnym tygodniu do Los Angeles, by porozmawiać o najnowszej umowie na adaptację filmową i omówić szczegóły. Właśnie wybierano obsadę. Bob miał wypowiedzieć się na ten temat oraz w kwestii scenariusza. Nie pisał go, ale jak zawsze akceptował jego ostateczną wersję dzięki temu, że Jim negocjował warunki umowy. Podczas pobytu Bob chciał się spotkać ze swoimi dziećmi.

– Przylecą tu na Boże Narodzenie – powiedział cicho. – Chciałbym, żebyś ich poznała – rzucił niezobowiązująco do Ellen.

Grace wydało się to ciekawe. Nigdy ich nie poznała, gdy odwiedzali go w Tribece. Ellen wiedziała, że oboje są po dwudziestce i są zajęci karierą. Pamiętała też, że urodzili się, gdy Bob był bardzo młody. Powiedział jej, jaki jest dumny z tego, co robią oraz jak ciężko pracują. Jego syn miał dobrą pracę i wkrótce mógł zostać asystentem reżysera. Córka natomiast była prawnikiem w branży rozrywkowej. Pracowała dla znanej kancelarii, odkąd skończyła prawo na Uniwersytecie Kalifornijskim.

– Zostaną tu na tydzień – dodał.

Mieli również zamieszkać u Jima.

– W tym tygodniu lecę do Londynu – powiedziała Ellen. – Muszę spotkać się z kilkoma klientami i adwokatem.

Mieli złożyć papiery rozwodowe w odpowiedzi na te przesłane przez George'a, któremu wyraźnie się spieszyło.

– Czy to będzie bardzo nieprzyjemna podróż? – spytał z troską Bob.

– Zapewne częściowo. Ale cieszę się na spotkania z klientami.

– Będziesz musiała spotkać się z George'em? – Starał się okazać współczucie.

– Raczej nie. Mam nadzieję, że nie.

Spodziewała się jednak, że będzie dziwnie. Po raz pierwszy podczas podróży do Londynu miała mieszkać w hotelu, a nie w domu. Tydzień wcześniej otrzymali ofertę kupna domu, ale adwokat George'a napisał, że jego zdaniem kwota jest za niska. Chciał zaczekać na korzystniejszą propozycję. Ellen nie spieszyło się ze sprzedażą, nie miało dla niej znaczenia, czy zaczekają, więc się zgodziła.

– Jak długo cię nie będzie? – spytał ją Bob.

– Mniej więcej tydzień – odparła z uśmiechem.

– Kiedy wrócisz, możemy zjeść razem obiad, bo skończyłem już książkę. Ja też wrócę już wtedy z Los Angeles. Lecę tam tylko na kilka dni, skoro dzieci przylatują tu na święta za parę tygodni.

– Bardzo chętnie.

Po tych słowach spojrzeli na siebie ciepło.

– A co z nami? – zwrócił się Jim do Grace, gdy po kolacji zostali na chwilę sami. – Polecimy do Miami?

On miał zamiar lecieć, ale Grace jeszcze nie podjęła decyzji i ciągle się wahała.

– Jesteś pewien, że nie będą ci przeszkadzać osobne pokoje? – spytała ostrożnie. – Chętnie zapłacę za swój – zaproponowała.

Jim się uśmiechnął.

– Zaprosiłem cię. Nie będą mi przeszkadzać osobne pokoje, jeśli dzięki temu będziesz się czuła swobodniej.

Już wcześniej się na to zgodził, a ona powiedziała mu, że od dawna nie podróżowała z mężczyzną i nie chciała czuć się niezręcznie. Jim rozumiał jej obawy.

– W takim razie polecę – powiedziała, zerkając na niego nieśmiało.

Uśmiechnął się szeroko i na chwilę ujął ją za rękę, a potem znów dołączyli do pozostałych. Wszyscy mieli w najbliższym czasie wybrać się w podróż. Ellen powiedziała, że chciałaby, aby po powrocie zjedli we czwórkę obiad. Mężczyźni jeszcze nie widzieli jej mieszkania i mówili, że z chęcią je zobaczą. Gdy wrócą, będą też mieli wiele tematów do rozmowy. Film Boba, podróż Ellen do Londynu oraz wrażenia Jima i Grace z targów Art Basel. Wszyscy rozpoczynali przygodę i będą mieli wiele do opowiedzenia. Potem wrócili do rozmowy o gali charytatywnej w nadziei, że będą mogli razem przy niej pracować.

Rozdział 13

Kiedy Ellen wylądowała w Londynie, pojechała taksówką z lotniska Heathrow do hotelu niedaleko biura, gdzie Philippa ponownie zarezerwowała dla niej pokój. Spędziła tam dwie ostatnie noce w Londynie, a teraz miał to być jej tymczasowy dom. Było to wygodne miejsce, a pokój dość przyjemny. Zostawiła bagaż, a potem poszła pieszo do biura w dzielnicy Knightsbridge, niedaleko Sloane Street. Czuła się dziwnie, będąc tutaj, ale nie mieszkając w domu. Zajęła się jednak czekającymi na nią projektami, w ciągu najbliższych dni zaplanowała też spotkania z klientami, a pod koniec tygodnia miała nadzorować prace wykończeniowe. Jak zawsze Philippa ogromnie jej pomagała.

Ellen spotkała się także ze swoim adwokatem i podpisała potrzebne dokumenty. George proponował jej rekompensatę finansową, ale powiedziała adwokatowi, że jej nie chce. Dobrze zarabiała i mogła się sama utrzymać. Czuła, że branie od niego pieniędzy byłoby niewłaściwe. Ich małżeństwo się nie udało, żadna kwota nie mogła wynagrodzić rozczarowania, zdrady i tego, że nie dał jej szansy, by zrobić coś inaczej, sprawić, by był szczęśliwszy. Jak można było za to zapłacić? Jakiej sumy można było za to żądać? Powiedziała to adwokatowi, a on przekazał wiadomość prawnikowi George'a. Była zaskoczona, gdy tego wieczoru zadzwonił do niej George. Dzwonił z zastrzeżonego numeru, ale od razu rozpoznała jego głos. Domyśliła się, że numer należy do Annabelle.

– Dlaczego nie pozwolisz, bym przynajmniej dał ci trochę pieniędzy? Nikt nie jest aż taki zamożny, chyba że próbujesz mnie nakłonić, żebym dał ci więcej.

To nie ona miała przed nim sekrety.

– Ponieważ pieniądze nie naprawią tego, co zrobiłeś, George. Dlaczego mam ci pozwolić, żebyś wykupił swoje wyrzuty sumienia moim kosztem? Nie jesteś w stanie kupić mojego serca.

Gdy to powiedziała, przez chwilę milczał. Nie miała zamiaru mu odpuścić i czuła się z tym lepiej.

– Przepraszam, Ellen. Wiem, że popełniłem błąd.

– Przepraszam, że tak długo upierałam się przy próbach *in vitro*. Powinieneś był coś powiedzieć.

– Chciałem, ale wiedziałem, jak wiele to dla ciebie znaczy.

– Więc wolałeś mnie zdradzić.

Trudno było to usprawiedliwić.

– Dopiero po kilku latach – powiedział, próbując się bronić.

– Jakie to szlachetne. Zrobiłeś ze mnie idiotkę przed przyjaciółmi.

Już nigdy nie chciała widzieć nikogo z nich. Teraz i tak nie miała na to szans, gdy George miał u boku Annabelle. Straciła swój świat i swoje życie, nie tylko jego.

– Poradzisz sobie? – spytał ją, po raz pierwszy się o nią martwiąc.

– A mam wybór?

Wiedział, że będzie musiała zmierzyć się nie tylko z utratą męża, ale także z tym, że nie będzie mogła mieć dzieci – jednak właściwy moment nigdy by nie nadszedł, a on też chciał mieć swoje życie.

– Tak, wszystko się ułoży – westchnęła.

– Tęsknię za tobą – powiedział, co wydało jej się okrutne.

– Ja też za tobą tęsknię – odparła ze smutkiem. – Powinieneś był wcześniej o tym pomyśleć.

– Z Annabelle jest inaczej. Nie jest aż tak bystra jak ty. Mam nadzieję, że jeszcze się zobaczymy – powiedział smutno. – Tęsknię za rozmowami z tobą.

– Dlaczego? Sam powiedziałeś, że między nami nie ma już nic. Nasz związek umarł.

To on zabił go słowami, które powiedział jej na końcu.

– Moglibyśmy zostać przyjaciółmi – odparł z nadzieją.

– Nie, nie moglibyśmy. Nie jesteśmy przyjaciółmi.

To, co zrobił, nie było przyjacielskie, nie było w tym szacunku ani miłości.

– Byliśmy małżeństwem, a ty zdradzałeś mnie przez długi czas. Kochałam cię, ale nie jestem twoją przyjaciółką.

Nigdy dotąd nie była z nim tak szczera. Teraz nie miała nic do stracenia. Jej słowa głęboko go zraniły.

– Spotykasz się z kimś? – dopytywał.

– To nie twoja sprawa. Ale nie.

– Myślisz, że się z kimś zwiążesz?

– Nie, wstąpię do karmelitanek.

Przez chwilę zalegla cisza, usłyszała, jak George wzdycha, a potem się roześmiał.

– Zawsze umiałaś mnie rozbawić.

– Najwyraźniej niewystarczająco – odparła cierpko.

– Gdy staraliśmy się o dziecko, sytuacja stała się bardzo napięta. To odebrało radość wszystkiemu, co robiliśmy.

Nie mogła temu zaprzeczyć. Kolejne porażki były dla obojga straszne.

– Myślałam, że jeśli nam się uda, trud będzie tego wart. Myliłam się. To była zbyt wysoka cena, tym bardziej że nie wygraliśmy. Teraz przynajmniej ty możesz mieć dzieci.

Gdy o tym pomyślała, poczuła zgorzknienie. Sama nie mogła na to liczyć, ponieważ problem leżał po jej stronie.

– Teraz jest mi dobrze. Dla mnie nigdy nie było to tak bolesne jak dla ciebie. Może powinnaś kiedyś zdecydować się na adopcję.

Fakt, że sam sprzeciwiał się adopcji, wynikał z jego przekonań dotyczących linii rodu. Ona dostosowała się do tej decyzji. Nie chciała się o to kłócić. Teraz już nie miało to znaczenia dla ich związku, a dla niej wciąż było bolesne.

– Daj mi czasem znać, jak się masz – powiedział.

Nie odpowiedziała i nie miała zamiaru tego robić. Dziwnie było przestać rozmawiać z byłym mężem, którego kochało się przez dziesięć lat. Jednak dziwna była dla niej sama idea rozwodu – wymazanie kogoś ze swojego życia. Ponieważ on to zrobił, wolała odciąć się od przeszłości i tego właśnie chciała. Dlaczego miałaby zaspokajać jego ciekawość czy pozwolić mu usprawiedliwiać to, co zrobił? Nie mieli sobie już nic do powiedzenia.

– Dziękuję za propozycję rekompensaty – powiedziała grzecznie.

Chciała zakończyć już rozmowę, trwała wystarczająco długo. Nie zamierzała też ulegać jego ckliwej zachciance, by płakać nad tym, co się stało, nie zamierzała wysłuchiwać, że za nią tęskni ani że umiała go rozbawić. Teraz musiał żyć z tym, co zrobił, bez pomocy i współczucia. Nie było mu jej żal. Nie czuł takiej potrzeby. Sam siebie żałował, co wydało jej się żenujące.

– Kocham cię, Ellen – wyszeptał do słuchawki, gdy mieli się rozłączyć. – Zawsze będę cię kochał.

Pomyślała, jakie to obrzydliwe i samolubne, że mówi jej coś takiego. Gdy to usłyszała, poczuła, jak w jej sercu zatrzaskują się drzwi. Pod koniec szacunek, jakim go darzyła, zniknął zupełnie. Wiedziała, że będzie łatwiej, gdy się od niego uwolni.

– Żegnaj, George – powiedziała chłodno i się rozłączyła.

Po odłożeniu telefonu miała ochotę krzyczeć. Dlaczego teraz mówił jej, że ją kocha, skoro się z nią rozwodził i żenił z kimś innym? Cóż dobrego mogło z tego wyniknąć dla któregokolwiek z nich? Zupełnie nic. Próbowała odepchnąć od siebie myśli o nim. Tej nocy wcześnie położyła się spać i obudziła się zadziwiająco wypoczęta. Zastanawiała się, czy jego oburzający popis przez telefon poprzedniego wieczoru na zawsze wyleczy ją z uczuć do niego. Miała taką nadzieję. Nagle, gdy o nim myślała, czuła do niego bardzo niewiele poza obrzydzeniem. Tego ranka prawnik ponownie do niej zadzwonił, by poinformować, że George wycofał ofertę rekompensaty i zamiast tego oddawał jej cały dom, rezygnując ze swojej części. Przez chwilę się nad tym zastanowiła, a potem skinęła głową.

– Dziękuję, przyjmuję tę propozycję – powiedziała adwokatowi.

Z jakiegoś powodu przyjęcie domu wydało jej się sprawiedliwe. Należał do niej w równym stopniu co do niego. Jeśli teraz chciał jej go oddać, mogła się na to zgodzić. Miała zamiar sprzedać go za przyzwoitą cenę, a za uzyskane pieniądze kupić kiedyś nowy dom, jednak jeszcze nie teraz. Wciąż nie była pewna, gdzie chce mieszkać na stałe. Może w Nowym Jorku albo w Europie, a może gdzieś indziej. Mogła robić, co tylko chciała. Teraz nie odpowiadała przed nikim z wyjątkiem samej siebie. Pomyślała, że być może George właściwie oddał jej przysługę.

W ciągu pięciu dni załatwiła wszystkie swoje sprawy w Londynie. W wieczór przed wylotem zjadła z Philippą kolację. Zaprosiła ją do eleganckiego lokalu Harry's Bar na dobry posiłek. Tego dnia omówiły wszystkie sprawy zawodowe i mogły nacieszyć się swoim towarzystwem przed wyjazdem. Powiedziała jej, że George oddał jej dom.

– To hojny gest.

Philippa była zaskoczona. Jednak nie zmieniło to jej zdania na jego temat.

– Nie, jeśli weźmie się pod uwagę to, co zrobił – odparła chłodno Ellen, a Philippa pokiwała głową, zgadzając się.

Ellen nie miała tym razem czasu, by zadzwonić do Charlesa, ale liczyła, że on i Gina mają się dobrze. Planowała odezwać się do niego przy następnej wizycie w mieście – za miesiąc lub dwa – i być może umówić się z nim na lunch. Darzyła go ciepłym uczuciem po tym, co razem przeszli podczas huraganu, i dobrze mu życzyła.

Jej lot do Nowego Jorku przebiegł bezproblemowo. Wieczorem zadzwoniła do matki. Wiedziała, że razem z Jimem wrócili już z Miami. Grace powiedziała, że było wspaniale, fascynująco, a dzieła sztuki były niesamowite.

– Dobrze się bawiłaś, mamo? – spytała znacząco Ellen, ciekawa, jak się skończyła sprawa z osobnymi pokojami.

– Owszem – odparła z naciskiem Grace, a potem wydała się przez chwilę speszona.

– Powinnam być w szoku czy cieszyć się twoim szczęściem? – dopytywała Ellen.

Matka roześmiała się jak ktoś przyłapany na gorącym uczynku.

– Nie powinnaś zadawać takich pytań. Mieszkaliśmy w osobnych pokojach, nic więcej nie musisz wiedzieć.

Sprawiała jednak wrażenie szczęśliwej. Cokolwiek wydarzyło się w Miami, na pewno skończyło się dobrze. Ellen cieszyła się jej szczęściem. Grace zasługiwała na to, by mieć w swoim życiu mężczyznę, który będzie ją kochał i dobrze traktował. Na to nikt nie jest za stary.

– Tak przy okazji, George oddał mi swoją część domu.

– Mój Boże, niezły prezent – stwierdziła Grace, która wiedziała, ile za niego zapłacili.

– Odrzuciłam jego propozycję rekompensaty, a on chyba czuje się winny albo ogarnęła go tęsknota. Niestety ja nie czuję tego samego, ale przyjęłam dom.

– Postaraj się nie podchodzić do tego ze zgorzknieniem. W ten sposób tylko się zranisz. Stało się, teraz musisz zostawić to za sobą. Jeśli będziesz się tym gnębić, zadręczy cię to bardziej niż jego. Teraz pozwól mu z tym żyć. Uwolniłaś się od niego, być może kiedyś okaże się to błogosławieństwem, choć teraz pewnie trudno w to uwierzyć.

– Wcale nie.

Na pewno będzie żałowała jedynie tego, że nie miała dzieci. Zupełnie co innego czuła w związku z tym, że w jej życiu nie było już George'a po tym, co jej zrobił.

– Zobaczmy się w ten weekend, mamo, jeśli nie jesteś zajęta – dodała. – Muszę zorganizować tę kolację, którą obiecałam.

– W tym tygodniu spotykam się z klientem, który ma dla mnie propozycję – powiedziała tajemniczo Grace.

– Z kolejnym? – zażartowała córka, nawiązując do jej niedawnej romantycznej przygody w Miami.

– Przestań, jestem twoją matką – roześmiała się znów Grace.

– To nie ja poleciałam do Miami ze swoim chłopakiem – przypomniała jej Ellen.

– Boże, co za pomysł. Chłopak w moim wieku. Musimy wymyślić jakąś inną nazwę. To takie niegodne.

– Po prostu się tym ciesz, niezależnie od nazwy – powiedziała Ellen.

Gdy się rozłączyła, uśmiechała się. Była niezwykle szczęśliwa, że matce tak dobrze się układa, a w Londynie wszystko poszło dobrze. To jej wystarczało, przynajmniej na razie.

Rano Ellen zabrała się razem z Alice do pracy przy organizacji kolacji. Chciała znaleźć małą firmę cateringową, która mogłaby przygotować dla nich posiłek, by nie musiała spędzać całego wieczoru w kuchni. Alice znalazła firmę, którą polecał jej ktoś znajomy. Mama ustaliła z Jimem, kiedy będą dostępni, i podała datę Ellen. Musiała teraz tylko spytać Boba, kiedy będzie mógł przyjść. Zadzwonił do niej tego wieczoru, po powrocie z Los Angeles. Powiedział, że przygotowania do filmu idą dobrze i że wybrał się na kolację z dziećmi. Potem spytała go, kiedy mógłby przyjść do niej na obiad. Pasował mu ten sam termin, który odpowiadał Jimowi i Grace.

– Świetnie. To będzie moje pierwsze przyjęcie w nowym mieszkaniu.

– Ja też chcę się z tobą umówić. Kiedy możemy wybrać się na kolację? – spytał ją.

– O dziwo, teraz nikt nie czeka w kolejce na spotkanie ze mną – powiedziała ze śmiechem.

Nie miała jeszcze życia towarzyskiego w Nowym Jorku. Zastanawiała się, jak długo jej zajmie znalezienie nowych znajomych. Nie miała czasu, by wychodzić z domu i spotykać z ludźmi. Była zbyt zajęta przeprowadzką i organizowaniem z Alice swojego nowojorskiego biura.

– Może w sobotę? – zaproponował.

Do soboty zostało jeszcze kilka dni. Oboje mieli zaległości w pracy spowodowane podróżą.

– Idealnie. Co mam na siebie włożyć?

Przywykła do zadawania tego pytania mężowi, a nie mężczyźnie, z którym szła na randkę. Czuła się niezręcznie, jednak lepiej było wiedzieć niż wyglądać niedorzecznie, gdy on pojawi się w progu jej mieszkania, a ona będzie niewłaściwie ubrana.

– Co tylko chcesz. Myślałem, że moglibyśmy się wybrać do małej tajskiej restauracji, jeśli lubisz takie jedzenie.

– Uwielbiam.

Ucieszył się, że ona też przepada za takimi daniami.

– Do zobaczenia w sobotę.

Dni do ich spotkania upłynęły szybko. Gdy po nią przyjechał, miała na sobie szare spodnie i sweter pod kolor. Oprowadziła go po mieszkaniu, a on był pod wrażeniem. Tego ranka kobiety zawiesiły zasłony. Były dokładnie takie, jakie sobie wymarzyła. Obie z Alice były nimi zachwycone. Dodawały salonowi ciepłej, przytulnej atmosfery, były jednak wytworne i idealnie pasowały do kanapy. Salon wyglądał bardzo ładnie, spodobała mu się też jadalnia. Pokazała mu biura za kuchnią, zerknął także do jej sypialni i pokoju gościnnego. Całość wyglądała, jakby spędziła tu już kilka miesięcy, a nie tygodni. W całym mieszkaniu poustawiała kwiaty.

– Pomogłabyś mi z moim mieszkaniem, kiedy skończy się remont? – spytał ją, gdy wychodzili na obiad.

Jego prośba była dla niej pochlebstwem.

– W ramach pracy, nie przysługi – wyjaśnił.

Podobała mu się atmosfera, którą stworzyła, kolory, których użyła. Mieszkanie nie było też przesadnie kobiece, co również mu się podobało. Stworzyła otoczenie, w którym każdy mógłby poczuć się swobodnie. Miało się ochotę spędzać tam czas – w samotności lub z przyjaciółmi.

– Z wielką chęcią – powiedziała, gdy wsiedli do taksówki i pojechali w kierunku West Side.

– Ciągle tęsknię za Tribeką – przyznał. – Jest tam wiele dobrych restauracji, ale spora część ciągle jest zamknięta. Minęło już trochę czasu, odkąd byłem na Dolnym Manhattanie, ale podobno wszystko ciągle wygląda źle. Cieszę się, że kupiłem nowe mieszkanie. Szkoda, że twoja mama nie zrobiła tego samego. Myśl o tym, że tam wróci, jest okropna – dodał wyraźnie zmartwiony.

– Czuję to samo – wyznała Ellen. – Chyba nie jesteśmy w stanie jej powstrzymać, chociaż powiedziała, że prace nad jej mieszkaniem idą w ślimaczym tempie. Nie może zatrzymać ekipy na dłużej niż kilka dni. Ciągle pojawiają się inne zlecenia. Na Dolnym Manhattanie jest mnóstwo do odbudowania.

Parę minut później dotarli do restauracji. Jedzenie było tak dobre, jak zapowiedział. Przez cały wieczór rozmawiali – o jego filmie, najnowszej książce, o której opowiedział jej ze szczegółami, oraz o jego dzieciach. Słuchał, jak Ellen mówi o swoich europejskich klientach i zleceniach, które realizowała. Pytał, czy George się z nią kontaktował, gdy była w Londynie, a ona opowiedziała mu o domu. Powiedział, że zasługuje na to, by go mieć. Przez chwilę rozmawiali też o Jimie i matce Ellen. Oboje uważali, że cokolwiek się między nimi dzieje, to coś wspaniałego. Bob powiedział, że Jim ciągle opowiada o tym, jak cudownie spędził z nią czas w Miami.

Oboje byli zaskoczeni, że jest już północ, kiedy wyszli z restauracji. Odwiózł ją do jej mieszkania taksówką, a ona podziękowała mu za wspaniały wieczór i przypomniała o dacie przyjęcia.

– Nie zapomnę – odparł z uśmiechem. – A ty nie zapomnij, że zatrudniłem cię dzisiaj jako dekoratorkę. Mówiłem poważnie.

Wyglądało na to, że nie żartuje.

– Będziesz musiał dostać pozwolenie swojej pani architekt – rzuciła, drocząc się z nim.

– Lepiej, żeby się zgodziła, inaczej ją zwolnię – powiedział surowo, a potem oboje się roześmiali.

Nie zaprosiła go na górę. Wieczór był wystarczająco miły, żadne z nich nie oczekiwało więcej. Nie musieli się spieszyć. Dopiero się poznawali.

Patrzył, jak Ellen wchodzi do budynku. Odwróciła się, żeby pomachać mu z uśmiechem, a potem weszła do środka. Wrócił do mieszkania Jima, myśląc o tym, jak bardzo ją lubi i jak wspaniale spędza się z nią czas.

Rozdział 14

W dniu przyjęcia po południu Ellen rozglądała się po mieszkaniu, odrobinę przesuwała przedmioty, poprawiała poduszki. Rozpakowała ostatnie pudełko ulubionych drobiazgów i zdjęć, które przywiozła z Londynu, oraz układała kwiaty. Zatrudniła sprzątaczkę, która przychodziła dwa razy w tygodniu. Po jej wyjściu mieszkanie lśniło. Ellen była dumna ze swojego nowego domu. Tego dnia w południe zaczął padać śnieg. Wysłała do mamy SMS z przypomnieniem, by uważała, gdy będzie szła do niej na kolację. Nie chciała, by Grace przewróciła się na śliskiej ulicy lub lodzie. Mama, która właśnie była na spotkaniu, odpisała, by się o nią nie martwiła. Jim miał ją odebrać i przywieźć swoim samochodem. Dobrze dbał o jej matkę, a ona wspaniale się z nim czuła. Ellen była zadowolona.

Nuciła pod nosem, ubierając się. W mieszkaniu słychać było muzykę – dobiegała z zestawu stereo, który ustawiły razem z Alice w sobotę po południu. Alice okazała się prawdziwym skarbem, była też zachwycona swoją nową pracą. Codziennie rozmawiała z Philippą na Skypie. Wymieniały się informacjami, przesyłały sobie projekty wnętrz i próbki, informowały się o szczegółach, żeby Ellen mogła być na bieżąco. Taki układ dobrze się sprawdzał, jakimś cudem między kobietami nie było zazdrości, co rzadko się zdarza między asystentkami. Poza tym dotąd klientom Ellen nie przeszkadzało, że mieszka w Nowym Jorku. Jednak była też gotowa w każdej chwili wskoczyć do samolotu, by uspokoić zaniepokojonego klienta, rozwiązać problem, wygłosić prezentację dla nowego zleceniodawcy albo nadzorować prace. Zmiana przebiegła bezproblemowo, miała nadzieję, że tak samo będzie z jej przyjęciem. Liczyła, że będzie to pierwsze z wielu takich spotkań. Uwielbiała zabawiać ludzi. Obiecała sobie, że zacznie nawiązywać nowe znajomości i odnowi stare przyjaźnie, a gdy już to zrobi, miała zamiar często urządzać małe przyjęcia. To było dobre dla jej firmy, uwielbiała to robić i dobrze jej to wychodziło.

Razem z George'em co roku urządzali duże przyjęcie bożonarodzeniowe dla sporego grona przyjaciół. Wiedziała, że w tym roku będzie tęsknić za tą i innymi tradycjami. Zastanawiała się też, czy były mąż wyprawi takie przyjęcie z Annabelle. Ze smutkiem pomyślała, że zapewne to zrobi. Szybko zapomniał o przeszłości. Ze względu na jego naciski sprawa rozwodowa postępowała szybko. Co prawda w chwili melancholii powiedział, że za nią tęskni, jednak odnosiła inne wrażenie, biorąc pod uwagę lawinę dokumentów, jakimi wymieniali się prawnicy, co zawsze inicjował George. Gdy już podjął decyzję i ją poinformował, chciał mieć to jak najszybciej za sobą.

Ellen była zawiedziona, że nie urządzi własnego przyjęcia bożonarodzeniowego w Nowym Jorku, ale jeszcze za krótko tam mieszkała. W ten weekend zamierzała ubrać choinkę. Miała na nią idealne miejsce w salonie. Mieszkanie już wyglądało odświętnie – stały w nim ciemnoczerwone róże w wazonach oraz piękne brązowe i żółte orchidee. Miała na sobie czarne aksamitne spodnie oraz bardzo ładny złoty sweter. Włożyła też czarno-złote buty na wysokim obcasie, a swoje blond włosy wyszczotkowała, aż lśniły. Właśnie zapięła małe diamentowe kolczyki, gdy punktualnie o ósmej rozległ się dzwonek do drzwi. Zaproponowała taką godzinę ze względu na mamę, która zawsze długo zostawała w biurze, gdy była zajęta. Była to dość późna pora jak na nowojorskie standardy, gdzie ludzie jadali kolacje wcześniej niż w Londynie. Jej pierwszy gość pojawił się o czasie – był nim Bob. Powiedziała portierowi, by wpuścił go na górę. Dodała parę szczegółów, odkąd widział jej mieszkanie, gdy poszli razem na kolację. Kupiła też kilka nowych mebli, które on natychmiast zauważył – zaraz po tym, jak zachwycił się jej wyglądem. Był oczarowany zarówno jej prostotą, jak i dbałością o szczegóły. Z łatwością dostrzegł, jaki ma talent do swojej pracy, gdy rozejrzał się po salonie i zauważył zmiany.

– Mieszkanie wygląda wspaniale, zresztą tak samo jak ty – powiedział, uśmiechając się do niej i podając niewielki prezent. – To nie książka! – rzucił lekceważąco, zadziwiająco skromny względem swojej pracy.

Podarował jej pudełko czekoladek z Maison du Chocolat, jej ulubione słodycze. Podziękowała mu i postawiła je na stoliku kawowym, by wszyscy mogli się poczęstować. Były z ciemnej czekolady – zauważył, że takie lubi najbardziej, gdy obserwował ją u Jima. Podobnie jak Ellen, był mistrzem detali oraz uważnym obserwatorem ludzi, co służyło mu podczas pracy. Podziwiał orchidee oraz wszystko, co zrobiła, odkąd był tam ostatni raz. Dodała szafkę w chińskim stylu, którą znalazła w sklepie z antykami, gdy spacerowała po okolicy. Był to naprawdę piękny mebel.

– Tak się cieszę, że jesteś moją dekoratorką.

Uśmiechnął się do niej ciepło, gdy podawała mu kieliszek szampana.

– Nie mogę się doczekać, kiedy zaczniemy – dodał, a potem się roześmiał. – Gdy twoja mama skończy już wyburzanie mieszkania. Wszystko tam zmienia. Nie pamiętam nawet, jak wyglądało wnętrze, gdy je kupiłem.

– Zawsze to robi – odparła Ellen, również się śmiejąc. – To część jej talentu. Ma „wizję", która, o dziwo, zawsze się sprawdza. Chyba nigdy nie popełnia błędów, a jej klienci są zachwyceni efektami.

To stanowiło o jej sukcesie jako architekta – nie narzucała klientom swoich pomysłów, ale wydobywała z nich pragnienia, o których sami nie wiedzieli, a które pasowały do nich idealnie. Była pewna, że to samo zrobi dla Boba.

– Tworzy dla mnie wymarzony gabinet do pisania – powiedział mężczyzna, co potwierdziło jej wcześniejsze słowa – z widokiem na Central Park. Już nie mogę się doczekać pisania w nim książki. Mój gabinet w Tribece przypominał lochy w Kalkucie, chociaż uwielbiałem wszystkie pozostałe pomieszczenia. Tak przy okazji, właśnie otrzymałem niezłą ofertę kupna mieszkania. To ktoś, kto ma dość odwagi, by tam mieszkać pomimo ryzyka. Właśnie przeprowadził się do Nowego Jorku, chyba nie ma pojęcia, co może się przydarzyć. Nie przeżył Ofelii ani Sandy. Chciałbym, żeby twoja mama jeszcze to przemyślała – dodał rozsądnie.

– Ja też. Ale znam ją – powiedziała Ellen.

Tymczasem pracownik firmy cateringowej, którą zatrudniła, przyniósł tacę eleganckich przystawek. Po chwili Bob przyjrzał jej się z uwagą.

– A co u ciebie? Dobrze sobie radzisz ze wszystkimi kwestiami prawnymi w Londynie?

Chodziło mu o rozwód, ale nie chciał wymawiać tego słowa.

– Mniej więcej. Ciągle jestem w lekkim szoku. Czasami o tym zapominam i zastanawiam się, co ja tu robię. To takie dziwne: spędzasz z kimś dziesięć lat, a potem on nagle znika z twojego życia. Cały sens, język, sposób myślenia i osoba, do której się przywykło, rozpływają się w powietrzu. To jak ponowna nauka chodzenia po wypadku.

– Rozwody są jak poważne wypadki albo śmierć. – Przeżył oba te doświadczenia z tą samą osobą i dobrze o tym wiedział. – Niestety niektórzy stają się przez to na zawsze nieufni.

Spojrzał na nią pokornie, a potem zaskoczył ją słowami:

– Chciałbym cię częściej widywać. Ellen. Jestem trochę chaotyczny. Kiedy piszę, znikam z powierzchni ziemi, przez co czasem jestem kiepskim towarzyszem. Jak większość mężczyzn, nie mam podzielnej uwagi. Kiedy pracuję nad książką, nie potrafię myśleć o niczym innym. A kiedy dowiedziałem się o twoim mężu, myślałem, że jest za wcześnie, by coś powiedzieć czy nawet proponować ci wspólną kolację. Myślę, że potem trochę spanikowałem i zagubiłem się w książce, co było wtedy wygodne. Nie jestem już szczególnie odważny w tych sprawach – przyznał, zerkając na nią nieśmiało. – Historia moich związków jest dosyć smutna. Miałem nieudane małżeństwo, za co byłem w dużej części odpowiedzialny. Przez lata czułem się winny i żałowałem tego, co straciłem. Marnowałem swój i jej czas, próbując ją odzyskać, a potem, gdy zmarła, byłem w żałobie i wyobrażałem sobie, że była świętą, chociaż było to bardzo dalekie od prawdy. Była o wiele mądrzejsza ode mnie. Nie chciała, bym do niej wrócił, chociaż niemal ją śledziłem i zadręczałem, by przyjęła mnie z powrotem. Gdy teraz o tym myślę, sądzę, że moja obsesja na jej punkcie była raczej wymówką, dzięki której unikałem poważnych związków po rozstaniu. Kobiety, z którymi się spotykałem, miały dość wysłuchiwania o mojej świętej zmarłej byłej żonie i naszym idealnym małżeństwie, które „z niewyjaśnionych powodów" rozpadło się, gdy ona pewnego dnia obudziła się w kiepskim humorze i ode mnie odeszła. Minęły lata, zanim zaakceptowałem, że sam byłem za to częściowo odpowiedzialny. Gdy już to zrobiłem, za bardzo się bałem spróbować jeszcze raz. W przyszłym miesiącu kończę pięćdziesiąt lat i zaczynam rozumieć, że jeśli raz na jakiś czas nie zaryzykuję, do końca życia będzie mi towarzyszyć tylko maszyna do pisania. Wiele o tym myślałem po huraganie. Siedzimy, czekając i liżąc rany, zbyt wystraszeni, by ponownie zaryzykować, że ktoś nas skrzywdzi, albo oszukujemy się, że czas stanął w miejscu, że będziemy zawsze młodzi. Jednak któregoś dnia budzimy się starzy, a życie minęło, zanim się obejrzeliśmy. Nie chcę, by to przydarzyło się mnie. Chcę żyć pełnią życia, zanim któregoś dnia umrę, a przecież nikt nie wie, kiedy to się stanie. Czasami trzeba zaryzykować, chociaż związki mogą być niebezpieczne. Mimo to, jeśli nie będziemy przynajmniej próbować, choćby groziło nam, że będziemy nieszczęśliwi, gdy coś pójdzie nie tak, nie będziemy także nigdy szczęśliwi. Nie ma nic lepszego, niż dzielenie życia z właściwą osobą, ani nic gorszego, niż dzielenie go z kimś nieodpowiednim. Myślę, że nasz przyjaciel Jim również sobie to uświadomił. Przez długi czas był sam. Jest wspaniałym towarzyszem i spędziliśmy razem wiele przemiłych chwil. Teraz rzadziej go widuję, chociaż mieszkam w jego gościnnym pokoju, jednak z radością patrzę, jak on i Grace cieszą się sobą. Oboje na to zasługują. Nie chcę być w jego wieku, gdy sam dojdę do tego wniosku. Przez huragan zacząłem się zastanawiać, co by było, gdybyśmy wszyscy zginęli. Od lat odcinałem się od uczuć do kogokolwiek z wyjątkiem moich dzieci. Już nie chcę tego robić.

To była odważna przemowa, zwłaszcza jak na mężczyznę, który prawie nigdy nie okazywał skrywanych emocji, jednak przy niej się na to odważył, a ona go za to podziwiała. Rozumiała, o czym mówił. Sama też była teraz wystraszona. Rozstanie z George'em sprawiło, że dziesięć lat jej życia poszło na marne. Teraz jednak rozumiała, że miał rację. Przestała postrzegać go jako człowieka mającego własne potrzeby – stał się jej narzędziem do spłodzenia dziecka, przez co pewnie często czuł się samotny.

– Sama popełniłam sporo błędów – powiedziała poważnie. – Myślę, że przestałam dostrzegać swojego męża, widząc w nim tylko drogę do dziecka, którego pragnęłam. I tak utraciłam tamto marzenie, a przy okazji straciłam także jego. Przez chwilę sama też się zagubiłam. W naszym małżeństwie było wiele problemów, których nie chciałam dostrzec. Przez cały czas próbowałam stać się kimś, kim nie byłam. On chciał mnie zmienić w jedną z dziewcząt, wśród których dorastał, a ja byłam na tyle młoda i głupia, że starałam się temu sprostać. Nigdy nie mogłabym zostać jedną z nich, a próbując, zapomniałam, kim jestem. Teraz on ma to, czego pragnął, ale nie jestem pewna, czy spodoba mu się to tak bardzo, jak się spodziewa.

Wnioskując z ich rozmowy podczas jej pobytu w Londynie, sam zaczął już to odkrywać.

– Straciłam go, ale odzyskałam siebie, a to całkiem nieźle – stwierdziła.

To było jej najważniejsze odkrycie. Cieszyła się, że może się nim podzielić z Bobem. W ten sposób dawała mu też znać, że nie zamierza zrezygnować ze swojej tożsamości.

– Po wszystkim, co widziałem, myślę, że to bardzo dobrze – powiedział Bob, ciepło się do niej uśmiechając.

Ellen siedziała na kanapie, a on – w dużym wygodnym fotelu obok. Chciał wyciągnąć rękę i ująć ją za dłoń, ale nie wiedział, czy powinien to zrobić. Jeszcze nie wypił dość szampana, by się na to odważyć.

– Nie wiem, czy to dobrze, czy źle – odparła szczerze. – Ale chcę być sobą, a nie czyjąś fantazją. Cokolwiek zrobię następnym razem, muszę być sobą, zamiast dawać się zepchnąć w cień, by zaspokoić czyjeś wyobrażenie o tym, kim powinnam albo mogłabym być, albo kim muszę być dla drugiej osoby. Nie wiem, czy to się uda, może nie. Teraz trochę się boję za bardzo do kogokolwiek zbliżyć. A jeśli znów się zagubię?

Mówiła wprost do niego, a on czuł moc jej słów, kryjących się za nimi uczuć i lęków, które były uzasadnione w jej obecnej sytuacji. Zupełnie zmieniła siebie, żeby zadowolić mężczyznę, a on i tak ostatecznie zostawił ją dla kobiety, która wydawała mu się autentyczna, choć pewnie wcale nie była.

– Pewnie nie pozwolisz, by to się powtórzyło – powiedział do niej cicho. – Jeśli bardzo się staramy, nie popełniamy drugi raz tych samych błędów. Popełniamy nowe. – Uśmiechnął się. – Skłonność do powtarzania starych przyzwyczajeń jest silna, ale ty dużo o tym myślałaś. Sądzę, że w jakiś dziwny sposób burza, którą przeżyliśmy, wszystkich nas zmieniła. Uświadomiliśmy sobie, jak krótkie może być życie, żadne z nas nie chce go zmarnować ani zaprzepaścić, o ile zdołamy temu zapobiec.

– Myślę, że to prawda. Od lat nie widziałam, by moja mama umawiała się z jakimś mężczyzną, a teraz to robi. Chyba huragan Ofelia był dla nas wszystkich przebudzeniem. Może to nie jest takie złe dla tych, którzy przeżyli.

Jak na zawołanie zadzwonił portier i zapowiedział państwa Aldrichów, co rozbawiło Ellen. Na dole Grace była zaskoczona, gdy to usłyszała. Zarumieniła się, zerkając na Jima, gdy wsiadali do windy.

– Nie mam pojęcia, czemu tak powiedział – odezwała się, przez chwilę zbita z tropu.

– To pewnie znaczy, że dobrze razem wyglądamy – stwierdził wesoło Jim, który nie poprawił mężczyzny i był rozbawiony sytuacją. – Może ktoś mu powiedział o Miami – szepnął, a Grace wybuchnęła śmiechem.

– Na litość boską, Jim! Idziemy na kolację do mojej córki. Musimy przynajmniej udawać godnych szacunku ludzi.

– Myślę, że Ellen jest wystarczająco bystra, by nas przejrzeć – odparł swobodnie, gdy wysiadali na jej piętrze.

Kobieta stała w drzwiach, czekając na nich z szerokim uśmiechem. Byli spóźnieni pół godziny, co często zdarzało się jej matce – zawsze przewidywała zbyt krótki czas na powrót do domu z biura i przebranie się do wyjścia, Ellen to jednak nie przeszkadzało. Dzięki temu miała okazję porozmawiać z Bobem i spodobało jej się wszystko, co powiedział. Nie była pewna, czy jest już gotowa, by na poważnie się z kimś spotykać, jednak gdyby ten czas miał nadejść, wiedziała, że jego poglądy na ludzi i życie są jej bliskie. Huragan również nieco ją zmienił. Stała się dzięki niemu odważniejsza. Stawienie czoła lękowi, spojrzenie śmierci w oczy sprawiło, że bardziej doceniała życie. Widziała, że jej matka przeszła tę samą zmianę. Wyglądała pięknie w czarnej jedwabnej spódnicy, cieniutkiej odświętnej czerwonej bluzce, która leżała na niej zaskakująco seksownie. Gdy Grace zdjęła płaszcz, a Ellen pochwaliła jej strój, kobieta szepnęła, że kupiła bluzkę w butiku Chanel w Miami pomiędzy wizytami na targach sztuki. Jimowi najwyraźniej też się podobała. Ellen nie wspomniała o wpadce portiera, chociaż kusiło ją, by podroczyć się z mamą. Nie wiedziała jednak, jak odbierze to Jim, więc się powstrzymała. Wyglądał na bardziej rozluźnionego niż Grace i drobnymi gestami okazywał, że jest z nią – widać to było w sposobie, w jaki się do niej zwracał, i w czułych, intymnych uśmiechach. Ich romans nie był sekretem, który Grace chciała ukrywać. Wydawało się, że związek kwitnie, podobnie jak ona sama. Wyglądała wspaniale jak nigdy dotąd. Wszyscy doszli do siebie po huraganie prędzej, niż można się było spodziewać.

Ponieważ Jim i Grace się spóźnili, wszyscy po paru minutach weszli do jadalni. Ellen pięknie nakryła do stołu, wykorzystując przywiezioną z Londynu porcelanę, kolorowe szkło i małe wazony z kwiatami. Na stole lśniły jej zabytkowe srebra z londyńskich Silver Vaults, którymi przez lata się pasjonowała, odkąd się tam przeprowadziła. George zawsze żartował, że mają dość sreber, by otworzyć sklep, a ponieważ to ona je kupiła, zatrzymała je, gdy dzielili majątek, a on nie protestował.

Rozmowa przy kolacji była ożywiona. Jim miał wspaniałe poczucie humoru i bystry umysł, a Grace mu dorównywała. Obaj mężczyźni byli oczytani i mieli zdecydowane poglądy na wiele tematów – dyskutowali o polityce, książkach, historii i problemach społecznych. Ellen od lat się tak dobrze nie bawiła – rozmawiała z inteligentnymi ludźmi, którzy cieszyli się swoim towarzystwem, mieli wiele osiągnięć, choć się nimi nie chwalili, oraz zachowywali się po amerykańsku. Była to dla niej miła odmiana po latach spędzonych wśród snobistycznych, sztywnych przyjaciół George'a, którzy opierali swoje poczucie własnej wartości na tym, że uczęszczali do Eton lub mieli szacownych krewnych, co jakimś cudem nie wystarczało.

Kiedy podawano deser, wszyscy zaśmiewali się do łez, słuchając anegdot Jima z pierwszych lat pracy jako agenta. Bob opowiadał o tym, jak pisał pierwszą powieść w schowku na miotły na maszynie, którą pożyczył z uniwersytetu Yale. Potem wyznał, że wcale jej nie „pożyczył", tylko ukradł i ukrywał się, żeby nikt go nie przyłapał. Zapłacono mu za książkę trzy tysiące dolarów. To był jego pierwszy oszałamiający sukces. Powieść trafiła od razu na pierwsze miejsce listy bestsellerów „New York Timesa", on jednak nigdy nie oddał maszyny – uznał, że przyniosła mu szczęście.

– Wciąż ją mam – powiedział z dumą. – Klawisze „t" i „s" od zawsze są zepsute. Pierwszą powieść napisałem bez liter „t" i „s". W końcu Jim mnie przekonał, żebym z niej zrezygnował.

– Gdy czytałem jego pierwsze rękopisy, czułem się, jakbym rozwiązywał krzyżówkę. Wielu słów nie potrafiłem się domyślić.

Wszyscy roześmiali się, wyobrażając sobie tę scenę. Ellen znów była poruszona skromnością Boba. Zawsze opowiadał o swoim sukcesie, jakby to był szczęśliwy przypadek, a nie skutek bystrości jego umysłu i niezwykłych umiejętności. Chętnie też przypisywał swoje powodzenie Jimowi i jego zdolnościom jako agenta.

Po kolacji usiedli w salonie. Nikt nie miał ochoty iść do domu. Ellen podała mężczyznom brandy, a swojej mamie nalała mały kieliszek Château d'Yquem Sauterne – wiedziała, że Grace uwielbia to wino. Sama także się go napiła. Wspaniale zabawiała gości, za co Grace ochoczo ją pochwaliła, mówiąc, że to kwestia jej własnego talentu, a nie tego, czego nauczyła się od matki.

– Kiedy jako dziecko miała nakryć do stołu, znikała na całe godziny i zbierała po całym domu różne przedmioty, by go przystroić. Kiedyś nawet pokroiła kolorowe świece i wrzuciła je do zupy, żeby wyglądała bardziej barwnie.

Ellen roześmiała się, wspominając tę chwilę, a potem przyznała, że tak było.

– A ja w dzieciństwie budowałam twierdze z pudełek dla wszystkich chłopców z okolicy – wyznała Grace. – Chyba nasze talenty wcześnie się objawiły.

– Ze mną tak nie było – wyznał z uśmiechem Bob. – Do czternastego roku życia chciałem być strażakiem. A potem marzyłem, by zostać policjantem.

– Pisząc takie książki, w pewnym sensie nim jesteś – powiedziała Ellen.

Bob przez chwilę się zastanowił, a potem się z nią zgodził. Gdy tak siedzieli, ciesząc się swoim towarzystwem, Grace zaskoczyła wszystkich ogłoszeniem, którego nikt się po niej nie spodziewał, a najmniej jej córka.

– Dwa dni temu zawarłam umowę z jednym z dawnych klientów – powiedziała z zadowoleniem. – Przebudowywałam jego mieszkanie w budynku Dakota. Było wtedy dość zjawiskowe: dwupoziomowe, z dachem zacieniającym okna i balkonem. Wyjątkowo uszanowałam pierwotną architekturę, ale przekształciliśmy je w coś wyjątkowego. Wtedy byłam z niego bardzo dumna, a on był zachwycony. To było chyba moje ulubione zlecenie, naprawdę trafiliśmy w sedno. On także miał kilka wspaniałych pomysłów, pracując razem, stanowiliśmy bardzo twórczy zespół.

Ellen przypomniała to sobie. Jej mama tkwiła po uszy w tym projekcie, gdy ona przeprowadziła się do Londynu. Ukończyła go mniej więcej wtedy, gdy ona wyszła za George'a. Zdjęcia były niesamowite. Cały dolny poziom był wyłożony drewnem, jednak wnętrze nie było ciemne, ale wystawne z rysem szlachetnej patyny.

– Kilka lat temu ożenił się ze Szwajcarką i przeprowadził do Genewy. Powiedział, że już nie wracają do Nowego Jorku, więc nie korzysta z mieszkania. Postanowił je sprzedać, ale chciał, by trafiło do kogoś, kto będzie nim równie zachwycony, jak on. Tak naprawdę nie potrzebuje pieniędzy. – Na chwilę zamilkła i uśmiechnęła się do pozostałej trójki. – Zadzwonił do mnie przed wystawieniem go na sprzedaż, by sprawdzić, czy któryś z moich klientów nie byłby nim zainteresowany. Kupiłam je i mam ochotę krzyczeć ze szczęścia. – Spojrzała z miłością na Ellen, wiedząc, że to dla niej wielka ulga. – W związku z tym ostatecznie nie wracam do Tribeki. Życie potrafi nas czasem zaskakiwać. Jim i ja będziemy niemal sąsiadami. Będzie nas dzielić tylko kilka przecznic. – Uśmiechnęła się do niego, teraz był to dla nich dobry układ. – Poza tym jest we wspaniałym stanie, więc nie potrzeba wiele pracy. Mogę się przeprowadzić, gdy skończy się moja umowa w obecnym mieszkaniu, chociaż po powodzi będę potrzebować wielu nowych mebli.

W tym momencie zerknęła znacząco na Ellen. Wszystkich ogarnęła radość, gdy usłyszeli jej słowa. Po chwili uczcili jej nowy dom toastem.

– To wspaniała wiadomość! – zawołał Bob.

W równym stopniu co Ellen odczuwał ulgę, że Grace nie wróci nad brzeg rzeki na Dolnym Manhattanie. W niektórych sytuacjach zbyt nierozsądnie było ryzykować i wszyscy zgadzali się, że tym razem tak właśnie było.

– Wiedziałam, że nie powinnam wracać – przyznała. – Po prostu uwielbiałam tamto mieszkanie, całą okolicę i bliskość rzeki, ale teraz lubię też przebywać na Górnym Manhattanie. Jest mi też łatwiej ze względu na pracę.

Ponieważ nie miała zamiaru przejść na emeryturę w najbliższym czasie – może nawet nigdy – było to ważne udogodnienie, które przez wiele lat świadomie ignorowała.

– Zawsze byłam zauroczona tym mieszkaniem w Dakocie.

W budynku żyło wielu sławnych twórczych ludzi. Mieszkał tam kiedyś John Lennon i wiele innych ważnych, znanych osobistości.

– Nie mogę się doczekać, kiedy je zobaczę – powiedział Jim z szerokim uśmiechem.

Cieszył się, że Grace będzie niedaleko, że będą mogli się nawzajem odwiedzać, bo będzie ich dzielić tylko kilka przecznic.

– Mogę was tam zaprosić w ten weekend. Były właściciel wraca wtedy do Genewy. Mam już klucze, a za trzydzieści dni mieszkanie będzie moje.

Sama nie mogła w to uwierzyć. Jej ogłoszenie zakończyło wieczór radosnym akcentem. Gdy Jim i Grace wyszli, Bob został jeszcze kilka minut.

– Co za miła niespodzianka – powiedział, uśmiechając się szeroko do Ellen. – Nie mogłem znieść myśli, że wróci do swojego starego mieszkania i będzie tam czekać na kolejny huragan, który na pewno nastąpi.

– Ja też nie mogłam tego znieść – odparła, również czując ulgę.

Niespodzianka matki podsunęła jej kolejny pomysł. Właścicielka mieszkania zajmowanego teraz przez Grace chciała je sprzedać. Gdyby Ellen postanowiła zostać w Nowym Jorku i kupić mieszkanie, to miejsce mogłoby być dla niej idealne, gdyby do tego czasu sprzedała dom w Londynie. Wszystkie ich plany świetnie się do siebie dopasowywały. Cieszyła się, że jej mama znalazła dom, którym była zachwycona. Trafiła na niego w idealnym momencie. Los był pod wieloma względami łaskawy – poznała Jima, miała nowe mieszkanie, pozytywne było też to, co działo się między Bobem i Ellen, oraz to, że Bob nalegał, by po powodzi zatrzymali się u Jima.

Został jeszcze parę minut, zanim wyszedł. Przypomniała sobie wszystko, co powiedział przed kolacją, zanim przyszli Grace i Jim. To dało jej do myślenia, oboje zaczynali się dobrze poznawać. Wspólne przeżycie katastrofy przyspieszało wiele rzeczy.

– Może w ten weekend wybierzemy się razem, by obejrzeć mieszkanie twojej mamy? – zaproponował. – Nie mogę się doczekać, kiedy je zobaczę. Z opisu wydaje się niesamowite. Może podkradnę jakiś pomysł do swojego, jeśli mi pozwoli.

– Będę musiała na nie zerknąć, żeby wybrać dla niej meble – powiedziała praktycznie Ellen. – Wiele straciła na Dolnym Manhattanie. Nigdy osobiście nie widziałam tego mieszkania. Oglądałam je tylko na zdjęciach i w magazynach, które o nim wtedy pisały. Bardzo chwalono mamę za jej pracę.

– To jasne – uśmiechnął się Bob. – Mam najlepszą panią architekt i projektantkę w mieście.

Wtedy czule ją przytulił i musnął jej usta swoimi, wzruszony cudownym wieczorem z kobietą, którą z każdym spotkaniem coraz bardziej lubił i podziwiał. Pomagała mu uleczyć dawne rany, uciszyć lęki.

– Do zobaczenia wkrótce – pożegnał się cicho.

Ellen uśmiechnęła się, delikatnie dotykając opuszkami palców jego twarzy.

– Dziękuję... za wszystko – powiedziała, a potem cicho zamknęła za nim drzwi.

Uśmiechał się cały czas, gdy jechał windą na dół. Rano wysłał jej wielki bukiet róż, dziękując za kolację i dołączając liścik, który wywołał uśmiech na jej twarzy, gdy Alice jej go podała. „Dziękuję za wspaniały wieczór. Jesteś nadzwyczajna. Nie zapominaj o tym. Do zobaczenia wkrótce. B.". To był idealny wieczór dla wszystkich. Ellen uśmiechnęła się szeroko, kładąc liścik na biurku, by móc go ponownie przeczytać. Gdy to zrobiła, nie czuła lęku. Zaczynał się nowy dzień z nowym mężczyzną, w nowym świecie.

Rozdział 15

Tak jak Jane i John Holbrookowie obawiali się i słyszeli od innych, u Petera pojawiły się objawy poważnej traumy, gdy tylko wrócił do domu. Przez jakiś czas sytuacja się nie polepszała, tylko pogarszała. Niemal natychmiast na jego głowie pojawiły się plamy łysiny. Włosy wypadały mu kępkami i garściami, gdy oglądał się w lustrze, płakał. Bardzo się tego wstydził i nie chciał nigdzie wychodzić. W nocy nie mógł spać. Siedział do rana przed telewizorem, patrząc w ekran niewidzącym wzrokiem. Znajdowali go śpiącego i skulonego, bladego i wyczerpanego. Nie chciał już opuszczać domu. Prawie nie jadł, w ciągu miesiąca schudł siedem kilogramów. Nie chciał rozmawiać z przyjaciółmi, nie włączał telefonu komórkowego. Nie miał ochoty się z nikim widzieć. Wydawało się, że jego jedynym przyjacielem jest pies. Siedział sam w swoim pokoju, nie jadł posiłków z rodzicami. Zamartwiali się o niego i zgłaszali kolejne niepokojące objawy terapeutce, którą znaleźli z pomocą lekarza.

Gwen Jones była bardzo miłą kobietą. Ukończyła Harvard, specjalizowała się w leczeniu zespołu stresu pourazowego. Holbrookowie modlili się, by zdołała mu pomóc. Zapewniała ich, że wszystko, przez co przechodzi Peter, jest normalne. Żaden z jego objawów jej nie zaskakiwał. Kluczowe było to, na ile uda mu się odzyskać zdrowie psychiczne, jak długo zajmie mu powrót z mroku, w którym się teraz znajdował. Powiedziała, że już zawsze będzie żył z traumą, którą przeszedł. Mogło się to objawić ponownie w silnie stresujących sytuacjach, jeżeli coś wywołałoby wspomnienia jego doświadczeń podczas huraganu. Terapeutka była jednak pewna, że dzięki terapii oraz wsparciu i miłości rodziny z czasem zacznie czuć się lepiej.

Na samym początku Peter powiedział jej, że nie wróci na studia, gdy znów otworzą NYU. Spytała go, czy zamierza się przenieść gdzieś indziej, a on zaprzeczył z posępnym wyrazem twarzy. Jego mama powiedziała już doktor Jones, że teraz często przyjmował wrogą postawę i bywał rozdrażniony, co było do niego niepodobne. Zawsze był spokojnym, radosnym chłopcem. Terapeutka zauważyła też, że nie okazuje emocji. Zachowywał się albo gniewnie, albo obojętnie. Na początku wcale nie chciał się z nią spotykać.

Powiedział, że jej nie potrzebuje, że Ben nie żyje i już nigdy nie wróci, więc terapia niczego nie zmieni. Twierdził, że nic mu nie dolega, ale prawda była zupełnie inna. Gwałtowny spadek wagi, łysienie i oczy zapadnięte z braku snu sprawiły, że wyglądał przerażająco i dziwnie. Nie rozmawiał z Anną, odkąd opuścił Nowy Jork. Usuwał jej SMS-y, nawet ich nie czytając. Po kilku tygodniach od jego powrotu do Chicago rodzice poważnie się niepokoili. Jego stan był o wiele gorszy, niż się obawiali. Holbrookowie regularnie dzwonili do rodziców Bena, którzy również byli w bardzo złym stanie. Adam zaczął chodzić na terapię. Był załamany po stracie brata i bez przerwy płakał. Jego astma nasiliła się jak nigdy wcześniej.

Ponieważ Peter nie chciał pójść do terapeutki, ona przyszła na spotkanie z nim w domu jego rodziców. Oświadczył, że nie ma jej nic do powiedzenia, więc przez dwie godziny siedziała i oglądała z nim telewizję bez słowa. Na koniec z przyjaznym uśmiechem podziękowała mu, że zgodził się, by mu towarzyszyła, a potem wyszła. Powiedział rodzicom, że go zirytowała, nie mówił, że może oglądać z nim telewizję. Jednak nie sprzeciwiał się, gdy następnego dnia wróciła. Ponownie ją zignorował.

Nagle, po tygodniu oglądania telewizji z terapeutką Peter zaczął opowiadać o szkole i o tym, że nie chce wrócić na studia. Wspomniał o swoich przyjaciołach z dzieciństwa w Chicago, nie mówił jednak ani słowa o Benie, Annie czy huraganie. Spytała go o psa, a on odparł, że dostał go od przyjaciela. Słyszała już o tym, jak Peter go uratował, wiedziała, że należał do Bena, ale tylko w milczeniu skinęła głową. Mike okazywał jej sympatię, gdy przychodziła do chłopca, a to było pomocne. Pytała Petera o jego ulubione filmy, a przy kolejnych wizytach przynosiła je na płytach DVD. Zazwyczaj wybierała coś zabawnego. Śmiali się razem, siedząc na kanapie w salonie, gdzie najchętniej przebywał. Często spędzał czas w ciemności, przez wiele godzin nie zapalał świateł, słuchając muzyki i wpatrując się w przestrzeń. Jednak śmiech sprawił, że między Peterem i Gwen zaczęła tworzyć się więź. Kiedy wyszła, uśmiechał się po dwugodzinnym filmie, który uwielbiał jako dziecko. Ostatni raz widział go wiele lat temu, chociaż raz powiedział o nim Benowi.

Oglądali razem filmy i telewizję od dwóch tygodni, gdy Peter wspomniał, że jego włosy wyglądają dziwnie.

– Odrosną – powiedziała z przekonaniem Gwen. – Czasem się to zdarza, gdy ludzie przechodzą przez trudne, szokujące sytuacje, na przykład rozwód, katastrofę samolotową albo utratę bliskiej lub ukochanej osoby.

Tego popołudnia Peter już się nie odezwał. Dostrzegła jednak, że zamknięte dotąd drzwi zaczynają się uchylać. Następnego dnia znienacka, gdy oglądali *Gwiezdne wojny*, wspomniał o Benie.

– Mój przyjaciel zginął w Nowym Jorku podczas huraganu.

Powiedział to ze wzrokiem wbitym w ekran, nie patrząc na Gwen. Zauważyła, że jego ciało jest napięte, a na czole pojawiła się cienka warstwa potu.

– Przykro mi – powiedziała cicho. – Wiem, jak jest trudno, gdy straci się dobrego przyjaciela.

Jej siostra bliźniaczka zginęła w pożarze, gdy były razem na studiach medycznych. Właśnie dlatego jako specjalizację wybrała zespół stresu pourazowego. Utrata siostry prawie ją zabiła, ale Peter nie mógł o tym wiedzieć. Z tonu jej głosu wyczytał jednak, że go rozumie.

– Mike należał do niego – wyznał po raz pierwszy. – Jego rodzice pozwolili mi go zatrzymać, bo jego młodszy brat ma astmę. Proponowałem, że go oddam. Byliśmy razem podczas huraganu.

Milczała, czekając, co powie dalej.

– Nie ewakuowaliśmy się wystarczająco wcześnie – wyznał Peter.

Wtedy tama nagle pękła i opowiedział jej całą historię, siedząc na kanapie i łkając jak dziecko.

– Nie mogłeś wiedzieć, że to zła decyzja – powiedziała łagodnie.

Ona i jej siostra zostały rozdzielone, wyprowadzono je z budynku innymi drogami. Jej bliźniaczka nie mogła wiedzieć, że wybrała tę niewłaściwą. Gwen chciała wrócić, by jej poszukać, ale strażacy na to nie pozwolili. Przez lata nie mogła sobie wybaczyć, że nie została przy siostrze.

– Wielu ludzi nie ewakuowało się na czas – dodała. – Pewnie myśleliście, że na szóstym piętrze nic wam się nie stanie.

– Budynek skrzypiał, jakby miał się zawalić, więc pomyślałem, że następnego ranka powinniśmy uciec. Trzeba było zostać, ale nie wiedziałem, że nurt będzie taki silny. Woda płynęła tak szybko, nawet nie pamiętam, co się stało, gdy wskoczyłem. Nagle zobaczyłem Mike'a i go złapałem. Wciągnęli mnie na łódź i powiedziałem im, żeby szukali Bena, ale nie mogli go znaleźć. Czekałem, aż przywiozą go do szpitala, ale nie trafił tam. Nie mogłem uwierzyć, gdy mama Anny powiedziała mi, co się stało. Anna była moją dziewczyną – wyjaśnił terapeutce, która wiedziała już o tym od jego rodziców. – Znała Bena całe życie. Pewnie teraz nienawidzi mnie za to, co zrobiłem.

– Nie zrobiłeś niczego złego, Peter. Obaj podjęliście decyzję o ucieczce. To byłoby właściwe posunięcie, gdyby budynek się zawalił. Wiele spośród starych budowli runęło. Ben nie musiał z tobą iść. Obaj tego chcieliście i spróbowaliście. Nie jesteś odpowiedzialny za to, co się potem stało.

– Myślę, że to ja go do tego namówiłem. Poza tym wskoczyłem pierwszy i straciłem go z oczu. Powinniśmy byli złapać się za ręce albo coś takiego.

– Woda rozdzieliłaby was po chwili, tak jak odciągnęła Mike'a od Bena.

Peter o tym nie pomyślał, nie wziął też pod uwagę, że Ben mógł zostać, gdyby nie chciał z nim uciekać. To zmieniło obraz sytuacji, chociaż chłopiec ciągle się obwiniał.

– A gdybyś to ty zginął, a on przeżył? – ciągnęła terapeutka. – Jak myślisz, co by powiedział, co by czuł?

– Czułby się beznadziejnie, tak jak ja. Zachowaliśmy się jak idioci, zostając tam. – Uśmiechnął się do niej. – Na początku myśleliśmy, że to zabawne, że nic wielkiego się nie stanie. Kupiliśmy masę słodyczy, mieliśmy ochotę popatrzeć. Anna próbowała nas przekonać, żebyśmy pojechali z nią na Górny Manhattan, ale nie chcieliśmy. Myśleliśmy, że tchórzą, bo są dziewczynami – wyznał szczerze.

– Co teraz mówi Anna?

– Nie wiem. Usuwam jej SMS-y, nawet ich nie czytając. Kiedy wyjechałem, rozstaliśmy się. Wiedziałem, że za bardzo będziemy przypominać sobie o Benie. Gdy zginął, wszystko się zmieniło. Ona pewnie mnie nienawidzi za to, że go nie uratowałem.

– Chcesz z nią porozmawiać? – spytała cicho Gwen, a chłopiec potrząsnął głową. – Tęsknisz za nią?

– Tęsknię za nim – powiedział ze smutkiem, a potem znów na długo się rozpłakał. – Tak bardzo za nim tęsknię. Był moim najlepszym przyjacielem. Zginął z mojej winy.

Nie dyskutowała z nim, pozwoliła mu przez chwilę pozostać z tą myślą.

– Jak myślisz, czy to możliwe, że to nie twoja wina? Nawet jeśli teraz w to nie wierzysz, czy zaakceptujesz moje słowa, gdy ci powiem, że tak nie jest, że nie miałeś na to wpływu?

– Być może – powiedział po chwili zastanowienia – ale jego rodzice na pewno mnie za to obwiniają. I słusznie.

– A jeśli cię nie obwiniają? A jeśli tylko ty sam siebie obwiniasz? Czy myślisz, że możesz się mylić?

Chłopiec potrząsnął głową.

– Czy sądzisz, że Ben by cię obwiniał? – spytała znowu.

Peter ponownie potrząsnął głową i spojrzał na nią.

– Był świetnym facetem. Nigdy by mnie nie obwiniał.

– Może powinniśmy zacząć od tego – powiedziała, podchwytując tę pozytywną myśl. – Może powinniśmy pozwolić, by to Ben podjął decyzję. Jeśli by cię nie winił, ja go popieram. A ty?

Znów się zamyślił. Kiedy wychodziła jakiś czas później, nie był już taki załamany.

Potem powoli robili postępy, a chłopiec stopniowo pracował nad emocjami. Zaproponowała mu leki nasenne, ale odmówił. Powiedział, że chce zmierzyć się ze wszystkim wprost. Był odważny, gdy rozmawiali o wszystkich wydarzeniach podczas codziennych sesji. Po trzech tygodniach od rozpoczęcia spotkań Peter usiadł do kolacji z rodzicami. Nic nie mówił, nie rozmawiał z nimi, ale zjadł porządny posiłek. Od tamtej pory codziennie z nimi jadał. W końcu powiedział do nich parę słów i znów zaczął przybierać na wadze. Wkrótce przestały wypadać mu włosy. W miejscu łysiny pojawił się meszek, który stopniowo rósł. Małymi kroczkami jego umysł podążył za ciałem i zaczął zdrowieć. Najtrudniejszą bitwą, jaką musieli stoczyć, była walka z jego poczuciem winy za śmierć Bena.

Z pomocą Gwen Peter napisał piękny list do rodziców Bena. Wyraził w nim swoje uczucia, opowiedział o tym, że ponosi za wszystko odpowiedzialność, że się pomylił, opisał swoje poczucie winy. Jake Weiss niemal natychmiast odpisał z ogromnym wyczuciem i elokwencją, wyjaśniając, że w żadnym razie nie winią go za śmierć Bena oraz bardzo się cieszą, że przeżył. Zapewniał Petera, że Adam czuje to samo. Peter otworzył list w obecności Gwen, co wcześniej ustalili. Po przeczytaniu chłopiec płakał przez wiele godzin z żalu i ulgi, częściowo uwalniając się od wyrzutów sumienia. W końcu przeczytał jeden z SMS-ów Anny i zrozumiał, że dziewczyna bardzo się o niego martwi i również go nie wini. Spędził z rodzicami wieczór pełen łez. Opowiedział im ze szczegółami, co się wydarzyło.

Następnego dnia wyszedł z mamą do supermarketu i wybrał się do centrum na kolację z rodzicami. Nie był gotów na spotkanie z dawnymi przyjaciółmi, ale któregoś wieczoru zadzwonił do Anny i porozmawiał z nią przez telefon. Powiedziała, że złożyła podanie o przyjęcie na studia w Barnard College ze względu na wyjątkową sytuację i miała się tam przenieść. Kilka dni później Peter powiedział Gwen, że być może spróbuje dostać się na studia na uniwersytecie Northwestern, żeby uzyskać dyplom, chociaż stracił semestr i nie wiedział, czy nie utraci zbyt wielu punktów, gdy się przeniesie. Zapewniła go, że uczelnie wspierają finansowo ofiary huraganu ze szkół, które wciąż są zamknięte, a uniwersytet nowojorski do nich należał. Nie było nawet wiadomo, czy zostanie otwarty na kolejny semestr. Chłopak mówił jednak o powrocie do nauki i wkroczeniu na nowo w świat.

Po dwóch miesiącach od powrotu do domu Peter znów wyglądał i zachowywał się normalnie, chociaż ciągle dręczyły go ponure myśli i z trudem zasypiał. Płakał, gdy myślał lub mówił o Benie, jednak nie obwiniał się już z takim przekonaniem i zaczynał rozumieć, że być może nie jest winny. Gwen powiedziała jego rodzicom, że na wszystko potrzeba czasu. Nie dało się tego przyspieszyć, musiał wydobrzeć we własnym tempie. Wciąż miał na ramieniu brzydką bliznę pozostałą po huraganie. Podobne piętno szpeciło jego umysł i potrzeba było czasu, by się zagoiło. Jego ślad miał pozostać z nim na zawsze, tak jak – być może – na ramieniu, jednak pewnego dnia mógł się z nim pogodzić i wieść normalne życie.

Święto Dziękczynienia spędzili jak co roku u wujka Petera w Chicago. Przy kolacji chłopiec zachowywał się normalnie, chociaż wszystkich ostrzeżono, by nie wspominać przy nim o huraganie ani o śmierci przyjaciela, nawet po to, by złożyć kondolencje. Wszyscy dostosowali się do tych zaleceń z wyjątkiem jego dziadka, który cierpiał na demencję, jednak jakimś cudem pamiętał, że słyszał o huraganie. Ku przerażeniu wszystkich wspomniał o tym przy kolacji.

– Podobno przeżyłeś huragan, Pete – zawołał tubalnym głosem, bo oprócz tego był głuchy. – Jak to wyglądało?

– Bardzo źle, dziadku. Było naprawdę strasznie.

Nie zdradził żadnych szczegółów.

– Mam nadzieję, że w wodzie nie spadły ci spodnie i nie wyszedłeś z gołym tyłkiem – parsknął dziadek.

Wszyscy poczuli taką ulgę, że cały stół wybuchł nerwowym śmiechem. Ktoś zmienił temat po tym, jak Peter odpowiedział.

– Nie, zostałem w spodniach, dziadku – odparł, uśmiechając się do niego i moment napięcia minął.

Rodzice uświadomili sobie, że ma się już o wiele lepiej, skoro był w stanie poradzić sobie z tą niezręczną sytuacją.

Kilka razy zadzwonił do Anny i z przyjemnością ze sobą rozmawiali, choć nie łączyło ich już romantyczne uczucie i nie mówili o Benie. Miło było jednak słyszeć jej głos i zawsze pytała o Mike'a. Peter ciągle widywał się z Gwen. Trzy tygodnie po Święcie Dziękczynienia powiedział jej, że chce polecieć na dzień lub dwa do Nowego Jorku i zabrać ze sobą Mike'a. Wydawała się zaskoczona i spytała, dlaczego.

– Żeby spotkać się z Anną – odparł cicho.

– Chcesz odbudować wasz związek?

Po tym, co jej dotąd powiedział, była tym zaskoczona, jednak wszystko było możliwe i nic nie było zakazane z wyjątkiem obwiniania się.

– Nie, kiedy wyjeżdżałem, było strasznie dziwnie. Nie byliśmy przyjaciółmi ani parą. Byliśmy tacy zagubieni i skołowani po wszystkim, co się stało. Chcę się z nią po prostu spotkać i rozstać w dobrej atmosferze, żebyśmy mogli być przyjaciółmi.

Uważała, że to dobry plan, i próbowała uspokoić jego rodziców. Byli spanikowani. A jeśli wrócą do niego wspomnienia albo dostanie napadu lęku, gdy będzie w Nowym Jorku? Albo podczas lotu?

– Wspomnienia nie wrócą, ponieważ Peter wszystko pamięta – wyjaśniła im. – Zapewne doświadczy stresu, być może nawet poważnego, ale myślę, że teraz jest w stanie sobie z nim poradzić. Sądzę też, że spotkanie z Anną pozwoli mu zamknąć ten rozdział i ruszyć dalej. Była prawie jak siostra Bena.

Podczas następnej sesji spytała Petera, czy ma zamiar wrócić, by obejrzeć budynek lub ulicę albo udać się do miejsca, w którym zginął Ben. Peter gwałtownie potrząsnął głową ze zbolałym spojrzeniem.

– Już nigdy nie chcę oglądać tego domu ani ulicy. Nie mogę – powiedział zduszonym głosem.

– Nie musisz. Chciałam po prostu wiedzieć, co planujesz. Nie musisz już nigdy tam wracać.

Miała też nadzieję, że tego nie zrobi.

– Chcę tylko zobaczyć się z Anną, a potem wrócić do domu. Powiedziała, że jeśli chcę, mogę zatrzymać się u niej na noc. Byliśmy przyjaciółmi, zanim zostaliśmy parą.

– Chcesz się spotkać z rodzicami Bena? – spytała Gwen.

Chłopiec zawahał się, patrząc na nią z poczuciem winy.

– Myśli pani, że powinienem? Nie zamierzałem tego robić. Myślę, że to może być za dużo. Chcę tylko spotkać się z Anną.

– W porządku. Nie musisz ich odwiedzać. Też myślę, że to byłoby trudne.

Wydawało się, że poczuł ulgę. Kobieta poparła jego plan. Kiedy jej o nim wspomniał, dała mu podpisane zaświadczenie na swoim papierze firmowym o tym, że jest ofiarą huraganu Ofelia i cierpi na zespół stresu pourazowego. W ramach terapii jego czarny labrador mógł towarzyszyć mu bez ograniczeń jako pies zapewniający wsparcie emocjonalne. Peter uśmiechnął się szeroko i przybił jej piątkę, gdy podawała mu dokument, a Gwen się roześmiała.

– Tak! – zawołał.

Dzięki jej zaświadczeniu mógł zabrać Mike'a do kabiny, zamiast przewozić go w klatce w luku bagażowym, czego nie chciałby robić. Gdyby był do tego zmuszony, wolałby zostawić psa z rodzicami, jednak cieszył się, że może zabrać go ze sobą.

Kilka dni później rodzice zawieźli Petera na lotnisko razem z psem. Kiedy samolot wyleciał, oboje potwornie się denerwowali i w drodze do domu uspokajali się wzajemnie, że chłopcu nic się nie stanie. Peter pokazał zaświadczenie od Gwen pracownikom linii lotniczej. Przeczytali je uważnie, spojrzeli na niego, potem na psa, skinęli głową i gestem wskazali, by przeszedł dalej, najpierw oddawszy mu zaświadczenie, którego miał potrzebować również, by wrócić do domu.

Z lotniska La Guardia pojechał taksówką do domu Anny. Oczekiwała go i również denerwowała się spotkaniem. Żadne z nich nie miało pojęcia, czego się spodziewać. Gwen powiedziała mu, by pozostał otwarty i pozwolił sytuacji się rozwinąć. Zasugerowała też, żeby do niej zadzwonił, jeśli za bardzo się zestresuje. Zapisał numer jej komórki w swoim telefonie. Kilka razy dzwonił do niej, gdy było mu ciężko – przede wszystkim na początku. Oboje mieli przekonanie, że teraz ma się świetnie.

Gdy tylko Anna otworzyła mu drzwi, pisnęła i objęła go za szyję. Po chwili oboje płakali i śmiali się, szczęśliwi, że się widzą. Mike gorączkowo szczekał, a matka Anny wyszła ze swojego pokoju, by również uściskać Petera. Chłopak stracił dwoje przyjaciół – Bena i Annę. A teraz odzyskał Annę.

– Wyglądasz świetnie – powiedziała Elizabeth.

Czuła ulgę na jego widok. Był wspaniałym chłopcem i zawsze go lubiła.

– Przez jakiś czas wypadały mi włosy – powiedział Annie, wzruszając ramionami – ale teraz już jest w porządku.

Czuł się też, jakby na jakiś czas stracił rozum, ale nie powiedział jej tego. Nie musiała o tym wiedzieć. Gwen zapewniła go, że wszystko, co czuł i czego doświadczał, było normalne po takich przeżyciach.

– Co chcesz robić? – spytała go Anna.

Peter spontanicznie powiedział, że chce zobaczyć oświetloną choinkę pod Rockefeller Center. Widział ją raz z rodzicami, gdy był mały. Zachwyciła go. Teraz chciał pójść tam z Anną.

Zostawili Mike'a z jej mamą i pojechali taksówką. Stali oczarowani ogromnym drzewkiem udekorowanym ozdobami i światełkami, a potem oparli się o balustradę i obserwowali łyżwiarzy. Anna zaproponowała, by poszli do Katedry Świętego Patryka i zapalili świecę za Bena – wtedy po raz pierwszy wspomnieli o nim w rozmowie. Peter się zgodził. Zapalili świecę i oboje odmówili modlitwę, a potem wyszli. Wrócili pieszo na Górny Manhattan, do mieszkania Anny. Zamówili sushi na wynos i rozmawiali o tym, co będą robić.

– Myślisz, że wrócisz na studia? – spytała Anna.

Jej rodzice zostawili ich samych. Młodzi rozmawiali przez całe popołudnie. W końcu opowiedział jej o terapii z Gwen i wyznał, że czuje się lepiej. Anna także chodziła na terapię, by poradzić sobie z utratą przyjaciela, nie z poczuciem winy, choć miała wyrzuty sumienia, że nie „zmusiła" chłopców, by pojechali z nią na północ. Terapeuta powiedział jej, że nie była w stanie zmusić ich, by zrobili coś, czego nie chcieli. Gwen mówiła to samo Peterowi.

– Sam nie wiem – odpowiedział Peter na jej pytanie o studia. – Być może. Nie jestem pewien.

Dobrze było wrócić do Nowego Jorku. Uwielbiał to miasto, ale wiedział, że nie chce wracać na NYU. Byłoby mu zbyt ciężko bez Bena, a uczelnia była położona za blisko miejsca wydarzeń. Bał się, że jeśli huragan się powtórzy, to zwariuje.

– Być może kiedyś tu zamieszkam, gdy już skończę studia.

– Ja chcę się przenieść do Los Angeles, by studiować aktorstwo – powiedziała stanowczo Anna.

Powtarzała to od dwóch lat, odkąd skończyła szkołę teatralną na NYU. Teraz miała skończyć anglistykę w Barnard College.

– Możesz przyjeżdżać do mnie w odwiedziny, kiedy nakręcę pierwszy film – powiedziała z uśmiechem.

Nie wspominali o tym, by na nowo zacząć związek – było oczywiste, że żadne z nich tego nie chce. Po prostu chcieli być przyjaciółmi. W pewnym sensie Peter mógł zastąpić teraz Bena, być dla niej bratem. Właśnie taką rolę chciał odegrać w jej życiu, a ona chciała być dla niego jak siostra. Wydawało się, że czasy, gdy byli parą, już minęły – za wiele się wydarzyło i oboje przeżyli zbyt dotkliwą stratę osoby, którą kochali. Romantyczna atmosfera prysła, ale ich wzajemna miłość była silniejsza.

Rozmawiali do trzeciej nad ranem i zasnęli w śpiworach obok siebie, trzymając się za ręce, na podłodze gabinetu. Następnego ranka mama Anny zrobiła im śniadanie, a potem odwiozła Petera na samolot powrotny do Chicago.

– Tak się cieszę, że przyleciałeś – powiedziała, gdy przytulił ją na pożegnanie i przez chwilę mocno przyciskał do siebie.

– Zawsze będę cię kochał, Anno – powiedział ze łzami w oczach – tak samo jak on cię kochał. Nie jestem tak dobry jak on, ale będę się starał.

– Ja też cię kocham – powiedziała, gdy oboje płakali.

Teraz było między nimi coś lepszego niż romans. Byli przyjaciółmi. Na całe życie.

– Wpadnij do mnie do Chicago.

– Może po świętach – obiecała.

– Możemy się wybrać na narty. Oprowadzę cię.

Skinęła głową, a potem znów się uścisnęli. Później Peter pokazał zaświadczenie o tym, że Mike jest psem zapewniającym wsparcie emocjonalne, i przeszedł przez kontrolę bezpieczeństwa, gorączkowo do niej machając. Posyłali sobie całusy jak małe dzieci.

– Kocham cię! – krzyknęła wystarczająco głośno, by ją usłyszał, nie dbając o to, co pomyślą ludzie na lotnisku.

– Ja też cię kocham! – wrzasnął Peter, a Mike szczeknął.

Oboje czuli, że Ben jest z nimi, gdy Peter zniknął za bramkami kontroli bezpieczeństwa. Wiedzieli też, że na zawsze pozostaną trójką muszkieterów.

Ojciec Petera czekał na niego na lotnisku w Chicago. Peter nie wrócił jeszcze do prowadzenia samochodu, ale teraz chciał to zrobić i czuł się gotowy. Miał zamiar porozmawiać o tym z Gwen przy najbliższym spotkaniu.

– Jak ci minął lot? – spytał go ojciec, bo łatwiej było mówić o tym niż o pobycie w Nowym Jorku.

Widział jednak, że Peter jest rozradowany, i zastanawiał się, czy on i Anna znów są razem. Nie rozumiał, że przyjaźń i więź, którą stworzyli, jest dla nich jeszcze lepsza.

– Było świetnie – powiedział chłopiec, mając na myśli pobyt, a nie lot. – Poszliśmy zobaczyć choinkę pod Rockefeller Center.

Nie wspomniał o świecy i modlitwach w Katedrze Świętego Patryka.

Ojciec uśmiechnął się, słysząc te słowa.

– Zabraliśmy cię tam raz, gdy miałeś jakieś pięć lat. Pewnie już nie pamiętasz. Byłeś zachwycony i chciałeś tam zostać.

– Oczywiście, że pamiętam, tato. Dlatego tam poszliśmy. Chciałem znów to zobaczyć. Ciągle jest pięknie.

Uśmiechnął się szeroko, znów zachowując się jak beztroskie dziecko. Podróż do Nowego Jorku dobrze na niego wpłynęła.

W drodze do domu powiedział ojcu, że chce starać się o przyjęcie na studia na uniwersytecie Northwestern, jeśli nie straci punktów przy przeniesieniu.

– Chcę tu zostać, żeby skończyć szkołę. Być może wrócę do Nowego Jorku na studia uzupełniające, na przykład zrobię MBA na Columbii – powiedział, wyglądając przez okno.

Ojciec zerknął na niego i się uśmiechnął. Jego włosy znów były gęste i pokrywały całą głowę.

– Wydaje mi się, że to dobry plan – powiedział cicho John Holbrook.

Gdy wrócił do domu, uścisnął żonę. Trzymał ją w ramionach, a po jego policzkach spływały łzy.

– Wszystko będzie z nim w porządku – powiedział o ich jedynym synu, gdy Peter poszedł na górę z Mikiem.

Odzyskał zdrowie. Być może pozostały mu delikatne blizny, ale miał się lepiej niż kiedykolwiek. To była trudna przeprawa i ciężka podróż, jednak znalazł drogę powrotną.

Rozdział 16

Ellen i Bob dwa razy zjedli razem kolację, zanim zaczął się przedświąteczny stres. Rozmawiali o gali charytatywnej dla ofiar huraganu. Oboje zgłosili się do komitetu organizacyjnego, podobnie jak Jim i Grace. Bal miał się odbyć w marcu.

Ellen chciała się wybrać na świąteczne zakupy, choć w tym roku jej lista była krótka. Planowała kupić prezenty dla mamy, Philippy i Alice, a dla dwóch asystentek i wszystkich pracowników w Londynie przewidziała też świąteczne premie. Nie musiała już szukać wyjątkowego prezentu dla George'a ani kupować niczego dla jego londyńskich przyjaciół. Chciała też znaleźć coś ładnego dla Jima, by odwdzięczyć się za to, że przyjął je pod swój dach po huraganie. Myślała też o drobiazgu dla Boba, jeśli udałoby jej się znaleźć coś, co by mu się spodobało.

Jej mama była bez przerwy zajęta spotkaniami albo chadzała z Jimem na świąteczne przyjęcia. Jej życie towarzyskie wyraźnie się ożywiło, a Grace cieszyła się nim ze swoim partnerem. Nowy Rok mieli świętować na wyspie Saint-Barthélemy.

– Jest jak Miami, tylko lepsza – powiedziała Grace córce, a ona się roześmiała.

Było widać, że romans sprawia im dużo radości i właściwie dlaczego nie, jak powiedział Bob. Pomógł Ellen kupić choinkę i ubrał ją razem z nią. Nagle poczuli prawdziwy świąteczny nastrój pomimo zmian, które nastąpiły w minionym roku. Uwielbiali też spędzać razem czas. Chodzili nie tylko na kolacje, ale też na koncerty symfoniczne i do teatru. Lubili godzinami ze sobą rozmawiać. Kiedy Ellen powiedziała, że jest tym zainteresowana, Bob zaprosił ją, by pojechała z nim na nagranie programu telewizyjnego, w którym przeprowadzano z nim wywiad. On był tym już znudzony, ale dla niej było to ekscytujące. Oglądała w poczekalni, jak występuje w *The Today Show*.

Bob przygotowywał się na odwiedziny swoich dzieci. Planował z nimi kilkudniowy wypad na narty, chciał jednak, by najpierw Ellen zjadła z nimi kolację, a ona cieszyła się na to spotkanie. Rozmowa na ten temat doprowadziła ich do kwestii, nad którą Bob się zastanawiał, ale obawiał się zapytać. Jednak pewnego wieczoru, po paru kieliszkach wina do kolacji zrobił to.

– Z tego, co rozumiem, ty i twój mąż postanowiliście nie brać pod uwagę adopcji – zaczął ostrożnie.

Powiedziała mu o efektach leczenia niepłodności oraz o tym, że nigdy nie będzie mogła mieć własnego dziecka.

– To było wbrew jego wyobrażeniu o ciągłości rodu i dziedzictwie. Nie chciał dziecka, które nie byłoby w pełni jego potomkiem, a ja do pewnego stopnia się zgadzałam. Sama nie wiem, czy mnie do tego przekonał, czy nie, ale był też przeciwny ryzyku związanemu z adopcją oraz sprzeciwiał się udziałowi surogatki, więc wykluczyliśmy te możliwości. Mnie także adopcja wydawała się ryzykowna, bo biologiczni rodzice mogą być czasem byłymi narkomanami albo mieć inne problemy, o których nie zawsze się wie w takich sytuacjach.

– Wiesz, mój syn jest adoptowany – wyznał jej po raz pierwszy. – Chcieliśmy mieć drugie dziecko. Po pięciu poronieniach poddaliśmy się i zdecydowaliśmy na adopcję. Jest wspaniałym chłopcem. Uznałem, że powinnaś o tym wiedzieć. To nie zawsze jest zły pomysł. W przypadku biologicznych dzieci też istnieje ryzyko choroby, której nie da się przewidzieć, dziedzicznych problemów z poprzednich pokoleń, o których się nie wiedziało. Jak to mówią, takie życie. Czasami adopcja to wspaniały pomysł, jeżeli bardzo chce się mieć dziecko i nie można mieć własnego.

Nigdy nie postrzegała tego w ten sposób, a George tak stanowczo się temu sprzeciwiał, że przekonał również ją. Jednak Bob sprawiał, że brzmiało to niemal zachęcająco.

– Czy myślisz, że kiedyś weźmiesz to pod uwagę?

– Nie wiem. Zawsze wykluczałam tę opcję. Trudno powiedzieć, co zrobię. Próbowałam zapomnieć o pragnieniu posiadania dzieci. Wiele przez to wycierpieliśmy.

– Czasami rezygnacja z tego marzenia to też właściwa decyzja. Tylko ty możesz to wiedzieć. Jesteś wystarczająco młoda, by przez jakiś czas się nad tym zastanowić. W adopcji dobre jest to, że nic cię nie popędza. Możesz ją rozważyć, gdy będziesz gotowa, albo wcale. Dzieci są wspaniałe, ale nie są niezbędne do szczęścia. Po prostu chciałem ci opowiedzieć o tym, że w naszym przypadku naprawdę się powiodło. Zawsze byliśmy zadowoleni, że to zrobiliśmy. – Uśmiechnął się do niej. – Jest o wiele mądrzejszy i przystojniejszy od nas w młodości. Mówi, że być może kiedyś będzie chciał poznać swoją biologiczną matkę, ale na razie nie czuł jeszcze takiej potrzeby. Nie wydaje się tym szczególnie zainteresowany, ale być może w przyszłości się tym zajmie. Moja żona nie podchodziła zbyt entuzjastycznie do tego pomysłu, ale gdyby nas poprosił, pomoglibyśmy mu ją znaleźć. To była piętnastolatka z Utah.

– To idealna sytuacja dla wszystkich stron, ale trudno na nią trafić. Zawsze bałam się, że trafię na jakiegoś ćpuna z Haight-Ashbury. Nigdy nic nie wiadomo.

– Jeśli zdecydujesz się na ten krok, możesz zachować ostrożność. Po prostu chciałem, byś wiedziała, że taką możliwość można wziąć pod uwagę. Zazwyczaj nie opowiadam ludziom, że adoptowaliśmy syna, ale uznałem, że warto wspomnieć o tym tobie.

– Dziękuję – powiedziała cicho.

Uśmiechnęli się do siebie, a Bob wyciągnął rękę i ujął ją za dłoń. Ellen myślała o tym, co powiedział o swoim synu, gdy tego wieczoru odwiózł ją do domu. Nigdy nie rozważała poważnie adopcji i wciąż nie była pewna, czy kiedykolwiek to zrobi. Jednak gdyby kiedyś ponownie wyszła za mąż, mogłaby wziąć ją pod uwagę. Nie chciała przygarniać dziecka jako samotna matka. W tej chwili nie wydawało jej się to aż tak pilne jak wcześniej. Była sama i miała wiele do przemyślenia. Sprawa rozwodowa miała się zakończyć w kwietniu. Potem czekało ją zupełnie nowe życie, które już się zaczęło.

Dzień przed przylotem jego dzieci z Kalifornii znów zjedli razem kolację. Wydawał się wyczekiwać ich wizyty ze szczerym entuzjazmem. Jego córka niedawno zapowiedziała, że zabierze ze sobą chłopaka. Wcześniej tego nie planowali, ale Bob nie czuł się tym urażony.

Ellen znalazła dla niego świąteczny prezent i podarowała mu go przy kolacji. Było to pierwsze wydanie książki, którą uwielbiał w młodości – powieści z serii o Sherlocku Holmesie, która zainspirowała jego karierę. Stracił ją podczas powodzi w Tribece i martwiło go to. Cieszyła się, że może ją odkupić, a on był wzruszony, gdy ją rozpakował.

– Ja też coś dla ciebie mam – powiedział, patrząc na nią czule. – Liczyłem, że spotkamy się jeszcze raz przed świętami.

– Nie wiedziałam, czy nie będziesz zbyt zajęty wizytą dzieci, dlatego przyniosłam prezent dzisiaj.

– Zjedzmy wszyscy razem kolację w dzień po ich przyjeździe. Zapraszam ich do Twenty-One.

To był dobry plan.

Potem wrócili do jej mieszkania. On rozpalił ogień w kominku, a ona opowiedziała mu, że dostała ofertę kupna domu w Londynie. Nie zwalała z nóg, ale proponowana cena była rozsądna, a warunki – dobre.

– Kusi mnie, żeby ją zaakceptować. Jestem gotowa, by pożegnać się z tym domem. Chcę ruszyć dalej. Nie podoba mi się myśl, że stoi tam niczym relikt przeszłości.

Te wspomnienia pragnęła zostawić za sobą. Im więcej myślała o swoim życiu z George'em, tym bardziej uświadamiała sobie, że rezygnacja z tak wielu rzeczy nie była dla niej dobra. On tego od niej oczekiwał, a ona zgodziła się z własnej woli. Z perspektywy czasu dostrzegła, że nie szanowała siebie, tylko jego. Bob dostrzegł to na długo przed nią i codziennie obserwował, jak się zmienia. Była bardziej zdecydowana, bardziej pewna siebie, delikatna, ale gotowa wyrażać swoje opinie. Imponowało mu, jak bardzo się rozwinęła podczas ich krótkiej znajomości.

– Jakie masz plany na sylwestra? – spytał ją, gdy siedzieli obok siebie na kanapie, wpatrując się w ogień. – Moich dzieci już tu nie będzie. Chcą wrócić do Kalifornii, by świętować ze znajomymi. W tym wieku nie da się ich zatrzymać na dłużej.

Powiedział to bez żalu, nauczył się to akceptować. Cieszył się, że w ogóle przyjeżdżają. Wiedział, że któregoś dnia, gdy będą mieli partnerów i własne dzieci, stanie się to trudniejsze. Uznał, że jeszcze przez kilka lat sytuacja się nie zmieni, ale nie potrwa to długo. Poza tym był sam, tak jak Ellen. Nawet dla ludzi mających dzieci święta mogą być samotne lub trudne.

– Nie mam żadnych planów – powiedziała, odwracając się do niego.

Już teraz zapewniał jej więcej zajęć, niż przewidywała, gdy przeprowadziła się do Nowego Jorku. Nie spodziewała się, że w jej życiu pojawi się mężczyzna, czy nawet przyjaciel przeciwnej płci, który będzie zabierał ją na kolacje. Teraz jej mama była zajęta spotkaniami z Jimem, co było dużą zmianą. Nie musiała już dotrzymywać towarzystwa Grace – kobieta wychodziła z domu niemal co wieczór i pracowała jeszcze ciężej niż zwykle.

– Na sylwestra zazwyczaj jeździliśmy do przyjaciół na wieś, na typowe brytyjskie przyjęcie w domu – powiedziała. – Zawsze było bardzo radośnie. Brytyjczycy uwielbiają weekendowe przyjęcia. To miły sposób na powitanie Nowego Roku.

Podobnie jak całe jej poprzednie życie, to także należało do przeszłości.

– A może zjemy kolację u mnie? – zaproponował Bob, mając na myśli mieszkanie Jima, u którego ciągle mieszkał, a który miał być z Grace na Saint-Barthélemy. – Możemy razem coś ugotować, usiąść przy ogniu i pooglądać plany mojego nowego mieszkania – zażartował. – Albo stać w gipsowym pyle i marzyć.

Roześmiała się, gdy to sobie wyobraziła.

– Chętnie – odpowiedziała po prostu. – Nie lubię hucznych sylwestrowych przyjęć. W tym roku mamy wiele powodów do wdzięczności. W Święto Dziękczynienia byłam zdenerwowana rozwodem, ale teraz rozumiem, że po Ofelii wszyscy mamy szczęście, że żyjemy. Ten sylwester mógł wyglądać zupełnie inaczej dla każdego z nas.

Od czasu huraganu całe jej życie się zmieniło, było o wiele lepsze, niż mogłaby sobie wymarzyć.

Patrząc na nią, Bob powoli przyciągnął ją do siebie, i trzymając w ramionach, pocałował. Ellen poczuła, jak mięknie w jego objęciach. To był nowy początek, którego żadne z nich się nie spodziewało, lepszy niż cokolwiek, co mógłby napisać Bob.

– Jesteś najlepszym, co przydarzyło mi się w bardzo długim czasie, być może w całym życiu – powiedział w zdumieniu.

Tajemnice życia były nieprzewidywalnymi skarbami, niosącymi nieoczekiwane błogosławieństwa tam, gdzie nikt nie spodziewałby się ich znaleźć.

– To zabrzmi okropnie, biorąc pod uwagę wszystkie zniszczenia i tragiczne śmierci, ale huragan Ofelia nie zostawił nas tam, gdzie nas zastał – powiedziała Ellen.

Ofelia bardzo zmieniła ich oboje.

Bob skinął głową. Ogień trzaskał w kominku, gdy przyciągnął ją bliżej i znów pocałował. Przyszłość malowała się w jasnych barwach.